Édouard BLED
Odette BLED
Lauréats de l'Académie française

———

Nouvelle édition assurée par
Daniel BERLION
Inspecteur d'académie

HACHETTE
Éducation

Conception graphique

Couverture : Olivier CALDÉRON

Intérieur : Laurent CARRÉ – Audrey IZERN

Composition et mise en page : MÉDIAMAX

© HACHETTE LIVRE 2006, 43, quai de Grenelle, 75905 PARIS Cedex 15.
ISBN 978-2-01-169449-2

SOMMAIRE

Le participe passé

Les confusions à éviter

Des signes orthographiques

L'écriture des sons

L'écriture des mots

GRAMMAIRE 97

CONJUGAISON 111

AVANT-PROPOS

Il en est de l'orthographe, de la grammaire et de la conjugaison comme de bien d'autres apprentissages : pour atteindre l'objectif fixé, avec ce que cela implique d'efforts patients, persévérants et ordonnés, il faut procéder en adoptant une démarche rigoureuse. Comme l'écrivaient Odette et Édouard Bled : *« Hâtons-nous lentement et méthodiquement ! »*

Cette démarche fut adoptée par Odette et Edouard Bled dans tous leurs ouvrages. Nous avons conservé la ligne de conduite qui a assuré le succès de la collection : la rigueur, l'exhaustivité, la clarté de la présentation. Tous les utilisateurs des *Bled* retrouveront ici ces qualités, gages de progrès.

▶ Une nouvelle édition modernisée en profondeur

Les recherches didactiques ont mis en évidence certains faits qui permettent de mieux soutenir les efforts de ceux qui apprennent ; aussi avons-nous introduit une cohérence nouvelle, sans pour autant modifier un contenu qui demeure le socle essentiel de notre langue.

Par ailleurs, les transformations, voire les bouleversements de notre société sont tels que nous avons choisi de présenter des situations rencontrées dans la vie quotidienne : la télévision, la vidéo, l'informatique, les moyens de communications, les modes alimentaires, les avancées technologiques, les voyages, les loisirs, le sport, bref tous les centres d'intérêt d'un citoyen du XXIe siècle servent de supports aux exemples et aux exercices.

▶ Un apprentissage progressif

L'orthographe grammaticale

Toutes les règles fondamentales de ponctuation et d'accord font l'objet d'un exposé accompagné d'exemples. Vous apprendrez à reconnaître la nature des mots pour appliquer correctement les règles des différents accords dans la phrase. Chaque difficulté est étudiée pour elle-même, de façon exhaustive, dans des situations variées et soigneusement choisies. Enfin, au fur et à mesure que les connaissances grammaticales se précisent, nous vous proposons des procédés pour éviter les erreurs dues aux homonymies.

L'orthographe d'usage

Les mots sont regroupés par analogie de sons, de terminaisons ou de difficultés orthographiques. Ce classement vous permet de constituer des séries, et surtout de mémoriser progressivement les circonstances d'usage des différentes écritures. Cette démarche favorise ainsi l'acquisition de nouveaux savoirs par l'enrichissement de bases solides.

Les notions grammaticales et les remarques syntaxiques

Les notions grammaticales vous aident à structurer vos écrits et à résoudre les problèmes que pose l'emploi de certains mots (les paronymes, les barbarismes, les pléonasmes, les contresens) ou de certaines tournures (les subordonnées, la voix passive, les différentes formes, la place des adverbes...).

La conjugaison

Les verbes sont les mots essentiels des propositions. Aussi faut-il apprendre à les identifier rapidement, à retrouver leur radical et à les replacer dans des ensembles qui possèdent les mêmes régularités.

Les différentes conjugaisons sont présentées selon le classement en trois groupes qui est simple et facilite la mémorisation des terminaisons.

Les conjugaisons particulières, les temps et les modes les plus usuels font l'objet d'études détaillées. Pour éviter les confusions de formes dues aux terminaisons homophones (je **cours** ; il faut que je **coure** – je **parlerai** ; je **parlerais**, etc.), nous proposons des procédés simples de différenciation par substitution qui vous permettront de placer rapidement la terminaison correcte.

▶ Une organisation claire en 129 leçons

Chacune des leçons traite une difficulté spécifique. Les principales règles, exposées clairement et simplement, sont suivies de remarques qui prolongent la réflexion. Règles et remarques sont accompagnées de nombreux exemples.

▶ Les exercices corrigés

Plus de 100 exercices vous permettent de travailler sur les difficultés expliquées dans les leçons. Nous vous recommandons vivement de les effectuer en totalité, c'est-à-dire de copier l'intégralité des phrases. Contrairement à une idée reçue, ce temps de copie n'est pas du temps perdu, il permet la mémorisation, en situation, de milliers de mots et d'accords.

Tous les exercices font l'objet d'un corrigé (pages 169 à 181) auquel vous pourrez vous reporter aussi souvent que nécessaire.

▶ Les 83 tableaux de conjugaison types et l'index de plus de 6 000 verbes

Pratiquement tous les verbes du français peuvent être rattachés à 83 séries types qui présentent les mêmes variations du radical et les mêmes terminaisons. Chacune de ces séries fait l'objet d'une présentation exhaustive des temps et des personnes dans des tableaux de lecture aisée. Pour conjuguer un verbe, il vous suffira de le chercher dans l'index et de noter le numéro du modèle de conjugaison type.

▶ L'index des notions clés

Chaque notion grammaticale, orthographique ou de conjugaison est répertoriée dans l'index (pages 313 à 318) qui renvoie à la leçon où la difficulté est présentée.

▶ La maîtrise de la langue

À travers l'apprentissage de l'orthographe et de la conjugaison, c'est en fait la maîtrise de la langue que nous visons ; si vous êtes à l'école de la rigueur et de la correction, vous serez progressivement en mesure de régler les problèmes posés lors d'une expression personnelle.

Nous avons voulu offrir à la personne rencontrant des difficultés un ouvrage qui lui permette de reprendre confiance et de progresser à sa mesure ; quant au lecteur plus avancé dans la maîtrise de la langue, il trouvera dans ce livre matière à se perfectionner pour être toujours plus assuré dans ses écrits.

Daniel BERLION
Inspecteur d'académie

ORTHOGRAPHE

1

LES POINTS

Les signes de ponctuation donnent des indications précieuses pour la lecture et la compréhension d'un texte. Ils marquent les pauses et les inflexions de la voix dans la lecture et fixent les rapports entre les propositions et les idées. Une ponctuation mal placée, ou omise, peut entraîner des contresens.

Le point

Le point marque la fin d'une phrase dont le sens est complet. Il indique une pause très nette ; l'intonation est descendante.
L'architecte a conçu un immeuble fonctionnel.
Les locataires emménageront dans les prochains jours.

⚠ Remarque

Une phrase nominale, ou sans verbe, se termine par un point, sauf s'il s'agit d'un titre d'œuvre.

À tout seigneur, tout honneur.
Léon fut surpris par l'accueil. Un vrai repas de fête.
Voyage au bout de la nuit (roman de Céline)

Le point d'interrogation

Le point d'interrogation se place à la fin d'une phrase lorsqu'on pose une question ; l'intonation est montante.
Quelle est la capitale de la Birmanie ?
Les navires sont-ils arrivés au port ?

⚠ Remarques

1 Lorsque l'interrogation est indirecte, on place simplement un point.
Dites-nous ce que vous ferez pendant les vacances.

2 Placé entre parenthèses, le point d'interrogation peut marquer le doute.
Clovis fut baptisé en 496 (?) à Reims.

Le point d'exclamation

Le point d'exclamation se place à la fin d'une phrase ayant un sens injonctif ou exclamatif ; l'intonation est montante.
Vous devez immédiatement répondre à ce courrier !
Quel beau jardin que celui de Villandry !

⚠ Remarques

1 Le point d'exclamation peut aussi être placé après une interjection. Dans ce cas, le mot suivant ne prend pas de majuscule et le point d'exclamation se répète à la fin de la phrase.
Attention ! ce trottoir est glissant !

2 La phrase impérative se termine généralement par un point.
Emporte un anorak, des gants et un bonnet.

Mais pour marquer l'intention ou l'ordre, on place un point d'exclamation.
Viens ici immédiatement !

EXERCICE P. 146

LA VIRGULE

La virgule **marque une courte pause dans la lecture, sans que la voix baisse.**

L'emploi de la virgule

• **La virgule** sépare, dans une même phrase, les éléments semblables, c'est-à-dire de même nature ou de même fonction, qui ne sont pas unis par l'une des conjonctions de coordination *et, ou, ni.*
Voilà un spectacle magnifique, il faut le reconnaître.
• Lorsque, dans une succession d'éléments semblables, les conjonctions de coordination *et, ou, ni* sont utilisées plusieurs fois, il faut séparer ces éléments semblables par des virgules.
Dans ce désert, on ne trouve ni oasis, ni puits, ni abri, ni piste.
• Les conjonctions *mais, ou, donc, car* sont précédées d'une virgule.
L'eau est froide, mais nous nous baignons.
Nous nous baignons, car l'eau est chaude.

Un élément de séparation

La virgule peut séparer :
• **les sujets d'un même verbe**
Les gazelles, les lions, les gnous, les éléphants peuplent ce parc naturel.

• **les épithètes ou les attributs d'un même nom ou d'un même pronom**
Une plainte lointaine, brève, pratiquement inaudible, perça le silence.
La statue était imposante, admirable, parfaitement ressemblante et bien éclairée.

• **les compléments d'un verbe, d'un nom, d'un adjectif**
Julien éplucha les courgettes, les aubergines, les tomates, les oignons.
L'expert détermine la valeur des timbres, des pièces, des cartes postales.
L'officier se présenta bardé de décorations, de médailles, de cocardes, d'écussons.

• **les verbes ayant un même sujet**
Le valet de chambre frappa, entra, se présenta et attendit les ordres.

• **les propositions de même nature, plutôt courtes**
Dehors, le vent soufflait, les volets claquaient, la pluie fouettait les murs.

• **les mots mis en apostrophe ou en apposition**
Moi, je ne partirai pas avant vingt heures.
L'avion, retardé par des vents contraires, n'atterrira qu'à dix heures.

• **les propositions incises**
Cette offre, je l'avoue, me tente.

• **les compléments circonstanciels ou les subordonnées placés en tête de phrase**
Devant la barrière de péage, les véhicules attendent.

⚠ Remarque

On ne place pas de virgule entre les pronoms relatifs *qui, que* et leur antécédent, sauf pour isoler une proposition subordonnée explicative.

L'émission qui vient d'être diffusée n'a duré que vingt minutes.

L'émission, que chacun a pu apprécier, n'a duré que vingt minutes.

        EXERCICE P. 146

LE POINT-VIRGULE –
LES POINTS DE SUSPENSION

Le point-virgule s'emploie dans une phrase ; les points de suspension dans et en fin de phrase.

Le point-virgule

Le point-virgule sépare des propositions ou des expressions qui ont un lien faible. Son emploi est délicat car il est proche du point ou de la virgule.
Les cultures manquent d'eau ; la récolte de maïs sera médiocre.

⚠ Remarques

1 On place un point-virgule lorsque la deuxième proposition commence par un adverbe.

Les travaux sont terminés ; désormais, la circulation est fluide.

2 Le point-virgule ne peut jamais terminer un texte et n'est jamais suivi d'une majuscule.

Les points de suspension

• **Les points de suspension** (toujours trois) indiquent que la phrase est inachevée. Ils marquent une interruption causée par l'émotion, la surprise, l'hésitation ou un arrêt voulu dans le développement de la pensée pour mettre en relief certains éléments de la phrase.
Il était une fois un prince charmant...
Un jour, je partirai à l'aventure...

• Ils peuvent également marquer la fin d'une énumération, peut-être incomplète. Dans ce cas, ils suivent directement le dernier mot.
L'alpiniste vérifie l'état de son piolet, la fixation de ses crampons, la fermeture de son sac, la présence de sa lampe frontale, le nombre de ses mousquetons...

⚠ Remarques

1 Les points de suspension ne peuvent jamais être placés après une virgule ou un point-virgule.

2 Les points de suspension placés entre crochets indiquent une coupure dans une citation.

De tous les bonheurs qui lentement m'abandonnent, le sommeil est l'un des plus précieux, des plus communs aussi. Un homme qui dort peu et mal [...] médite tout à loisir sur cette particulière volupté.

Marguerite Yourcenar, *Mémoires d'Hadrien*, Plon, 1953, Folio, Gallimard, 1977.

3 On emploie les points de suspension après l'initiale d'un nom que l'on ne veut pas citer.

J'ai rencontré monsieur K... dans l'escalier.

4 *Etc.* est une abréviation (latin : *et cætera*) qui signifie *et ainsi de suite*, soit l'équivalent de points de suspension. C'est pourquoi, elle n'est jamais suivie de points de suspension.

Au supermarché, on trouve de tout, des jouets, des aliments, des livres, des vêtements, **etc.**

EXERCICE P. 146

4

LES DEUX-POINTS – LES GUILLEMETS – LES PARENTHÈSES

orthographe

Les deux-points **annoncent un groupe de mots.** Les guillemets **et** les parenthèses **isolent** un mot ou un groupe de mots.

Les deux-points

On utilise **les deux-points** pour annoncer :
• **une énumération**
Tout le monde était là **:** les femmes, les hommes, les enfants.
• **une explication**
Vous ne pouvez pas entrer **:** la porte est fermée à clé.
• **une justification**
Je n'ai pas avalé ce sirop pour la toux **:** il est proprement imbuvable.
• **une citation**
Rimbaud a écrit **:** « Je est un autre. »
• **un discours direct**
Lorsqu'il vit le souterrain obstrué, Henri s'écria **:** « Me voilà pris au piège ! »

Les guillemets

Les guillemets (créés par l'imprimeur Guillaume, dit Guillemet, en 1525) encadrent un discours direct. L'ouverture des guillemets est généralement précédée de deux-points.
L'homme s'arrêta à ma hauteur et me demanda : « Avez-vous l'heure ? »

⚠ Remarques

1 Lors d'un dialogue, on place **un tiret** au début de chaque changement de prise de parole ; on n'en place pas pour la première personne qui parle.

Lorsque le client eut déposé ses achats sur le tapis, la caissière lui demanda :
« Comment réglez-vous ?
– Par carte bancaire.
– Alors, insérez-la ici. »

En fin de phrase ou de dialogue, le point (simple, d'interrogation, d'exclamation) est toujours placé à l'intérieur des guillemets.

2 Parfois, dans un dialogue, il faut indiquer la personne qui parle. Dans ce cas, on ne ferme pas les guillemets après ses paroles ; on place simplement une courte phrase entre deux virgules.

La caissière demanda poliment :
« Avez-vous une carte de fidélité ?
– Non, **répondit le client,** je ne viens qu'exceptionnellement dans ce magasin. »

Cette courte **proposition incise** n'est jamais précédée d'un point et ne commence jamais par une majuscule.

Les parenthèses

Les parenthèses servent à isoler une idée, une réflexion qui pourraient être supprimées sans altérer le sens de la phrase.
Comme il est maître nageur (même s'il n'en a pas fait son métier), Jean-Paul a appris à nager à tous ses neveux.

5

LES MAJUSCULES

La lettre majuscule **est aussi appelée lettre capitale.**

L'emploi de la majuscule

On met une majuscule :
- **au premier mot d'une phrase**
On a découvert une trace de dinosaure dans cette carrière.

- **aux noms propres, aux prénoms, aux surnoms, aux noms de famille**
Pasteur – Charles-Henri – Philippe le Bel – la famille Dupont

- **aux noms communs pris comme des noms propres**
un chien nommé Caramel
La Commune de Paris fut une date marquante de l'histoire de France.

- **aux noms ou aux titres des œuvres artistiques ou littéraires, des journaux, des magazines**
la Joconde de Léonard de Vinci   la Bible et le Coran
Le premier journal sportif fut l'Auto. Aujourd'hui, l'Équipe lui a succédé.

- **à certains termes de politesse**
Madame, Mademoiselle, Monsieur

- **aux noms qui marquent la nationalité**
Cette partie oppose les Anglais aux Gallois.

- **à certains termes historiques ou géographiques**
Richelieu – la Libération – Marseille – Jupiter – les Vosges

- **aux noms de bateaux, d'avions, de rues, d'édifices**
le Titanic – l'Airbus – l'avenue de la Gare – le musée du Louvre

- **aux noms d'institutions, de sociétés ou de distinctions**
le Conseil régional – l'Éducation nationale – Air France – la Légion d'honneur

- **aux premiers mots des vers de poèmes**
Ô temps, suspends ton vol ! et vous, heures propices,
Suspendez votre cours !   (Lamartine, *Méditations poétiques*)

Cas particuliers

- Les noms de mois, de saisons, de dates s'écrivent avec des minuscules.
le premier mardi du mois de juillet – le début du printemps

- Les noms de fêtes prennent des majuscules.
La Toussaint – Noël – l'Ascension – Pâques – Yom Kippour

- Les points cardinaux, lorsqu'ils désignent un territoire, une région, un pays, prennent une majuscule.
les régions du Nord – les départements de l'Ouest – les peuples d'Orient
Mais s'ils désignent les points de l'horizon, ils prennent une minuscule.
le vent souffle du nord – aller en direction du sud-ouest

- Les noms déposés et les noms de marques prennent une majuscule.
boire un Martini – piloter un Jodel – réparer une Vespa

          EXERCICE P. 146

6

LE GENRE DES NOMS

Les noms ont un genre – masculin ou féminin –, fixé par l'usage et repérable, le plus souvent, par le déterminant singulier qui les précède.

Noms féminins sur lesquels on peut hésiter

une acné	une argile	une encaustique	une oasis
une acoustique	une artère	une éphéméride	une octave
une agrafe	une atmosphère	une épigramme	une omoplate
une alcôve	une attache	une épitaphe	une orbite
une alèse	une autoroute	une épithète	une oriflamme
une algèbre	une azalée	une épître	une primeur
une amnistie	une chrysalide	une espèce	une primevère
une amorce	une dynamo	une gaufre	une réglisse
une anagramme	une ébène	une gemme	une stalactite
une antilope	une ecchymose	une idole	une stalagmite
une apostrophe	une échappatoire	une idylle	une stèle
une apothéose	une écritoire	une mandibule	une vésicule
une arachide	une égide	une nacre	une vis

Noms masculins sur lesquels on peut hésiter

un abîme	un armistice	un esclandre	un opercule
un ail	un arôme	un exode	un opuscule
un amalgame	un astérisque	un globule	un ovule
un ambre	un autographe	un haltère	un pétale
un amiante	un automate	un hémisphère	un pétiole
un anathème	un chrysanthème	un horoscope	un planisphère
un antidote	un edelweiss	un hymne	un pore
un antipode	un éloge	un indice	un poulpe
un antre	un emblème	un insigne	un rail
un aphte	un en-tête	un interclasse	un sépale
un apogée	un épiderme	un intermède	un tentacule
un appendice	un épilogue	un ivoire	un termite
un arcane	un équinoxe	un obélisque	un tubercule

⚠ Remarques

1 Tous les noms en *-e* ne sont pas féminins et tous les noms féminins ne se terminent par un *-e*.

le répertoire – un massage – un héroïsme – le souffle – le chêne – un parapluie...
la douleur – une pression – une loi – la vertu...

2 Certains noms changent de sens selon leur genre.

faire **un tour** – admirer **une tour**

3 Quelques noms ne s'emploient qu'au féminin, même s'ils désignent un homme ou un animal mâle !

une sentinelle – une idole – une victime – une vigie – une recrue – une bête...

4 Pour certains noms, les deux genres sont acceptés.

un (une) après-midi – un (une) alvéole – un (une) enzyme – un (une) HLM

7

LE FÉMININ DES NOMS

On forme généralement le féminin des noms des être animés **en ajoutant un -e** à la forme du nom masculin. Si le nom masculin se termine déjà par un **-e**, on place simplement un article féminin devant le nom.

un apprenti → une apprenti**e**   un marchand → une marchand**e**
un journaliste → une journaliste   un élève → une élève

Terminaisons différentes au féminin

• Les noms masculins terminés par **-er** font leur féminin en **-ère**.
un écuyer → une écuy**ère**   un gaucher → une gauch**ère**

• Certains noms masculins doublent la consonne finale.
un paysan → une paysan**ne**   un chat → une cha**tte**

• Les noms masculins terminés par **-eur** font souvent leur féminin en **-euse**.
un nageur → une nag**euse**   un coiffeur → une coiff**euse**

• Des noms masculins terminés par **-teur** font leur féminin en **-trice**.
un directeur → une direc**trice**   un éducateur → une éduca**trice**

• Certains noms masculins terminés par **-e** font leur féminin en **-esse**.
un prince → une princ**esse**   un âne → une ân**esse**

• Certains noms masculins changent la consonne finale.
un époux → une épou**se**   un veuf → une veu**ve**   un loup → une lou**ve**

• Quelques noms masculins sont légèrement modifiés au féminin.
un vieux → une vi**eille**   un fou → une f**olle**   un jumeau → une jum**elle**

Autres cas

• Le nom masculin a un équivalent féminin différent.
un oncle → une tante   un coq → une poule
Attention à certaines confusions :
Le crapaud n'est pas l'équivalent masculin de la grenouille.
Le hibou n'est pas l'équivalent masculin de la chouette.

• Peu à peu, l'usage donne à tous les noms masculins (notamment les noms de métiers) un équivalent féminin.
un député → une députée   un professeur → une professeure
Mais certains noms masculins n'ont toujours pas de féminin.
un bandit – un assassin – un bourreau – un cardinal – un forçat – un témoin...

⚠ Remarques

1 Le mot *enfant* a une forme unique.
un/une enfant

2 Les noms d'habitants prennent également la marque du féminin.
un Anglais → une Anglaise
un Italien → une Italie**nne**

3 Le féminin de certains noms peut avoir un sens tout à fait différent du nom masculin ; il ne désigne pas alors un être animé.
Le portier nous précède dans le hall.
Vous fermez la portière.

EXERCICE P. 147

8

LE PLURIEL DES NOMS

orthographe

On forme généralement le pluriel des noms en ajoutant un **-s** au nom singulier.

Règles générales

• Les noms terminés par **-au, -eau, -eu** prennent un **-x** au pluriel.
un tuyau → des tuyaux   un seau → des seaux   un cheveu → des cheveux
Exceptions :
des landaus – des sarraus – des pneus – des bleus – des émeus (oiseaux australiens) – des lieus (les poissons)

• Beaucoup de noms masculins terminés par **-al** font leur pluriel en **-aux**.
un animal → des animaux   le général → les généraux   un cheval → des chevaux
Exceptions :
des bals – des chacals – des carnavals – des festivals – des récitals – des régals...

• Une majorité de noms terminés par **-ail** au singulier font leur pluriel en **-ails**.
un rail → des rails   un détail → des détails   le portail → les portails
Exceptions :
les coraux – des émaux – des soupiraux – des travaux – des vitraux...

• Les noms terminés par **-ou** prennent un **-s** au pluriel.
un trou → des trous   le clou → les clous   un cachou → des cachous
Exceptions :
les bijoux – les cailloux – les choux – les genoux – les hiboux – les joujoux – les poux

• Les noms terminés par **-s, -x, -z** ne prennent pas la marque du pluriel.
le bois → les bois   une voix → des voix   un gaz → des gaz

Cas particuliers

• Certains noms ont un pluriel particulier.
un monsieur → des **messieurs** ; un œil → des **yeux** ; un ail → des **aulx** (des **ails**)
• Certains noms ne s'emploient qu'au singulier ; d'autres seulement au pluriel.
Uniquement au singulier : le bétail – (faire) le guet – (joindre) l'utile à l'agréable
Uniquement au pluriel : les funérailles – les entrailles – les préparatifs – les mœurs – les ténèbres – les honoraires – aux confins – les vivres – les alentours – les décombres – les arrhes

⚠ Remarques

1 Au pluriel, certains noms ont un sens différent de celui du singulier.
faire sa **toilette** ≠ aller aux **toilettes**
Le film tire à sa **fin**. (il se termine) ≠ Jean arrive à ses **fins**. (il réussit)
prendre le **frais** (l'air) ≠ entraîner des **frais** (des dépenses)

2 Quand un nom sans article, précédé des mots *à, de, en, sans, ni, pas de...*, est complément d'un autre nom, il peut être au singulier ou au pluriel selon le sens.
des bracelets en or – une paire de chaussettes – des patins à roulettes – des jours sans soleil

19   **EXERCICE P. 147**

9 LE PLURIEL DES NOMS PROPRES ET DES NOMS D'ORIGINE ÉTRANGÈRE

Les noms propres et d'origine étrangère **peuvent parfois prendre la marque du pluriel.**

Les noms propres

Les noms propres ne prennent pas la marque du pluriel.
Les sœurs **Ferlet** nous ont rendu visite.   Les magasins **Carrefour** soldent.
Les nouvelles **Citroën** sont des voitures économiques.

Exceptions :
• les noms de population ou de lieux géographiques qui désignent un ensemble ;
les Toulousains – les Mexicains – les Péruviens – les Alpes – les Canaries – les Baléares
Mais il n'y a pas de marque du pluriel si la pluralité n'est pas réelle.
Il n'existe pas deux **Rome** en Italie.

• certaines familles royales, princières ou illustres de très vieille noblesse.
les Horaces – les Capétiens – les Condés – les Césars

⚠ Remarques

1 On admet deux orthographes pour :
– des personnages illustres pris comme types ;
les Pasteur(s) – les Curie(s) – les Einstein(s)

– des œuvres artistiques ou littéraires désignées par le nom de leur créateur.
des Picasso(s) – des Simenon(s)

2 Le nom propre, une fois considéré comme un nom commun, prend la marque du pluriel.

Les **harpagons** rendent leur famille malheureuse.

Les noms d'origine étrangère

Les noms d'origine étrangère peuvent :
• prendre un **-s** au pluriel s'ils sont francisés depuis longtemps par l'usage ;
un duo → des duos   un album → des albums   un matador → des matadors

• garder leur pluriel étranger ;
une lady → des ladies   un rugbyman → des rugbymen
un erratum → des errata   un scenario → des scenarii (sans accent)

• avoir deux pluriels, indifféremment l'étranger et le français ;
un sandwich → des sandwiches/des sandwichs
un maximum → des maxima/des maximums

• rester invariables pour certains noms d'origine latine.
un extra → des extra   un credo → des credo

⚠ Remarque

Donner aux noms d'origine étrangère le pluriel de leur langue est une marque d'affectation. On francisera donc largement les pluriels des noms d'origine étrangère.
Quelquefois, la forme plurielle francisée s'est imposée aussi au singulier.
des confettis → un confetti
(singulier italien : un confetto)
des touaregs → un touareg
(singulier arabe : un targui)

                                    EXERCICE P. 147

LE PLURIEL DES NOMS COMPOSÉS

Les noms composés **sont formés de deux ou trois mots unis par un ou des traits d'union.**

Les noms composés variables

Dans les noms composés, seuls les noms et les adjectifs se mettent au pluriel.
une basse-cour → des basses-cours   un rouge-gorge → des rouges-gorges

⚠ Remarques

1 Lorsque le nom composé est formé de deux noms unis par une préposition, en général, seul le premier nom s'accorde.

un chef-d'œuvre → des chefs-d'œuvre

2 Si l'adjectif a une valeur adverbiale, il reste invariable.

un haut-parleur → des haut-parleurs
un long-courrier → des long-courriers

Les noms composés invariables

Dans les noms composés, les verbes, les adverbes, les prépositions sont toujours invariables.
des pince-sans-rire – des laissez-passer – des quant-à-soi – des avant-toits

⚠ Remarque

Garde s'accorde quand il est employé comme nom ; il reste invariable s'il s'agit du verbe.

des gardes-chasses – des gardes-malades
des garde-manger – des garde-robes

Cas particuliers

• Pour un nom composé singulier, le sens peut imposer le pluriel du second mot.
un porte-bagages → C'est un dispositif pour porter **les** bagages.

• Pour un nom composé pluriel, le sens peut imposer le singulier du second mot.
des timbres-poste → des timbres pour **la** poste

• Quelquefois, le sens s'oppose à l'accord de certains noms composés.
des pot-au-feu → de la viande et des légumes mis dans **un** pot sur **le** feu

• Si le premier mot d'un nom composé est un élément terminé par la voyelle *-o*, il est invariable.
des primo-arrivants – des broncho-pneumonies – des auto-écoles

⚠ Remarques

1 Les dictionnaires mentionnent parfois deux orthographes.

un essuie-main(s) – des grand(s)-mères

2 Certains noms composés sont formés de deux mots que l'usage a soudés.

Ils prennent normalement les marques du pluriel.

un portefeuille → des portefeuilles

Quelques noms qui se sont soudés ont conservé des pluriels particuliers.

madame → **mesdames**
un bonhomme → des **bonshommes**

EXERCICE P. 147

11 · LE FÉMININ DES ADJECTIFS QUALIFICATIFS

Les adjectifs qualificatifs s'accordent en genre.

Règles générales

- On forme généralement le féminin des adjectifs qualificatifs en ajoutant un **-e** à la forme du masculin.
un joli bouquet → une joli**e** fleur   un grand détour → une grand**e** traversée
- Les adjectifs qualificatifs terminés par **-e** au masculin ne changent pas de forme.
un ami fidèl**e** → une amie fidèl**e**   un lieu agréabl**e** → une région agréabl**e**

Cas particuliers

- Les adjectifs qualificatifs terminés par **-er** au masculin font leur féminin en **-ère**.
un morceau enti**er** → une part enti**ère**
- Certains adjectifs qualificatifs doublent la consonne finale au féminin.
un meuble ba**s** → une table ba**sse**   un genti**l** garçon → une genti**lle** fille
- Les adjectifs qualificatifs terminés par **-et** au masculin doublent généralement le **t** au féminin.
un prix ne**t** → une ne**tte** différence   un ruban viole**t** → une écharpe viole**tte**
Exceptions : *complet, concret, désuet, discret, inquiet, replet, secret* se terminent par **-ète** au féminin.
un tour comple**t** → une partie compl**ète**   un cri discre**t** → une joie discr**ète**
- Certains adjectifs qualificatifs modifient leur terminaison au féminin.
un objet préci**eux** → une pierre préci**euse** – un fau**x** nom → une fau**sse** adresse
un pain fra**is** → une boisson fra**îche** – un drap blan**c** → une chemise blan**che**
un parc publi**c** → une place publi**que** – un regard hâti**f** → une réponse hâti**ve**
un sourire dou**x** → une voix dou**ce** – un long parcours → une lon**gue** randonnée
un sourire mali**n** → une mimique mali**gne** – un théâtre gre**c** → une statue gre**cque**
- Les adjectifs qualificatifs terminés par **-eur** au masculin font généralement leur féminin en **-euse**.
un fil balad**eur** → une lampe balad**euse**
Néanmoins, certains adjectifs qualificatifs masculins terminés par **-eur** font leur féminin en **-resse** ou en **-eure**.
un coup veng**eur** → une réplique veng**eresse**
un espace intéri**eur** → une cour intéri**eure**
- Nombre d'adjectifs qualificatifs en **-teur** font leur féminin en **-trice**.
un projet nova**teur** → une idée nova**trice**

 Remarque

Formes particulières au féminin :

un cri aigu → une plainte aiguë
un fromage mou → une pâte molle
un numéro favori → une carte favorite

un vieux livre → une vieille revue
un beau visage → une belle coiffure
un texte rigolo → une histoire rigolote
le peuple hébreu → la langue hébraïque

          Exercice p. 147

LE PLURIEL
DES ADJECTIFS QUALIFICATIFS

Les adjectifs qualificatifs s'accordent en nombre.

Règle générale

• On forme généralement le pluriel des adjectifs qualificatifs en ajoutant un **-s** à la forme du singulier.
des réglages parfait**s** – des travaux manuel**s** – des saules pleureur**s**

• C'est notamment le cas de tous les adjectifs qualificatifs féminins.
des salles bruyante**s** – des assiettes creuse**s** – des destinations lointaine**s**

Cas particuliers

• Les adjectifs qualificatifs terminés par **-s** ou **-x** au singulier ne prennent pas de marque du pluriel.
un détail préci**s** → des détails préci**s**   un hôtel luxueu**x** → des hôtels luxueu**x**

• L'adjectif *bleu* prend un **-s** au pluriel.
un drap bleu → des draps bleu**s**   une eau bleue → des eaux bleue**s**

• Les quelques adjectifs qualificatifs terminés par **-eau** au singulier prennent un **-x** au pluriel.
un nouveau jeu → de nouveau**x** jeux   un beau tir → de beau**x** tirs

• Les adjectifs qualificatifs terminés par **-al** au singulier forment le plus souvent leur pluriel en **-aux**.
un site régional → des sites région**aux**   un plan mondial → des plans mondi**aux**
Exceptions :
bancal, fatal, final, natal, naval prennent simplement un **-s** au pluriel.
un lit bancal → des lits bancal**s**   un destin fatal → des destins fatal**s**
un point final → des points final**s**   un pays natal → des pays natal**s**
un chantier naval → des chantiers naval**s**

⚠ Remarques

1 *Banal* a un pluriel en **-aux** dans les termes de féodalité.
des fours ban**aux** – des moulins ban**aux** – des pressoirs ban**aux**

Dans les autres cas, au sens de *sans originalité*, son pluriel est en **-s**.
des propos banal**s** – des compliments banal**s**

2 Les adjectifs qualificatifs composés s'accordent lorsqu'ils sont formés de deux adjectifs.
des paroles aigre**s**-douce**s**
des personnes sourde**s**-muette**s**

Si l'un des deux termes de l'adjectif composé est un mot invariable (ou un adjectif pris adverbialement), ce terme reste invariable.
des petits pois extra-fin**s**
des veaux nouveau-né**s**
les accords franco-italien**s**

3 Avec l'expression *avoir l'air*, l'adjectif peut s'accorder avec *air* ou avec le sujet de *avoir l'air* lorsqu'il s'agit de personnes. S'il s'agit de choses, l'accord se fait avec le sujet.
Les fillettes ont l'air doux (ou douce**s**).
Les voitures ont l'air neu**ves**.

   EXERCICE P. 147

13 LES PARTICIPES PASSÉS EMPLOYÉS COMME ADJECTIFS QUALIFICATIFS

La plupart des participes passés peuvent être employés comme des adjectifs qualificatifs. Ils s'accordent, en genre et en nombre, avec les noms auxquels ils se rapportent.

Les verbes du 1er groupe

Les participes passés des **verbes du 1er groupe** (ainsi que *aller*) se terminent tous par **-é**.

saler → sal**é**   souder → soud**é**   entourer → entour**é**   aller → all**é**

⚠ Remarque

On peut confondre le participe passé d'un verbe du 1er groupe avec son infinitif, car, à l'oral, les terminaisons sont semblables.

des sols nivel**és**
Cet engin permet de nivel**er** les sols.

Pour faire la distinction, on peut remplacer le verbe du 1er groupe par un verbe du 2e ou du 3e groupe ; on entend alors la différence.

des sols entreten**us**
Cet engin permet d'entreten**ir** les sols.

Les verbes des 2e et 3e groupes

• Les participes passés des **verbes du 2e groupe** se terminent tous par **-i**.
remplir → rempl**i**   enfouir → enfou**i**   abolir → abol**i**

• Les participes passés des **verbes du 3e groupe** se terminent généralement par **-i** ou par **-u**.
servir → serv**i**   suivre → suiv**i**   vendre → vend**u**   taire → t**u**
Mais il peut exister des consonnes muettes en fin de participe passé ;
séduire → sédui**t**   surprendre → surpri**s**   éteindre → étein**t**
ou des formes particulières.
mourir → **mort**   naître → **né**   couvrir → **couvert**
Mettre ces participes au féminin permet de vérifier la présence, ou non, d'une consonne finale.
un public sédui**t** → une salle sédui**te**   un public surpri**s** → une salle surpri**se**
Sauf pour : *dissoudre* → du sucre dissou**s** – une matière dissou**te**

⚠ Remarques

1 Comme l'adjectif qualificatif, le participe passé peut se trouver séparé du nom auquel il se rapporte par un adverbe.

une fête très/plutôt/parfaitement réussi**e**

2 Les participes passés *attendu, compris, non compris, y compris, entendu, excepté, passé, vu,* placés devant le nom, s'emploient comme des prépositions et restent invariables.

Vu les intempéries, les maçons ne travailleront pas aujourd'hui.
Passé les fêtes, les magasins sont déserts.

3 Certains participes passés peuvent être employés comme noms (plus rarement au féminin). Dans ce cas, ils s'accordent en genre et en nombre.

handicaper → un (des) handicapé(s)
inscrire → un (des) inscrit(s)

EXERCICE P. 148

14 LES ADJECTIFS QUALIFICATIFS ET LES PARTICIPES PASSÉS ÉPITHÈTES OU ATTRIBUTS

Les adjectifs qualificatifs et les participes passés peuvent être épithètes ou attributs.

Les épithètes

• Les adjectifs qualificatifs et les participes passés peuvent être employés comme **épithètes** des noms (ou pronoms) auxquels ils se rapportent ; ils appartiennent alors au groupe nominal et s'accordent avec le nom principal (ou pronom) de ce groupe.
L'épithète peut précéder ou suivre le nom et en être séparé par un adverbe.

• Pour trouver ce nom (ou pronom), il faut poser, devant l'adjectif qualificatif ou le participe passé, la question : « Qui est-ce qui est (sont) ? »

Tu visites des **petits** édifices **romans** bien **restaurés**.
Qui est-ce qui sont **petits, romans, restaurés** ? **des édifices** → masculin pluriel

Les attributs

• Lorsque les adjectifs qualificatifs et les participes passés sont séparés du nom sujet (ou pronom sujet) par un verbe, ils sont **attributs** du sujet de ce verbe (*être, demeurer, paraître, rester, sembler...*) avec lequel ils s'accordent en genre et en nombre.

L'émission fut **intéressante**.   M. Léonardi demeure **fidèle** à ses convictions.

• L'attribut se rapporte généralement au sujet du verbe, mais il peut également se rapporter au complément d'objet (souvent un pronom) avec lequel il s'accorde.

Les pâtes sont préparées avec passion par les cuisiniers italiens ; celui qui les déguste les trouve **délicieuses**.
Qui est-ce qui sont **délicieuses** ?   **les** (mis pour les pâtes) → féminin pluriel

⚠ Remarques

1 L'adjectif qualificatif et le participe passé, épithète ou attribut, peuvent eux-mêmes avoir des compléments.

Elle porte des vêtements **passés** de mode.
Ces portraits sont **célèbres** dans le monde entier.

2 Pour les 1re et 2e personnes du singulier et du pluriel, bien souvent seule la personne qui écrit sait quel accord il faut faire.

Je suis actif.
     (un homme parle)
Nous sommes heureuses.
     (des femmes parlent)

3 *Vous* peut désigner une seule personne (formule de politesse). Dans ce cas, l'adjectif qualificatif ou le participe passé qui s'y rapporte reste au singulier.

« Vous serez **satisfait(e)** », déclare le vendeur.

EXERCICE P. 148

L'APPOSITION

Les adjectifs qualificatifs et les participes passés peuvent être placés en apposition.

Les adjectifs et les participes apposés

• Lorsqu'ils sont séparés du nom par une ou deux virgules, l'adjectif qualificatif et le participe passé sont mis en **apposition**.
Confortables, ces voitures séduisent de nombreux conducteurs.
Bien équipées, ces voitures séduisent de nombreux conducteurs.
Ces voitures, **confortables,** séduisent de nombreux conducteurs.
Ces voitures, **bien équipées,** séduisent de nombreux conducteurs.

• Plusieurs adjectifs qualificatifs ou participes passés peuvent être placés en **apposition**.
Confortables et économiques, ces voitures séduisent de nombreux conducteurs.
Ces voitures, **confortables et économiques,** séduisent de nombreux conducteurs.

⚠ Remarques

1 L'adjectif qualificatif et le participe passé mis en apposition sont souvent accompagnés d'un complément.

Différentes de leurs concurrentes, ces voitures séduisent de nombreux conducteurs.

2 On peut supprimer l'apposition sans rendre la phrase incorrecte ni en modifier le sens.

Ces voitures séduisent de nombreux conducteurs.

Les autres formes de l'apposition

L'apposition, qui apporte un complément d'information dans un rapport d'équivalence, peut également être :

• **un nom (ou un groupe nominal)**
M. Leroux, **le boulanger,** cherche vainement un apprenti.
M. Leroux, **le seul boulanger du quartier,** cherche vainement un apprenti.

• **un pronom (ou un groupe pronominal)**
M. Leroux, **lui-même,** cherche vainement un apprenti.
M. Leroux, **celui que tout le monde connaît,** cherche vainement un apprenti.

• **un infinitif**
M. Leroux n'a qu'une idée en tête, **chercher un apprenti.**

• **une subordonnée relative**
M. Leroux, **qui tient boutique dans le quartier,** cherche vainement un apprenti.

• **une subordonnée conjonctive**
M. Leroux ne pense qu'à une chose : **qu'un apprenti se présente.**

⚠ Remarque

Il ne faut pas confondre l'apposition et le complément de nom.
L'apposition et le nom, auquel elle apporte un complément d'information, renvoient à la même réalité.

Le complément de nom concerne une réalité différente de celle du nom.

Apposition : la profession de boulanger

Complément de nom : la boulangerie de M. Leroux

   EXERCICE P. 148

16 LES PARTICULARITÉS DE L'ACCORD DES ADJECTIFS QUALIFICATIFS

Les adjectifs qualificatifs et les participes passés s'accordent en genre et en nombre avec le nom auquel ils se rapportent. Néanmoins, certaines particularités sont à connaître.

Règles générales

• Lorsque l'**adjectif qualificatif** (ou le participe passé) est employé avec deux noms singuliers, il s'écrit au pluriel.
Le parc et le jardin sont déserts.   La place et l'avenue sont désertes.

• Lorsque l'adjectif qualificatif (ou le participe passé) est employé avec des noms de genres différents, on l'accorde au masculin pluriel.
La place et le parc sont déserts.

Cas particuliers

• Après *des plus, des moins, des mieux, des moindres,* l'adjectif (ou le participe passé) qui suit se met au pluriel et s'accorde en genre avec le nom.
Cette affaire est <u>des plus</u> délicates.
Ce joueur n'est pas <u>des moins</u> assidus à l'entraînement.
Néanmoins, lorsque le mot auquel se rapporte l'adjectif est un infinitif, une proposition ou un pronom neutre, il reste au masculin singulier.
Trouver un taxi ici est <u>des plus</u> difficile.
C'est <u>des plus</u> regrettable que de devoir attendre.

• L'adjectif *possible* s'accorde quand il se rapporte directement au nom.
J'ai essayé toutes les solutions possibles.
Mais employé avec *le plus de, le moins de, le mieux, possible* est adverbe, donc invariable.
J'ai essayé <u>le plus</u> de solutions possible.   Il a fait <u>le moins</u> d'efforts possible.

• Les adjectifs *nu* et *demi*, placés devant le nom, sont invariables et s'y rattachent par un trait d'union.
Tu marches **nu**-pieds.   Ils vont partir dans une **demi**-heure.
Placés après le nom, *nu* s'accorde en genre et en nombre, *demi* s'accorde en genre.
Tu marches pieds **nus**.   Ils vont partir dans deux heures et **demie**.

Remarques

1 *À nu* et *à demi* sont des adverbes, donc invariables.

avoir les épaules **à nu**
laisser une porte **à demi** fermée

Nu et *demi* peuvent être employés comme noms.

Cet artiste peint de beaux **nus**.
L'horloge sonne les **demies**.

2 *Semi* et *mi*, éléments invariables, sont suivis d'un trait d'union.

Le ministre est en visite **semi**-officielle.
L'eau arrive à **mi**-hauteur du bassin.

3 *Proche*, lorsqu'il signifie *à côté de* ou *qui est près d'arriver*, est variable.

Ces deux amies ont toujours été très proches.

L'expression *de proche en proche* est invariable.

Les eaux de la Saône s'étendaient **de proche en proche** au-delà des digues.

EXERCICE P. 148

17 LES ADJECTIFS QUALIFICATIFS DE COULEUR

Les adjectifs qualificatifs de couleur **obéissent à des règles d'accord particulières.**

Les adjectifs de couleur variables

Généralement, **les adjectifs qualificatifs de couleur** s'accordent lorsqu'il n'y a qu'un seul adjectif pour désigner la couleur.
un drapeau blanc / des draps blancs – une feuille blanche / des robes blanches

 Remarque

Traditionnellement, *châtain* ne s'emploie qu'au masculin.

des cheveux **châtains** – une chevelure **châtain**

Aujourd'hui, il est possible d'accorder cet adjectif en genre.

une chevelure **châtaine**

Les adjectifs de couleur invariables

• Quand l'adjectif de couleur est accompagné d'un autre adjectif ou d'un nom, il n'y a pas d'accord.
des yeux **bleu pâle**
des fleurs **jaune d'or**
des uniformes **vert olive**
une décoration **rouge coquelicot**
• Lorsque chacun des deux éléments est un adjectif de couleur, il n'y a pas d'accord et on place un trait d'union.
des draperies **jaune-orangé**
des pierres **bleu-vert**
• Les noms (ou les groupes nominaux) utilisés comme adjectifs pour exprimer, par image, la couleur restent invariables.
des serviettes de bain **ivoire**
des tuyaux **vert-de-gris**
des draperies **sang-de-bœuf**
une figure **vermillon**
Exceptions :
Mauve, écarlate, incarnat, fauve, rose, pourpre, qui sont assimilés à de véritables adjectifs qualificatifs, s'accordent.
des rubans mauves   des étoffes écarlates   des façades roses

Remarques

1 Lorsque les adjectifs sont coordonnés, ils demeurent invariables si l'objet décrit est de deux couleurs.

Les voitures **rouge et bleu** ne prendront pas le départ. (→ les voitures bicolores)

En revanche, s'il y a des objets d'une couleur et d'autres d'une autre, on accorde les adjectifs.

Des voitures **rouges et bleues** s'alignent sur la ligne de départ. (→ des voitures rouges et des voitures bleues)

2 Lorsque l'adjectif est précédé du nom *couleur*, il reste invariable.

porter des vêtements couleur **bleu**
(→ de la couleur du bleu)

3 Lorsque la couleur est exprimée par un substantif, il n'y a pas d'accord.

des volets peints en **vert**
La veuve est habillée de **noir**.

EXERCICE P. 148

18

LES ADJECTIFS NUMÉRAUX

Les adjectifs numéraux cardinaux indiquent le nombre ; les ordinaux l'ordre.

Les adjectifs numéraux cardinaux

- **Les adjectifs numéraux cardinaux** (ou noms de nombre) se placent devant le nom pour indiquer une quantité précise. Ils sont invariables.
– Certains adjectifs numéraux cardinaux sont simples.
deux centimes – **cinq** doigts – **sept** jours – **vingt** euros – **cent** mètres
– D'autres sont formés par juxtaposition ou par coordination.
cinquante et une marches – **mille cinq cent trente** litres

- *Vingt* et *cent* s'accordent quand ils indiquent un nombre exact de vingtaines ou de centaines.
deux cent**s** lignes   **mais** deux cent quarante lignes
quatre-vingt**s** ans   **mais** quatre-vingt-trois ans

⚠ Remarques

1 On place un trait d'union entre les dizaines et les unités, sauf si elles sont unies par *et.*
quarante-trois kilomètres
soixante **et** un morceaux

2 *Mille* est toujours invariable.
dix-huit **mille** spectateurs

3 Devant *mille, cent* est invariable.
sept **cent** mille exemplaires

4 Entre *mille* et *deux mille,* on dit indifféremment :
onze cents **ou** mille cent

5 Il ne faut pas confondre les nombres avec les noms tels que *dizaine, centaine, millier, million, milliard,* qui s'accordent comme tous les noms.
deux douzaine**s** d'huîtres
trois centaine**s** de pommiers
cinq million**s** d'euros

6 *Zéro* est un nom, il prend donc un *-s* quand il est précédé d'un déterminant pluriel.
deux zéro**s** après la virgule
faire zéro faute
→ ne faire aucune faute

Les adjectifs numéraux ordinaux

Les adjectifs numéraux ordinaux s'accordent en genre et en nombre.
les première**s** places   les seconde**s** classes   les dernier**s** instants
Mais les adjectifs numéraux cardinaux employés comme des adjectifs numéraux ordinaux sont invariables.
la page **quatre cent**   le numéro **vingt**

⚠ Remarques

1 Les noms désignant les parties d'un entier s'accordent avec les déterminants qui les précèdent.
deux moitié**s** – quatre quart**s** – cinq dixième**s**

2 *Second* s'emploie pour désigner un être ou une chose qui termine une série de deux.
Deuxième s'emploie pour désigner un être ou une chose qui prend place dans une série de plus de deux.

    EXERCICE P. 148

LES ADJECTIFS INDÉFINIS

Les adjectifs (ou déterminants) indéfinis **sont nombreux et difficiles à classer.**

Les principaux adjectifs indéfinis

- *Chaque*, adjectif indéfini, marque le singulier, sans distinction de genre.
chaque jour **chaque** nuit

- *Aucun* – souvent accompagné de la négation *ne* – s'emploie au singulier.
Il **ne** me laisse **aucun** répit. Il **ne** laisse **aucune** trace.
Néanmoins, *aucun* s'emploie parfois au pluriel devant des noms qui n'ont pas de singulier ou qui prennent au pluriel un sens particulier.
La police **ne** constate **aucuns** agissements.
L'ennemi **n**'exerce **aucunes** représailles.

- *Pas un(e)* exprime une idée négative ; il est toujours singulier et peut être renforcé par *seul(e)*.
Pas une voiture de plus de quatre ans n'échappe au contrôle technique.
Pas une seule voix ne s'est élevée pour contredire l'orateur.

- *Nul, tel*, adjectifs indéfinis, s'accordent en genre, et parfois en nombre, avec le nom.
Nulle difficulté ne l'arrêtera. **Nuls** préparatifs ne suffiront.
Pour confectionner cette robe, il faut **telle** longueur de tissu.
Que **tel** ou **tel** numéro soit tiré au sort, je ne gagnerai pas.

- *Maint*, adjectif indéfini qui exprime un grand nombre indéterminé, s'emploie au singulier mais surtout au pluriel.
Tu as vu ce film en **mainte** occasion. – Il nous a téléphoné à **maintes** reprises.

- *Différents, divers, plusieurs* devant des noms pluriels sont des adjectifs indéfinis qui indiquent un nombre relativement important. Seuls les deux premiers s'accordent en genre.
Il a parlé à **différentes/diverses** personnes. – Je resterai **plusieurs** semaines.

⚠ Remarques

1 Lorsqu'il est adjectif qualificatif (au sens de *sans valeur*), *nul* s'accorde normalement avec le nom.

Les risques sont **nuls**.
Entre ces deux produits, la différence de prix est **nulle**.

2 Lorsqu'il est adjectif qualificatif (au sens de *pareil, semblable, si grand...*), *tel* s'accorde normalement avec le nom.

Qui peut bien tenir de **tels** propos en de **telles** occasions ?

3 *Nul, tel* sont des pronoms indéfinis lorsqu'ils sont sujets singuliers.

Nul n'est censé ignorer la loi.
Tel est pris qui croyait prendre.

4 L'expression *tel quel* s'accorde avec le nom auquel elle se rapporte.

Je laisserai la maison **telle quelle**.

Il ne faut pas confondre l'expression *tel(les) quel(les)* avec *tel(les) qu'elle* que l'on peut remplacer par *tel qu'il*.

Elle laissera la maison telle qu'elle l'a trouvée.
→ ... l'appartement tel qu'il l'a trouvé.

 EXERCICE P. 148

LES ACCORDS
DANS LE GROUPE NOMINAL

Le groupe nominal (parfois appelé syntagme nominal) est un ensemble de mots organisé autour d'un nom principal (appelé parfois nom-noyau).

Les déterminants du nom

Les mots qui accompagnent le plus souvent les noms sont **les déterminants** ; généralement ce sont eux qui indiquent le nombre et le genre du nom. Ce sont :
• **des articles**
le, la, l', les, un, une, des, au, du, de l', de la, aux

• **des adjectifs possessifs**
mon, ma, ton, ta, son, sa, notre, votre, leur, mes, tes, ses, nos, vos, leurs

• **des adjectifs démonstratifs**
ce, cet, cette, ces

• **des adjectifs interrogatifs et exclamatifs**
quel, quelle, quels, quelles

• **des adjectifs indéfinis**
nul, maint, tout, aucun, chaque, plusieurs, même, autre...

• **des adjectifs numéraux cardinaux**
deux, trois, cinq, quinze, trente, cent, mille...

 Remarque

Certains déterminants sont combinables.

les mêmes paroles   **les trois** coups   **tous vos** projets   **cet autre** parcours

Les autres constituants du groupe nominal

Le nom peut être accompagné d'autres mots qui en précisent le sens :
• **des adjectifs qualificatifs**
des regards **indiscrets**   un abonnement **annuel**   de **belles** maisons
(Les adjectifs qualificatifs s'accordent toujours avec le nom principal.)

• **des compléments du nom** (compléments déterminatifs) toujours placés après le nom.
mes ours **en peluche**   ce téléphone **à touches**   des étés **sans soleil**
(Les compléments de nom ne s'accordent pas avec le nom principal.)

• **des propositions subordonnées relatives**
la montagne <u>dont</u> on aperçoit le sommet   la chaîne <u>qui</u> retransmet le tournoi
(Le pronom relatif qui introduit une subordonnée relative a pour antécédent le nom principal.)

Remarques

1 L'apposition est une expansion du nom d'un type un peu particulier puisqu'elle est séparée du nom par des virgules (voir leçon 15).

2 Un mot peut être nominalisé s'il est précédé d'un article.

adjectifs : des absents
prépositions : des pour et des contre
verbes : les devoirs de français
adjectifs numéraux : des mille et des cents
adverbes : des petits riens
conjonctions : Il n'y a pas de « mais ».

EXERCICE P. 149

L'ACCORD DU VERBE

Le verbe s'accorde avec le sujet qui peut être un nom ou un pronom.

Règle générale

Le verbe s'accorde en personne et en nombre avec son sujet qu'on trouve en posant la question « Qui est-ce qui ? » (ou « Qu'est-ce qui ? ») devant le verbe.

Les élèves quittent la salle.
Qui est-ce qui quitte ? **les élèves** → 3e personne du pluriel
Dans le groupe nominal sujet, il faut chercher **le nom** qui commande l'accord.
Les élèves du premier rang quittent la salle.
Qui est-ce qui quitte ? **les élèves** (du premier rang) → 3e personne du pluriel

Les différents sujets du verbe

Le sujet est le plus souvent un nom, mais ce peut être aussi :
• **un pronom personnel**
Ils quittent la salle.

• **un pronom démonstratif**
Les élèves du premier rang quittent rapidement la salle ; **ceux** du dernier rang restent en place.
Les élèves du premier rang quittent la salle ; **cela** se passe dans le calme.

• **un pronom possessif**
Nos places sont attribuées ; **la mienne** se trouve au troisième rang.

• **un pronom indéfini**
Nos places sont attribuées ; **toutes** se trouvent au troisième rang.

• **un pronom interrogatif**
Qui quitte la salle ?
Dans ce cas, le verbe est toujours à la 3e personne du singulier.

• **une proposition subordonnée**
Que le professeur ait rendu les copies a surpris les élèves.
Dans ce cas, le verbe est toujours à la 3e personne du singulier.

• **un verbe à l'infinitif**
Avoir de bons résultats dans toutes les matières n'est pas facile.
Dans ce cas, le verbe est toujours à la 3e personne du singulier.

• **un pronom relatif** (voir leçon 22)
C'est toi **qui** quitteras la salle le dernier.

Remarque

On peut aussi trouver le sujet du verbe en l'encadrant avec « C'est ... qui » ou « Ce sont ... qui ».

Les élèves quittent la salle.
Ce sont <u>les élèves</u> **qui** quittent la salle.

EXERCICE P. 149

LE SUJET *TU* –
LE SUJET *ON* – LE SUJET *QUI*

On observe certaines règles concernant les sujets *tu, on* et *qui* qu'il faut retenir.

Le sujet *tu*

À tous les temps, à la 2ᵉ personne du singulier (sujet *tu*), le verbe se termine par **-s**.
Tu convaincs tes partenaires.   **Tu** refusas cette proposition.
Si **tu** te souvenais du couplet de cette chanson, **tu** le chanterais sans réticence.
Lorsque **tu** pénètreras dans ce local, **tu** constateras qu'il y fait très chaud.

⚠ Remarques

1 Au présent de l'indicatif, *vouloir, pouvoir, valoir* prennent un **-x**.

Tu veux un délai supplémentaire.
Tu peux rapporter cet article.
Tu vaux largement ton adversaire.

2 À l'impératif, le sujet de la 2ᵉ personne du singulier n'est pas exprimé et les verbes du 1ᵉʳ groupe ne prennent pas de **-s**.

Respire calmement.   Range tes affaires.

Le sujet *on*

On, pronom sujet, peut être remplacé par un autre pronom de la 3ᵉ personne du singulier (*il* ou *elle*) ou par un nom sujet singulier (*l'homme*).
On gagne à tous les coups.   Il/Elle/L'homme gagne à tous les coups.

⚠ Remarque

L'adjectif qualificatif et le participe passé qui se rapportent au sujet *on* sont généralement au masculin singulier.

On est toujours plus **exigeant** avec les autres qu'avec soi-même.
On serait bien **avisé** de respecter les limitations de vitesse.

Si *on* désigne explicitement plusieurs personnes (l'équivalent de *nous*), l'adjectif qualificatif et le participe passé peuvent être accordés au pluriel.

On n'est pas sûrs de pouvoir entrer.
Nous ne sommes pas sûrs de pouvoir entrer.

Le sujet *qui*

Lorsque le sujet du verbe est le pronom relatif **qui**, celui-ci ne marque pas la personne. Il faut donc chercher son antécédent qui donne la personne et permet l'accord du verbe.
Les cascadeurs **qui** règlent la poursuite des voitures prennent des risques.
Je ne ferai pas équipe avec toi **qui** redoutes les descentes dangereuses.
C'est moi **qui** contrôlerai la pression de mes pneus.

⚠ Remarque

Le pronom relatif *qui* peut également être complément du verbe de la subordonnée ; il est alors précédé d'une préposition (*à, de, pour...*).

La personne à **qui** vous destinez ce message ne répond pas.

Le candidat pour **qui** vous avez voté est élu facilement.

L'ACCORD DU VERBE :
CAS PARTICULIERS (1)

Le verbe s'accorde avec le sujet en personne et en nombre. Cependant, il existe certaines particularités qu'il faut connaître.

Cas particuliers (1)

• **Inversion du sujet** : le sujet se trouve placé après le verbe.
Les convives apprécient les plats que prépare **ce célèbre chef**.
C'est aussi le cas à la forme interrogative quand le sujet est un pronom personnel.
Quand arrivez-**vous** à destination ?

• Quand le sujet du verbe est **un adverbe de quantité** (*beaucoup, peu, combien, trop, tant*), le verbe s'accorde avec le complément de cet adverbe.
Peu **de pays** autorisent la chasse à la baleine.
Beaucoup **de légumes** se consomment cuits à la vapeur.
Combien **de marins** souhaitent traverser seuls l'Atlantique ?
Trop **d'enfants** ne savent pas encore nager à l'âge de dix ans.
En Afrique, pourquoi tant **de personnes** meurent-elles encore du paludisme ?

• Quand un verbe a pour sujet **un collectif** (*un grand nombre de, un certain nombre de, une partie de, la majorité de, la minorité de, une foule de, la plupart de, une infinité de, une multitude, la totalité de...*) suivi de son complément, il s'accorde, selon le sens voulu par l'auteur, avec le collectif ou avec le complément. Il n'y a pas de règle précise.
Un banc de poissons s'approche du récif.
(le banc est considéré comme une seule entité)
Un banc de poissons s'approchent du récif.
(ce sont tous les poissons qui s'approchent)

• Lorsque le verbe dépend d'**une fraction au singulier** (*la moitié, un tiers, un quart...*) ou d'**un nom numéral au singulier** (*la douzaine, la vingtaine, la centaine...*) et s'il y a un complément au pluriel, l'accord se fait avec ce complément.
Le quart des pages de ce livre **étaient** illisibles.
Un millier de concurrents **prirent** le départ du triathlon de Sarlat.
Si l'auteur veut insister sur le terme quantitatif, le verbe reste au singulier.
Une douzaine d'huîtres **constituera** notre repas.

⚠ Remarques

1 Dans une construction impersonnelle, le verbe s'accorde avec le sujet apparent (souvent *il*) mais pas avec le sujet réel qui, grammaticalement, est un COD.

| Il | existe | deux issues. |
| sujet apparent | | COD mais sujet réel |

| Il | manque | cinq euros. |
| sujet apparent | | COD mais sujet réel |

2 Le sujet peut être séparé du verbe par un groupe de mots ou par des pronoms compléments (voir leçon 25).

Les clientes, dans cette parfumerie, trouvent tous les produits nécessaires à leur maquillage.
Ce produit paraît miraculeux ; **les clientes** le choisissent assez souvent.

EXERCICE P. 149

L'ACCORD DU VERBE : CAS PARTICULIERS (2)

Le verbe s'accorde avec le sujet en personne et en nombre. Cependant, il existe certaines particularités qu'il faut connaître.

Cas particuliers (2)

- Lorsqu'un verbe a deux sujets singuliers, il se met au pluriel.
La rivière et **le torrent**, grossis par les pluies, déval**ent** la colline.

- Il arrive que deux sujets soient des personnes différentes. Dans ce cas,
– la 1re personne l'emporte sur la 2e :
Sandra et moi recherch**ons** un appartement à louer.
– la 2e personne l'emporte sur la 3e :
Sandra et toi recherch**ez** un appartement à louer.
Pour éviter les confusions, il faut reprendre les sujets par le pronom personnel équivalent.
Sandra et moi, nous recherch**ons** un appartement à louer.

- Lorsque deux sujets sont joints par *ainsi que, aussi bien que, autant que, comme, de même que, pas plus que...*, le verbe s'accorde avec les deux sujets, sauf si l'un d'eux est dominant.
L'Argentine, ainsi que le Brésil, appartienn**ent** au continent sud-américain.
Mais : La fatigue, autant que l'ennui, entraîn**e** des bâillements.

- Lorsque plusieurs sujets singuliers de la 3e personne sont joints par *ou, ni... ni,* le verbe s'accorde avec l'ensemble des sujets si l'idée de conjonction domine.
La neige **ou** le froid perturb**ent** la circulation routière.
Ni un train **ni** un autobus ne desserv**ent** cette bourgade.
Mais le verbe s'accorde avec le sujet rapproché si l'idée de disjonction prévaut.
Une embauche **ou** un refus **attend** le postulant au poste de magasinier.
Ni Mme Thomas **ni** M. Gérard n'**obtient** assez de suffrages pour être élu.
Les sujets sont toujours disjoints lorsqu'ils sont unis par des locutions telles que *ou plutôt, ou même, ou pour mieux dire.*
Un verrou, **ou même** des verrous, **sécuriseront** cette maison.

- Lorsque deux sujets sont joints par *moins que, plus que, plutôt que, et non,* le verbe s'accorde avec le premier sujet.
La patience, et non la précipitation, **permettra** d'achever ce travail.
Un marteau, plutôt qu'un tournevis, **est** nécessaire pour planter le clou.
La satisfaction du devoir accompli, plus que les honneurs, **réjouit** l'élu municipal.

- Quand le verbe a pour sujet un pronom tel que *tout, rien, ce,* qui reprend plusieurs noms, il s'accorde avec ce pronom.
La musique, le théâtre, le cinéma, l'opéra, **tout plaît** à Jordi.
Une tarte, une glace, un gâteau au chocolat, un sorbet, **rien** ne **satisfait** Rachel.

- Après *plus d'un,* le verbe se met au singulier ; après *moins de deux,* il se met au pluriel.
Plus d'un mathématicien **a** tenté de résoudre la quadrature du cercle.
Moins de deux tentatives **ont** suffi pour arrimer la montgolfière.

   EXERCICE P. 149

LES PRONOMS PERSONNELS COMPLÉMENTS

Les pronoms personnels **compléments** sont placés près du verbe. Mais quels que soient les mots qui le précèdent immédiatement, le verbe conjugué à un temps simple s'accorde toujours avec son sujet.

Le, la, l', les

Les pronoms **le, la, l', les** placés devant le verbe sont des pronoms personnels de la 3e personne, généralement compléments d'objet direct du verbe.

Ce bijou, Loana **le** porte en sautoir.　　Cette montre, tu **la** mets à l'heure.
Ce rubis, le bijoutier **l'**examine.　　Ces bagues, vous **les** admirez.

⚠ **Remarque**

À l'impératif affirmatif, le pronom complément est placé immédiatement après le verbe auquel il est relié par un trait d'union.

Ce document, signez-**le**.
Cette émission, regarde-**la**.
Ces disques, écoute-**les**.

Me, te, se, nous, vous

Devant les verbes pronominaux, on trouve aussi des pronoms personnels qui représentent la même personne que le sujet. Ils ne perturbent pas l'accord du verbe avec son sujet.

Je ne **me** dérange pas pour rien.　　Tu **t'**ennuies à mourir.
Vous **vous** égarez dans la forêt.　　Elles **se** maquillent.

⚠ **Remarque**

On rencontre également des pronoms personnels des 1res et 2es personnes qui sont compléments du verbe.

Tu **m'**ennuies avec tes histoires.
Il **vous** retrouve au sous-sol.

En, y

Les pronoms personnels **en** et **y** ne sont jamais sujets du verbe, mais compléments d'objet ou compléments de lieu du verbe.

De la salade, j'**en** mange souvent.　　Ce pays, tu **y** vas souvent.

Leur

Leur, placé près du verbe quand il est le pluriel de *lui*, est un pronom personnel complément qui demeure invariable.

Le moniteur de ski est prudent, on **lui** fait confiance.
Les moniteurs de ski sont prudents, on **leur** fait confiance.

⚠ **Remarque**

Il ne faut pas confondre *leur* pronom personnel avec *leur(s)*, adjectif possessif.

Ils **leur** demandent **leurs** adresses.
pr. pers. compl.　　adj. possessif

　　EXERCICE P. 149

26

NOM OU VERBE ?

orthographe

Il ne faut pas confondre les noms avec les formes conjuguées d'un verbe. Ils peuvent être homophones, mais leur orthographe est très souvent différente.

On ne **met** pas tous ses œufs dans le même panier.
Le gastronome n'apprécie que les **mets** raffinés.

Confusion due à la prononciation

Ces homonymes peuvent être :
- **un nom et une forme conjuguée au présent de l'indicatif**

Le maire **ceint** son écharpe tricolore.　　donner le **sein** à un enfant
Ils **mentent** avec aplomb.　　du sirop de **menthe**

- **un nom et une forme conjuguée à l'imparfait de l'indicatif**

Tu **laçais** tes chaussures.　　les **lacets** de chaussures
Il **filait** à vive allure.　　le **filet** à papillons

- **un nom et une forme conjuguée au passé simple**

Il **mit** trois minutes pour me rejoindre.　　Aimez-vous la **mie** de pain ?
Nous **rîmes** aux éclats.　　les **rimes** d'un poème

- **un nom et une forme conjuguée au futur simple**

Les cuisiniers **napperont** les gâteaux.　　broder un **napperon**
Je **couperai** le pain.　　le **couperet** de la guillotine

- **un nom et une forme conjuguée au présent du subjonctif**

Il faut que j'**aille** me laver.　　une pointe d'**ail** dans le gigot
Je crains qu'il **faille** renoncer.　　un relief de **failles**

- **un nom et le participe passé du verbe**

Je ne t'ai pas **cru**.　　les **crues** de la Loire
Farid est **né** un mardi.　　avoir le **nez** creux

⚠ Remarques

1 Certains noms ont pour homonymes des verbes à l'infinitif.

On verse du **chlore** dans l'eau de la piscine.
Il faut **clore** cette aventure.

2 Il existe quelques homographes que seul le sens permet de distinguer.

L'éleveur **trait** ses vaches deux fois par jour.
tracer un **trait** rouge

3 Quelquefois, c'est l'agglutination du verbe conjugué et du pronom qui le précède qui est homophone d'un nom.

Ce médicament, nous ne l'**avions** pas pris.
L'**avion** atterrit.
Cette photo, tu l'**affiches** sur tous les murs.
J'admire l'**affiche** du spectacle.
Ces deux objets métalliques s'**attirent**.
le **satyre** de la mythologie grecque

Comment éviter toute confusion ?

Pour distinguer ces homonymes, il est possible de conjuguer le verbe.

Elles se **piquent** (se piquait) parfois les doigts.　　le **pic** du Midi
Il se peut qu'il **fasse** (que nous fassions) un détour.　　jouer à pile ou **face**

EXERCICE P. 150

LE PARTICIPE PASSÉ EMPLOYÉ AVEC L'AUXILIAIRE *ÊTRE*

Le participe passé employé avec l'auxiliaire *être* s'accorde en genre et en nombre avec le nom (ou le pronom) principal du groupe sujet du verbe.

Conjugaison avec l'auxiliaire *être*

Se conjuguent avec l'auxiliaire *être* :
- **quelques verbes intransitifs** exprimant un mouvement ou un changement d'état *(aller, arriver, partir, rester, tomber, sortir, mourir, entrer, naître, retourner, venir,* et ses dérivés, *éclore, décéder)* ;

Les grêlons sont tombés sur le verger.   La caravane est enfin partie.

- **les verbes à la voix passive ;**

La croissance est tirée par la consommation.
Les copies sont corrigées par les examinateurs.

- **les verbes pronominaux** (voir leçon 33).

Les deltaplanes se sont posés en douceur.   Mélodie s'est couchée tôt.

Autres cas

- Quelques verbes, selon le sens (intransitif ou transitif), peuvent être conjugués avec l'auxiliaire *être* ou l'auxiliaire *avoir*.

Ils sont passés nous voir.   Ils ont passé leur permis.
Elle est rentrée.   Elle a rentré sa voiture.

- Employé à un temps composé, le verbe *être* se conjugue avec l'auxiliaire *avoir* ; son participe passé est toujours invariable.

Ils ont **été** de bonne foi.   Nous avons **été** en difficulté.

⚠ Remarques

1 Le participe passé employé avec *être*, qu'il soit à un temps simple ou à un temps composé, s'accorde toujours avec le sujet.

Henri est prévenu par téléphone.
Henri a été prévenu par téléphone.

Ninon est prévenue par téléphone.
Ninon a été prévenue par téléphone.

Les pompiers sont prévenus par téléphone.
Les pompiers ont été prévenus par téléphone.

Elles sont prévenues par téléphone.
Elles ont été prévenues par téléphone.

2 Pour les 1re et 2e personnes – singulier et pluriel –, seule la personne qui écrit sait quel est l'accord.

Je suis né en juillet.
     → C'est un homme qui parle.
Tu es née en juillet.
     → On parle à une femme.
Vous êtes nés en juillet.
     → On parle à des hommes.
Nous sommes nées en juillet.
     → Ce sont des femmes qui parlent.

3 Quand le sujet est le pronom *on*, on peut, ou non, accorder le participe passé (voir leçon 22).

28 IDENTIFIER LE COMPLÉMENT D'OBJET DIRECT

Le complément d'objet direct **(COD)** représente l'être, la chose, l'idée, l'intention sur lesquels porte l'action exprimée par le verbe.

Règles générales

• Le COD se rattache directement au verbe, sans préposition. Un verbe qui admet un COD est un verbe transitif (voir leçons 92 et 119).
Ophélie rencontre **ses amies**.   J'oublie **que j'ai un rendez-vous**.

• Pour trouver le COD, on pose la question « qui ? » ou « quoi ? » après le verbe.
Ophélie rencontre qui ?   **ses amies**   → COD
J'oublie quoi ?   **que j'ai un rendez-vous**   → COD
Pour ne pas confondre le COD avec l'attribut, il faut se souvenir que :
– le COD et le sujet évoquent des éléments distincts l'un de l'autre ;
Myriam renouvelle son abonnement. (son abonnement → COD)
– l'attribut du sujet et le sujet évoquent le même élément.
Myriam restera la dernière. (la dernière → attribut)
C'est pourquoi on ne trouve jamais de COD après les verbes d'état.
Exception : Pour les verbes de forme pronominale, le pronom personnel COD placé devant le verbe peut désigner la même personne.
Il se trompe. (Il trompe lui-même)

⚠ Remarques

1 Le COD est généralement placé après le verbe et il n'est pas déplaçable, sauf s'il est repris par un pronom.
Le chauffeur redoute **la nuit**.
La nuit, le chauffeur **la** redoute.

2 Le COD peut être placé avant le verbe :
– dans une phrase interrogative
Que voulez-vous ?
– dans une phrase exclamative
Quel beau tapis avez-vous !

3 En général, le COD ne peut être supprimé sans dénaturer le sens de la phrase. Mais, certains verbes peuvent être employés sans COD.
Il mange des tartines.   Il mange.

4 Le COD peut être précédé d'un article partitif (*du, de la, de l'*) qu'il ne faut pas confondre avec une préposition.
Il mange du foie.   Il souffre du foie.
On ne dit pas : « Il souffre le foie. »
→ *du foie* n'est pas COD dans ce cas.

Les différents COD

• **un nom ou un groupe nominal**
Il cueille **les fleurs**.   Il cueille **les fleurs du jardin**.

• **un pronom** (personnel, démonstratif, possessif, indéfini, interrogatif, relatif)
Tu **le** prends.   Je prends **ceci**.   Je prends **le mien**.
Tu prends **tout**.   **Que** prends-tu ?   Voici le livre **que** tu prends.

• **une subordonnée** ou **un infinitif** (ou un groupe verbal à l'infinitif)
Je devine **que tu aimes la lecture**.   Nous voudrions **répondre**.

EXERCICE P. 150

IDENTIFIER LE COMPLÉMENT D'OBJET INDIRECT

Le complément d'objet indirect **(COI)** représente l'être, la chose, l'idée, l'intention vers lesquels se dirige l'action exprimée par le verbe.

Règles générales

- Le COI se rattache au verbe par une préposition (*à, aux* ou *de*), sauf s'il s'agit d'un pronom.
Ce collectionneur s'intéresse **aux timbres**.
Ce collectionneur se soucie **de ses timbres**.

- Pour trouver le COI, on pose généralement les questions « à qui ? », « de qui ? », « à quoi ? », « de quoi ? » après le verbe.

Ce collectionneur s'intéresse à quoi ?	**aux timbres**	→ COI
Ce collectionneur se soucie de quoi ?	**de ses timbres**	→ COI

⚠ Remarques

1 Le COI est généralement placé après le verbe. Il n'est pas déplaçable, sauf s'il est repris par un pronom.
Le chauffeur résiste **à la fatigue**.
La fatigue, le chauffeur **lui** résiste.

2 En général, le COI ne peut être supprimé sans dénaturer le sens de la phrase ou la rendre incompréhensible. Cependant, certains verbes peuvent être employés sans COI.
Il joue **du violon**. Il joue.

3 Lorsque le verbe se construit avec un COD et un COI, le COI est appelé complément d'objet second (COS) ou complément d'attribution.

Le Père Noël distribue **des jouets** (COD) **aux enfants** (COS).

> Lorsque le verbe se construit avec deux COI, celui introduit par *de* est appelé COI et celui introduit par *à* COS.

Le Père Noël s'occupe **de la distribution des jouets** (COI) **aux enfants** (COS).

4 Il ne faut pas confondre le COI, précédé d'une préposition, avec le COD précédé d'un article partitif (*du, de la, de l'*).
Il mange **de la viande**. (COD)
Il souffre **de l'estomac**. (COI)

Les différents COI

- **un nom ou un groupe nominal**
Le géologue s'attend **à une éruption**.
Le géologue se préoccupe **de l'état du volcan**.

- **un pronom** (personnel, démonstratif, possessif, indéfini, interrogatif, relatif)
Je **lui** parle. J'**en** parle. Je parle **de cela**. Je parle **des miens**.
Tu parles **aux autres**. **À qui** parles-tu ? Voici ce **dont** tu parles.

- **un infinitif** (ou un groupe verbal à l'infinitif)
Vous nous aidez **à déplacer ce meuble**.

- **une proposition subordonnée**
Le géologue se doutait **qu'il s'agissait d'une éruption**.

EXERCICE P. 150

30 LE PARTICIPE PASSÉ EMPLOYÉ AVEC L'AUXILIAIRE *AVOIR*

Le participe passé employé avec l'auxiliaire *avoir* **ne s'accorde jamais avec le sujet du verbe.**
Ce pull en coton a rétréci au lavage.   Ces chaussettes rayées ont rétréci au lavage.

L'accord du participe passé avec l'auxiliaire *avoir*

Le participe passé employé avec l'auxiliaire *avoir* s'accorde avec le complément d'objet direct (COD) du verbe, seulement si celui-ci est placé avant le participe passé.
Pour trouver le COD, on pose la question « qui ? » ou « quoi ? » après le verbe.

Au concert, Grégory a retrouvé ses amis.
Grégory a retrouvé qui ?   **ses amis**
Comme le COD est placé après le verbe, il n'y a pas d'accord.

Ses amis, Grégory les a retrouvés au concert.
Grégory a retrouvé qui ?   **les** (mis pour **ses amis**)
COD placé avant le verbe → accord

⚠ Remarques

1 Si, dans une question, le COD est placé avant le participe passé, il s'accorde.

Quelles contraintes avez-vous rencontr**ées** ?
COD → quelles contraintes

Combien de kilomètres as-tu parcour**us** ?
COD → combien de kilomètres

2 Il ne faut pas confondre le complément d'objet indirect (COI), qui peut être placé avant le participe passé, avec le COD.
Les spectateurs ont applaudi ; la pièce leur a plu.
La pièce a plu à qui ? à **leur**
(mis pour **les spectateurs**) → COI

Les pronoms COD

Placé devant le participe passé, le COD est le plus souvent un pronom qui ne nous renseigne pas toujours sur le genre ou le nombre.
Il faut donc chercher le nom que remplace le pronom pour bien accorder le participe passé.

• **pronom personnel**
Les chevrons, les charpentiers **les** ont pos**és**.
COD **les** (mis pour **les chevrons**) → accord au masculin pluriel
La poutre, les charpentiers **l'**ont pos**ée**.
COD **l'** (mis pour **la poutre**) → accord au féminin singulier

• **pronom relatif**
Les chevrons **que** les charpentiers ont pos**és** sont en chêne.
COD **que** (mis pour **les chevrons**) → accord au masculin pluriel
La poutre **que** les charpentiers ont pos**ée** est en chêne.
COD **que** (mis pour **la poutre**) → accord au féminin singulier

31

LE PARTICIPE PASSÉ SUIVI D'UN INFINITIF

Le participe passé suivi d'un infinitif **obéit à certaines règles d'accord qu'il faut connaître.**

Règles générales

Le participe passé, employé avec l'auxiliaire *avoir*, ne s'accorde que si le COD, placé avant le participe passé, fait l'action exprimée par l'infinitif.

Les acteurs **que** j'ai vu**s** jouer formaient une troupe parfaitement homogène.
Recherche du COD → J'ai vu quoi ?   **que** (mis pour **les acteurs**)
Recherche de l'auteur de l'action de l'infinitif → Ce sont **les acteurs** qui jouent.
Comme le COD, placé avant le participe passé, fait l'action exprimée par l'infinitif, on accorde le participe passé avec ce COD.

La pièce **que** j'ai vu jouer a beaucoup ému le public.
Recherche du COD → J'ai vu quoi ?   **que** (mis pour **la pièce**)
Recherche de l'auteur de l'action de l'infinitif → Ce n'est pas **la pièce** qui joue.
Comme le COD, placé avant le participe passé, ne fait pas l'action exprimée par l'infinitif, on n'accorde pas le participe passé avec ce COD.

⚠ Remarques

1 Si l'infinitif peut être suivi d'un complément d'agent introduit par la préposition *par*, le participe passé reste invariable.

La pièce que j'ai vu jouer **par les acteurs** a beaucoup ému le public.

2 Si l'infinitif a un COD, on accorde le participe passé.

Ce sont ces acteurs que j'ai vu**s** jouer **une pièce de Tchekhov**.

Autres cas

• Le participe passé *fait* suivi d'un infinitif est toujours **invariable**.
Sa moto, Martin l'a fait réparer.   Ses articles, le journaliste les a fait relire.
En effet, le participe passé *fait*, suivi d'un infinitif, fait corps avec cet infinitif qui est considéré comme le COD de *fait*.
D'ailleurs, on peut toujours placer un complément d'agent :
Sa moto, Martin l'a fait réparer par le mécanicien du quartier.
Ses articles, le journaliste les a fait relire par un correcteur professionnel.

• Le participe passé *laissé* suivi d'un infinitif peut s'accorder si le COD, placé avant le participe passé, fait l'action exprimée par l'infinitif.
Voici les canaris que William a laissé**s** s'envoler.
Les canaris font bien l'action de s'envoler.
→ accord de *laissé* avec le COD
Voici les canaris que William a laissé élever par son oncle.
Ce ne sont pas les canaris qui élèvent, mais l'oncle.
→ pas d'accord de *laissé* avec le COD

⚠ Remarque

L'usage autorise désormais qu'on applique à *laissé* la même règle qu'à

fait, c'est-à-dire de le considérer comme toujours invariable.

EXERCICE P. 150

Les participes passés **obéissent à certaines règles d'accord qu'il faut connaître.**

Le participe passé précédé de *en*

Lorsque le COD du verbe est le pronom *en*, le participe passé reste invariable.
J'ai apporté des gâteaux et nous **en** avons mangé.

 Remarque

Le verbe précédé de *en* peut avoir un COD placé avant lui. Le participe passé s'accorde alors avec ce COD.

Olivier est allé au Mexique ; je conserve les statuettes **qu'**il m'en a rapporté**es**.
qu' (mis pour **les statuettes**)
→ accord au féminin pluriel

Autres cas

• Le participe passé des verbes impersonnels, ou employés à la forme impersonnelle, reste invariable.
La somme qu'il a manqué à Jordi n'était pas très importante.
Cette protection, il l'aurait fallu plus étanche.

• Avec certains verbes (*courir, coûter, dormir, peser, régner, valoir, durer, vivre*), le participe passé s'accorde avec le pronom relatif *que* si ce pronom est bien COD.
Les compliments que son attitude courageuse lui a valu**s** étaient mérités.
Il ne s'accorde pas si *que* est complément circonstanciel de valeur, de prix, de durée, de poids... .
Les six mille euros que cette moto vous a coûté me paraissent bien exagérés.

• Les participes passés *dû, cru, pu, voulu* sont invariables quand ils ont pour COD un infinitif sous-entendu.
M. Louis n'a pas réalisé toutes les démarches qu'il aurait dû.
(COD sous-entendu : **effectuer**)
Mais on écrira :
M. Louis s'est entièrement libéré des sommes qu'il a du**es**.
Il a dû quoi ? COD → **qu'** (mis pour **des sommes**) → accord au féminin pluriel

• Lorsque le COD, placé devant le participe passé, est un collectif suivi de son complément, l'accord se fait soit avec le collectif, soit avec le complément, selon le sens voulu par l'auteur.
Si l'auteur veut insister sur le flot, véritable marée humaine, il écrira :
C'est un véritable flot de visiteurs que les gardiens du musée ont accueilli.
S'il veut insister sur les visiteurs, il écrira :
C'est un véritable flot de visiteurs que les gardiens du musée ont accueilli**s**.

• Le participe passé suivi d'un attribut d'objet direct s'accorde avec cet objet si celui-ci précède le participe passé.
La femme enfermée dans la malle, tout le public l'a cru**e** découpée en morceaux !
Ces escaliers, je les aurais voulu**s** moins raides.

 EXERCICE P. 151

LE PARTICIPE PASSÉ
DES VERBES PRONOMINAUX

Le participe passé d'un verbe pronominal **obéit à certaines règles d'accord.**

Règles générales

Le participe passé d'un verbe employé à la forme pronominale s'accorde en genre et en nombre avec le COD quand celui-ci est placé avant le participe passé.
• Souvent, ce COD est un pronom personnel de la même personne que le sujet ; on peut alors dire que le participe passé s'accorde avec le sujet du verbe.
Ces blessés **se** sont vite rétablis.   Rose s'est brûl**ée** légèrement.

• Mais le verbe peut avoir un COD et le pronom réfléchi peut être complément d'attribution. Le participe s'accorde alors avec le COD placé avant lui.
Rose s'est brûlé **les mains**.   Ce sont les mains que Rose s'est brûl**ées**.

⚠ Remarques

1 Le participe passé employé dans la conjugaison d'un verbe essentiellement pronominal s'accorde en genre et en nombre avec le sujet.

Les preuves se sont évanou**ies**.
Les perdreaux se sont envol**és**.

2 Le participe passé du verbe *s'arroger* ne s'accorde jamais avec le sujet. Il s'accorde avec le COD lorsque celui-ci est placé avant lui.

Elles s'étaient arrogé des titres.
Ce sont les titres qu'elles s'étaient arrog**és**.

Autres cas

• Lorsque le participe passé d'un verbe pronominal est suivi d'un infinitif, on applique les mêmes règles que pour le participe passé employé avec l'auxiliaire *avoir* suivi d'un infinitif (voir leçon 31).
Elles se sont fait faire un brushing.
Ils se sont laiss**és** retomber.   Elles se sont laissé coiffer.

• Le participe passé employé dans la conjugaison d'un verbe pronominal à sens réciproque s'accorde avec le sujet du verbe si le pronom personnel réfléchi a valeur de COD.
Les boxeurs **se** sont affront**és**.   Les bouchers **se** sont serv**is** de couteaux.

• Le participe passé employé dans la conjugaison d'un verbe pronominal à sens passif s'accorde toujours avec le sujet du verbe.
Les robes soldées se sont arrach**ées**.

⚠ Remarque

Si le pronom personnel réfléchi a valeur de COI, on distingue trois cas :

– Il n'y a pas de COD → le participe passé reste invariable
Les événements se sont succédé.

Principaux verbes suivant cette règle :
se succéder, se parler, se plaire, se nuire, se ressembler, se suffire, s'en vouloir, se convenir, se mentir...

– Il y a un COD placé après le participe → le participe passé reste invariable
Les adversaires se sont reproché leurs erreurs.

– Il y a un COD placé avant le participe → le participe passé s'accorde avec le COD
Voici les erreurs que les adversaires se sont reproch**ées**.

EXERCICE P. 151

FORMES VERBALES
EN -*É*, -*ER* OU -*EZ*

On peut hésiter entre les formes verbales aux terminaisons homophones en [e].

Confusion due à la prononciation

Lorsqu'on entend le son [e] à la fin d'un verbe du 1er groupe, plusieurs terminaisons sont possibles :

- **-*er*** si le verbe est à l'infinitif ;

Nous allons **fermer** la porte.   Pour **fermer** la porte, pousse le verrou.

- **-*é*** s'il s'agit du participe passé ;

Nous avons **fermé** la porte.   La porte **fermée**, tu peux être tranquille.

- **-*ez*** s'il s'agit de la terminaison de la 2e personne du pluriel du présent de l'indicatif ou de l'impératif.

Vous **fermez** la porte brusquement.   **Fermez** la porte.

⚠ Remarque

Le participe passé terminé par **-*é*** peut s'accorder, s'il est employé :
– comme adjectif épithète
garder les volets ferm**és**
– comme adjectif attribut
Les volets sont ferm**és**.
– comme adjectif placé en apposition
Ferm**ée**, la porte ne claque pas.

– avec l'auxiliaire *être*
Les fenêtres seront ferm**ées** par le vent.
– avec l'auxiliaire *avoir* et si le COD est placé avant le participe passé
Les fenêtres, les as-tu bien ferm**ées** ?

Comment éviter toute confusion ?

Pour distinguer les diverses terminaisons des verbes du 1er groupe, on peut remplacer la forme pour laquelle on hésite par un verbe du 2e ou du 3e groupe ; on entend alors la différence.

- **infinitif**

Nous allons **fermer** la porte. → Nous allons **ouvrir** la porte.
Pour **fermer** la porte, pousse le verrou.
→ Pour **ouvrir** la porte, pousse le verrou.

- **participe passé**

Nous avons **fermé** la porte. → Nous avons **ouvert** la porte.
La porte **fermée**, tu peux être tranquille.
→ La porte **ouverte**, tu peux être tranquille.

- **2e personne du pluriel**

Vous **fermez** la porte brusquement. → Vous **ouvrez** la porte brusquement.

⚠ Remarques

1 Même si le sens n'est pas toujours respecté, il est préférable, par souci d'efficacité, de choisir toujours le même verbe pour effectuer cette substitution.

2 Lorsque les verbes *aller, devoir, pouvoir, falloir* sont suivis d'un verbe, celui-ci est toujours à l'infinitif.
Il va/doit/peut/faut **fermer** la porte.

EXERCICE P. 151

PARTICIPE PASSÉ OU VERBE CONJUGUÉ ?

À l'oral ou à l'écrit, il n'est pas rare d'hésiter entre le participe passé et le verbe conjugué. Il faut donc savoir distinguer ces formes.

Confusion due à la prononciation

Lorsqu'on entend le son [i] ou le son [y] à la fin d'une forme verbale, il peut s'agir :
• du verbe conjugué qui prend alors les terminaisons de son temps ;
présent de l'indicatif
finir → Je finis mon travail.　　　*sourire* → Je souris aux anges.
passé simple
courir → Je courus lentement.　　　*partir* → Je partis à l'aube.

• du participe passé terminé par *-i* ou *-u.*
finir → J'ai fini mon travail.　　　*sourire* → J'ai souri aux anges.
courir → J'ai couru lentement.　　　*partir* → Je suis parti à l'aube.

⚠ **Remarque**

Le participe passé peut éventuellement s'accorder.	des travaux finis Une récompense est attendue.

Comment éviter toute confusion ?

Pour distinguer ces formes, on peut les remplacer par une autre forme verbale.
• Si c'est possible, il s'agit alors d'un verbe conjugué :
Alban **dormit** sur ses deux oreilles.　→ Alban **dormait** sur ses deux oreilles.
Jules César **connut** la gloire.　　　　　→ Jules César **connaissait** la gloire.

• Dans le cas contraire, il s'agit du participe passé en *-i* ou en *-u.*

⚠ **Remarques**

1 Certains participes passés se terminent par *-is* ou *-it* au masculin singulier.

un candidat admi**s**
un château maudi**t**

Pour ne pas se tromper, on remplace par un nom féminin et on fait l'accord ; on entend alors la lettre finale.

une candidate admi**se**
une région maudi**te**

2 Les participes passés *dû, mû, crû* (verbe *croître*), *recrû* (verbe *recroître*) ne prennent un accent circonflexe qu'au masculin singulier.

Ayant perdu sa boussole, l'explorateur a **dû** rebrousser chemin.
Ce moulin fonctionne **mû** par la force du vent.
Les arbres ont **crû** rapidement.

3 Les participes passés *cru* (verbe *croire*), *recru* (*harassé*), *accru* (verbe *accroître*), *décru* (verbe *décroître*) ne prennent jamais d'accent circonflexe.

Il a **cru** voir la terre.
Il est **recru** de fatigue.
Ce commerçant a **accru** son bénéfice.
Le niveau des eaux a **décru** rapidement.

EXERCICE P. 151

EST – ES – ET – AI – AIE – AIES – AIT – AIENT / A – AS – À

Plusieurs formes des verbes *avoir* et *être* sont homophones. Il faut savoir les distinguer.

est – es – et – ai – aie – aies – ait – aient

Il ne faut pas confondre :

• *est, es* : formes des 3ᵉ et 2ᵉ personnes du singulier de l'auxiliaire *être* au présent de l'indicatif.
On écrit *est, es* quand on peut les remplacer par les formes d'un autre temps simple de l'indicatif.

José **est** courageux.　　　→ José **était** courageux.
Tu **es** courageux.　　　　→ Tu **étais** courageux.

La présence du pronom personnel de la 2ᵉ personne du singulier indique la terminaison.

• *et* : conjonction de coordination reliant deux groupes de mots ou deux parties d'une phrase.
On peut remplacer la conjonction *et* par *et puis*.

José est courageux **et** intrépide. → José est courageux **et puis** intrépide.

• *ai* : 1ʳᵉ personne du singulier au présent de l'indicatif de l'auxiliaire *avoir*.
On écrit *ai* quand on peut remplacer par une autre personne du présent de l'indicatif.

J'**ai** du courage.　　　　　→ Nous **avons** du courage.

• *aie, aies, ait, aient* : formes du verbe *avoir* au présent du subjonctif.
Pour éviter toute confusion, il faut d'abord identifier le mode subjonctif. Pour cela, il suffit de changer de personne.

Il faut que j'**aie** du courage. → Il faut que nous **ayons** du courage.
Il faut que tu **aies** du courage. → Il faut que nous **ayons** du courage.
Il faut que le pompier **ait** du courage. → Il faut que vous **ayez** du courage.
Il faut que les pompiers **aient** du courage. → Il faut que vous **ayez** du courage.

Il faut ensuite bien distinguer les différentes personnes en repérant les pronoms ou les noms sujets.

a – as – à

Il ne faut pas confondre :

• *a, as* : formes des 3ᵉ et 2ᵉ personnes du singulier de l'auxiliaire *avoir* au présent de l'indicatif.
On écrit *a, as* quand on peut les remplacer par les formes d'un autre temps simple de l'indicatif.

Élodie **a** froid.　→ Élodie **avait** froid.
Tu **as** froid.　　→ Tu **avais** froid.

La présence du pronom personnel de la 2ᵉ personne du singulier indique la terminaison.

• *à* : préposition.

Élodie va **à** la piscine.　　　　　Élodie est **à** l'heure.
Élodie utilise une machine **à** calculer.　Élodie parle **à** Naïma.

EXERCICE P. 151

TOUT – TOUS – TOUTE – TOUTES

Tout peut prendre différentes formes qu'il faut reconnaître pour effectuer correctement les accords.

Confusion due à la prononciation

Il ne faut pas confondre :

- *tout* : déterminant indéfini quand il se rapporte à un nom auquel il s'accorde en genre et en nombre. Il est généralement suivi d'un second déterminant.

tout le jour   **toute** cette journée   **tous** les mois   **toutes** les semaines

- *tout* : pronom indéfini quand il remplace un nom. Il est alors sujet ou complément du verbe.

Au singulier, *tout*, pronom, est employé seulement au masculin.

Au pluriel, *tout* devient *tous* ou *toutes* (on entend la différence entre ces deux formes).

Tout devrait être terminé à vingt heures. → **Tous** veulent assister au concert.

→ Ces chansons, on les connaît **toutes**.

- *tout* : adverbe, le plus souvent invariable, quand il est placé devant un adjectif qualificatif ou un autre adverbe. On peut alors le remplacer par *tout à fait*.

Les spectateurs sont **tout** étonnés. → Les spectateurs sont **tout à fait** étonnés.

La salle est **tout** étonnée.   → La salle est **tout à fait** étonnée.

L'orchestre joue **tout** doucement. → L'orchestre joue **tout à fait** doucement.

- *tout* : peut être un nom précédé d'un déterminant.

Le jeu de ces musiciens forme un **tout** agréable.

⚠ Remarques

1 Quand on hésite entre le singulier et le pluriel pour certaines expressions, on place un déterminant entre *tout* et le nom.

rouler **tous** feux éteints
rouler **tous** les feux éteints
aimer de **tout** cœur
de **tout** son cœur

2 Quand *tout* adverbe est placé devant un adjectif qualificatif féminin commençant par une consonne (en particulier un *h* aspiré), il s'accorde par euphonie, c'est-à-dire pour que la prononciation soit plus facile.

La brioche est **toute** froide.
Les spectatrices sont **toutes** surprises.

Les adjectifs commençant par un *h* aspiré sont peu nombreux : *hardie, honteuse, hagarde, hérissée, hachée...*

3 Pour certaines phrases, il faut bien étudier le sens pour reconnaître la nature de *tout*.

En remplaçant *tout* par *tout à fait*, on peut souvent faire la distinction :

– **entre le pronom et l'adverbe ;**

Ces étudiants sont **tout** attentifs.

(*tout à fait* attentifs → adverbe)

Ces étudiants sont **tous** attentifs.

(*tous* sont attentifs → pronom)

– **entre l'adverbe et le déterminant.**

Nous avons fait un **tout** autre choix.

(*tout à fait* autre → adverbe)

À **toute** autre ville, je préfère Paris.

(à *n'importe quelle* ville → déterminant)

EXERCICE P. 152

MÊME – MÊMES

Même peut prendre différentes formes qu'il faut savoir reconnaître.

Confusion due à la prononciation

Il ne faut pas confondre :

• *même* : adjectif ou déterminant indéfini quand il se rapporte à un nom (ou un pronom) avec lequel il s'accorde en nombre. Il a alors le sens de *pareil, semblable*.

Ces deux tables ont les **mêmes** pieds ; elles sont de la **même** époque.
Ces deux mélodies commencent par les **mêmes** notes.
Lorsque *même* se rapporte à un pronom, il lui est relié par un trait d'union.
M. Chevrier prépare lui-**même** ses confitures.
Nous tapisserons nous-**mêmes** les murs de notre appartement.
Les informaticiens eux-**mêmes** ne purent détruire ce virus.

• *même* : adverbe invariable, quand il modifie le sens :
– d'un verbe ;
Les vrais collectionneurs achètent **même** les tableaux de peintres inconnus.
– d'un adjectif ;
Ce produit fait disparaître les taches, **même** les plus importantes.
– ou quand il est placé devant le nom précédé de l'article.
Même les navires de fort tonnage ne se risquent pas en mer aujourd'hui.
Dans ces cas, on peut remplacer *même* par un autre adverbe : *également, aussi, y compris, exactement...*

• *même* : pronom quand il est précédé d'un article et qu'il remplace un nom.
Ton pull me plaît, je veux le **même**. Ta veste me plaît, je veux la **même**.
Tes pulls me plaisent, je veux les **mêmes**. Tes bottes me plaisent, je veux les **mêmes**.

⚠ Remarques

1 *Vous-même* s'écrit avec ou sans *-s* selon que cette expression désigne plusieurs personnes ou une seule personne (singulier de politesse).

Marie et toi avez fait vous-**mêmes** toutes les démarches.
Avez-vous vous-**même** vérifié ce travail ?

2 *Même* est également adverbe dans certaines expressions : *à même, tout de même, de même, même si, quand même...*

Personne n'est **à même** de donner la bonne réponse.
Malgré les incertitudes, nous partirons **tout de même**.
Même si vous rencontrez des obstacles, vous franchirez cette barre rocheuse.

3 **Il ne faut pas confondre :**

– *même*, adverbe invariable, placé après un nom ;

Les maîtres nageurs **même** ne se baignent pas dans cette mer démontée.
(On peut dire : **Même** les maîtres nageurs ne se baignent pas.)

– *même*, adjectif placé également après le nom avec lequel il s'accorde.

Les maîtres nageurs **mêmes** sont à leur poste.
(*Même* a alors le sens de *identique à*)

Cet emploi est très rare.

EXERCICE P. 152

QUEL(S) – QUELLE(S) – QU'ELLE(S)

Quel peut prendre différentes formes qu'il faut reconnaître pour effectuer correctement les accords.

Confusion due à la prononciation

Il ne faut pas confondre :

• *quel* : adjectif interrogatif, qui s'accorde avec le nom qu'il accompagne.
Il peut être épithète :
De **quel** quartier êtes-vous originaire ?
De **quelle** ville êtes-vous originaire ?
Quels livres avez-vous lus récemment ?
Quelles revues avez-vous lues récemment ?
ou attribut :

Quel est ce bruit ?   **Quelle** est cette mélodie ?
Quels sont ces bruits ?   **Quelles** sont ces mélodies ?

• *quel* : adjectif exclamatif, qui s'accorde avec le nom qu'il accompagne.
Il peut être épithète :

Quel bel immeuble !   **Quelle** belle maison !
Quels beaux immeubles !   **Quelles** belles maisons !
ou attribut :

Quel fut ton étonnement !   **Quelle** fut ta surprise !
Quels furent vos applaudissements !   **Quelles** furent vos émotions !

• *qu'elle(s)* : contraction de *que elle(s)*, pronom relatif ou conjonction de subordination suivi d'un pronom personnel féminin.

– pronom relatif
La cliente est décidée, voici le modèle **qu'elle** a choisi.
Les clientes sont décidées, voici le modèle **qu'elles** ont choisi.

– conjonction de subordination
La limite, il est probable **qu'elle** a été franchie.
Les limites, il est probable **qu'elles** ont été franchies.
En remplaçant le pronom personnel féminin *elle* par le pronom personnel masculin *il*, on entend alors la différence.
Le client est décidé, voici le modèle **qu'il** a choisi.
Les clients sont décidés, voici le modèle **qu'ils** ont choisi.
Le repère, il est probable **qu'il a** été franchi.
Les repères, il est probable **qu'ils** ont été franchis.

⚠ **Remarque**

Le pronom relatif *lequel* s'accorde lui aussi en genre et en nombre avec son antécédent.

Voici le plat dans **lequel** le cuisinier servira les hors-d'œuvre.

Voici l'assiette dans **laquelle** le cuisinier servira les hors-d'œuvre.
Voici les ramequins dans **lesquels** le cuisinier servira les hors-d'œuvre.
Voici les coupelles dans **lesquelles** le cuisinier servira les hors-d'œuvre.

 EXERCICE P. 152

SE (S') – CE (C') – CEUX / SONT – SON

Il existe des formes homophones *(se – ce – ceux* ou *sont – son)* qu'il faut distinguer.

se (s') – ce (c') – ceux

Il ne faut pas confondre :

• *se (s')* : pronom personnel réfléchi de la 3ᵉ personne qui fait partie d'un verbe pronominal.
On peut le remplacer par un autre pronom personnel réfléchi : *me* ou *te* en conjuguant le verbe.
Paquita **se** couche tôt. → Je **me** couche tôt.

• *ce* : déterminant démonstratif placé devant un nom ou un adjectif.
On peut le remplacer par un autre déterminant démonstratif si on change le genre ou le nombre du nom.
ce mouvement   → **cette** impulsion   → **ces** mouvements
Un adjectif qualificatif peut parfois s'intercaler entre le déterminant et le nom.
ce brusque mouvement → **cette** brusque impulsion

• *ce (c')* : pronom démonstratif, souvent placé devant le verbe *être* (ou *devoir, pouvoir)* ou un pronom relatif.
C'est à Tours que Balzac est né.   **Ce** sont des tapis persans.
Ce devait être une grande aventure.   **Ce** peut être un nouvel épisode.
J'ai dormi un peu, **ce** qui m'a reposé. Dormir, voici **ce** dont j'ai le plus besoin.

• *ceux* : pronom démonstratif, représente un nom masculin pluriel.
On peut le remplacer par *celui* en mettant le nom au singulier.
Les kiwis sont **ceux** que je préfère. → Le kiwi est **celui** que je préfère.

 Remarque
Devant une voyelle ou un *h* muet, *ce* et *se* s'écrivent *c'* et *s'*.

sont – son

Il ne faut pas confondre :

• *sont* : forme conjuguée de l'auxiliaire *être* à la 3ᵉ personne du pluriel du présent de l'indicatif.
On écrit *sont* quand on peut le remplacer par une autre forme conjuguée de l'auxiliaire *être* à la 3ᵉ personne du pluriel : *étaient, seront, furent...*
Tous les espoirs **sont** permis.   → Tous les espoirs **étaient** permis.

• *son* : déterminant possessif singulier.
Il peut être remplacé par un autre déterminant possessif. Il est placé devant un nom ou un adjectif et indique l'appartenance.
Son espoir est déçu. → **Ton** espoir est déçu. → **Le sien** est déçu.

Remarque

Son, déterminant possessif masculin, peut être placé devant des noms (ou des adjectifs) féminins commençant par une voyelle ou un *h* muet.

son arrivée
son habitude
son abondante chevelure
son heureuse décision

EXERCICE P. 152

CES – SES /
C'EST – S'EST – SAIT – SAIS

Il existe des formes homophones comme *ces – ses* ou *c'est – s'est – sait – sais* qu'il faut savoir distinguer.

ces – ses

Il ne faut pas confondre :

• *ces* : déterminant démonstratif, placé devant un nom ou un adjectif.
Il peut être remplacé par un autre déterminant démonstratif si on met le nom au singulier.

On admire **ces** vitrines.	→ On admire **cette** vitrine.
On admire **ces** modèles.	→ On admire **ce** modèle.

• *ses* : déterminant possessif, placé devant un nom ou un adjectif.
Il peut être remplacé par un autre déterminant possessif si on met le nom au singulier.

Benoît range **ses** vêtements.	→ Benoît range **son** vêtement.
Benoît range **ses** chemises.	→ Benoît range **sa** chemise.

⚠ **Remarque**

Pour choisir entre le déterminant possessif *ses* ou le déterminant démonstratif *ces*, il faut bien examiner le sens de la phrase.

Martin feuillette **ses** (**ces**) livres.

S'il s'agit de livres qui lui appartiennent, on écrit :

Martin feuillette **ses** livres.

S'il s'agit de livres qui sont disposés sur les rayons de la librairie, on écrit :

Martin feuillette **ces** livres.

c'est – s'est – sait – sais

Il ne faut pas confondre :

• *c'est* : auxiliaire *être* précédé du pronom démonstratif élidé *c'* (*ce*).
Il peut souvent être remplacé par l'expression *cela est*.
Marcher sans chaussures sur le corail, **c'est** (**cela est**) dangereux.

• *s'est* : auxiliaire *être* précédé du pronom personnel réfléchi élidé *s'* (*se*).
Il peut être remplacé par *me suis* ou *se sont* en conjuguant l'auxiliaire *être*.
Tristan **s'est** baigné dans un lagon bleu. → Je **me suis** baigné dans un lagon bleu.

• *sait* (*sais*) : formes conjuguées du verbe *savoir* aux personnes du singulier du présent de l'indicatif.
Elles peuvent être remplacées par d'autres formes conjuguées de ce verbe.
Mélodie **sait** nager. → Mélodie **saura** nager.
Je **sais** nager. → Je **savais** nager.   Tu **sais** nager. → Tu **as su** nager.

⚠ **Remarque**

Pour ne pas confondre *ses* ou *ces* avec *c'est* ou *s'est*, on peut remplacer par *c'était* ou *s'était*.

C'est (C'était) un film à succès.
Benoît s'est (s'était) perdu.

    EXERCICE P. 152

ONT – ON – ON N'

Il existe des formes homophones comme *ont – on – on n'* qu'il faut savoir distinguer.

Confusion due à la prononciation

Il ne faut pas confondre :

• **ont** : forme conjuguée de l'auxiliaire *avoir* à la 3ᵉ personne du pluriel au présent de l'indicatif.

On écrit *ont* quand on peut le remplacer par une autre forme de l'auxiliaire *avoir* à la 3ᵉ personne du pluriel : *avaient, auront, eurent...*

Les canards **ont** les pattes palmées. → Les canards **avaient** les pattes palmées.

• **on** : pronom personnel indéfini de la 3ᵉ personne du singulier, toujours sujet d'un verbe.

On écrit *on* quand on peut le remplacer par un autre pronom personnel de la 3ᵉ personne du singulier ou un nom sujet singulier.

On voit un vol de canards. → **Il/Elle/Le naturaliste** voit un vol de canards.

• **on n'** : quand *on* est placé devant un verbe commençant par une voyelle ou un *h* muet, on n'entend pas la différence entre la forme affirmative et la forme négative.

À la forme affirmative, on fait la liaison à l'oral :

On (n)aperçoit des canards.   On (n)héberge des canards.

À la forme négative, la première partie de la négation est élidée.

On **n'**aperçoit pas de canards.   On **n'**héberge pas de canards.

Si on remplace *on* par un autre pronom personnel, on entend alors la différence (*ne* → *n'*).

Il aperçoit des canards.   **Il** héberge des canards.

Il n'aperçoit pas de canards.   **Il n'**héberge pas de canards.

⚠ **Remarques**

1 *Ont* est aussi la forme de l'auxiliaire *avoir* lorsqu'un verbe est conjugué à la 3ᵉ personne du pluriel au passé composé.

Les canards **ont** pris leur envol.
Les canards **avaient** pris leur envol.

2 Le pronom personnel indéfini *on* est souvent employé à la place du pronom personnel *nous*, surtout à l'oral.

On sort vite. **Nous** sortons vite.

Dans ce cas, si *on* désigne plusieurs personnes, il entraîne néanmoins un accord du verbe au singulier.

Dans un souci de cohérence grammaticale, il est préférable de ne pas accorder le participe passé lorsque le sujet est *on*, même si l'accord est parfois toléré.

On est sorti vite. **Nous** sommes sorti(e)s vite.

Dans un même texte, on n'emploiera pas à la fois *on* et *nous*.

3 On écrit :

des on-dit et le qu'en dira-t-on.

                EXERCICE P. 152

C'EST – CE SONT / C'ÉTAIT – C'ÉTAIENT / SOI – SOIT – SOIS

Il existe plusieurs formes du verbe *être* qu'il faut savoir distinguer.

c'est – ce sont / c'était – c'étaient / ce fut – ce furent

• Les verbes *être*, *devoir être*, *pouvoir être*, précédés de *ce* (*c'*), se mettent au pluriel s'ils sont suivis d'un sujet réel à la 3e personne du pluriel ou d'une énumération ; sinon ils sont au singulier.

Max, **c'est** un bon joueur.   Max et Luc, **ce sont** de bons joueurs.
C'était encore un chanteur inconnu. **C'étaient** encore des chanteurs inconnus.
Ce fut une victoire facile.   **Ce furent** des victoires faciles.
Erwan joue de trois instruments : **ce sont** la guitare, le banjo et la contrebasse.
Max, **ce doit être** un bon joueur. Max et Luc, **ce doivent être** de bons joueurs.
Max, **ce peut être** un bon joueur. Max et Luc, **ce peuvent être** de bons joueurs.
Dans une langue moins soutenue, on admet l'accord au pluriel ou au singulier.

• Lorsque le pronom qui suit *c'est* est *nous* ou *vous*, le verbe *être* reste au singulier.
C'est nous qui allons repeindre les portes et les fenêtres.
C'est vous que le directeur a retenu pour aller travailler en Italie.

• Si le nom qui suit *c'est* est précédé d'une préposition, le verbe *être* reste au singulier.
C'est de ces projets que je veux vous entretenir.

soi – soit – sois

Il ne faut pas confondre :

• *soi* : pronom personnel réfléchi de la 3e personne du singulier qui ne marque ni le genre ni le nombre. Il se rapporte à un sujet singulier indéterminé.
Pour réussir, il faut faire preuve de confiance en **soi**.
Lorsque le sujet est précis, on emploie *lui*.
M. Walter fait preuve de confiance en **lui**.

• *soit* : conjonction de coordination marquant l'alternative.
Ce soir, il prendra **soit** le métro, **soit** l'autobus pour rentrer chez lui.
On peut toujours remplacer *soit* par *ou bien*.
Ce soir, il prendra **ou bien** le métro, **ou bien** l'autobus pour rentrer chez lui.

• *soit, sois* : formes du singulier du présent du subjonctif du verbe *être*.
Il faut que je **sois** à l'abri. Il faut que tu **sois** à l'abri. Il faut que Léa **soit** à l'abri.

⚠ Remarques

1 *Soi* est souvent renforcé par *même*.
Il faut respecter les autres comme **soi-même**.

On peut le remplacer par un autre pronom personnel réfléchi en modifiant la phrase.

Nous respectons les autres comme nous-mêmes.

2 *Soi-disant* est toujours invariable, même employé comme adjectif.

Ils sont venus **soi-disant** pour nous parler.
Les **soi-disant** déménageurs ont abîmé les meubles.

                                    Exercice p. 153

44 SI – S'Y / NI – N'Y

Il existe des formes homophones comme *si – s'y / ni – n'y* qu'il faut savoir distinguer.

si – s'y

Il ne faut pas confondre :

• *si* : adverbe ou conjonction de subordination, qui peut être remplacé par un autre adverbe ou une autre conjonction.
La température est **si** basse que l'eau gèle.
→ La température est **tellement** basse que l'eau gèle.
Nous sortirons **si** la sirène retentit.
→ Nous sortirons **parce que** la sirène retentit.

• *s'y* : qui peut se décomposer en *se y* (on place l'apostrophe par euphonie).
Il est toujours placé devant un verbe, car le *s'* fait partie d'un verbe pronominal. Le *y* est pronom adverbial ou personnel.
Dans ce lac, on **s'y** baigne volontiers.
Au bureau, Martial **s'y** rend à pied.
On peut remplacer *s'y* par *m'y* ou *t'y* en conjuguant le verbe.
Dans ce lac, tu **t'y** baignes volontiers.
Au bureau, je **m'y** rends à pied.

ni – n'y

Il ne faut pas confondre :

• *ni* : conjonction négative qui relie deux éléments (noms ou propositions).
M. Bourdon ne sait **ni** ce qui s'est passé **ni** qui a appelé les pompiers.
La poule n'a **ni** dents **ni** oreilles.
On peut parfois remplacer *ni* par *et* :
M. Bourdon ne sait **ni** ce qui s'est passé **et** qui a appelé les pompiers.
ou par *pas* :
La poule n'a **pas** de dents et **pas** d'oreilles.

• *n'y* : qui peut se décomposer en *ne y* (on place l'apostrophe par euphonie).
Le *n'* est la première partie d'une négation dont on peut trouver la deuxième partie dans la suite de la phrase. Le *y* est pronom adverbial ou personnel.
Sur les routes verglacées, les conducteurs **n'y** roulent que très lentement.
Sans ses lunettes, grand-père **n'y** voit rien.

⚠ **Remarque**

Parfois, la première conjonction *ni* est remplacée par une autre conjonction négative.

Cette chanson n'est **ni** originale **ni** mélodieuse.

Cette chanson n'a **rien** d'original **ni** de mélodieux.

Je n'irai **ni** sur la Lune **ni** sur Mars.
Je n'irai **jamais** sur la Lune **ni** sur Mars.

EXERCICE P. 153

SANS – SENT – S'EN – C'EN /
DANS – D'EN

Il existe des formes homophones qu'il faut savoir distinguer.

sans – sent – sens – s'en – c'en

Il ne faut pas confondre :
- *sans* : préposition qui marque l'absence, le manque. Elle est souvent le contraire de la préposition *avec.*
C'est un immeuble **sans** ascenseur.   Gérald sort de l'eau **sans** trembler.
On écrit *sans* quand on peut remplacer par *avec,* ou par *sinon, pour, en* dans certaines expressions.
C'est un immeuble **avec** ascenseur.   Gérald sort de l'eau **en** tremblant.

- *sent, sens* : formes du verbe *sentir* aux trois personnes du singulier du présent de l'indicatif.
Ce lutteur ne **sent** plus sa force.   Je ne **sens** plus ma force.
On écrit *sent* ou *sens* quand on peut remplacer par une autre forme du verbe *sentir* : *sentait, sentais, sentira, sentirai, sentiras, sentent...*
Ce lutteur ne **sent** plus sa force. → Ce lutteur ne **sentait** plus sa force.
Je ne **sens** plus ma force. → Je ne **sentirai** plus ma force.

- *s'en* : contraction de *se en. S'* est la forme élidée du pronom personnel réfléchi *se,* et *en* un pronom adverbial.
Ce lutteur est très fort et il ne **s'en** aperçoit pas.
On écrit *s'en* quand on peut remplacer par *m'en, t'en* en conjuguant le verbe.
Je suis fort et je ne **m'en** aperçois pas. Tu es fort et tu ne **t'en** aperçois pas.

- *c'en* : contraction de *ce en.*
C' est la forme élidée du pronom démonstratif *ce,* et *en* un pronom adverbial.
Vous faites du bruit, **c'en** est trop.   Du foie gras ? **c'en** est, bien sûr.

⚠ Remarque

Après *sans,* le nom est généralement au pluriel.

Admirez ce ciel **sans** nuages. → S'il y en avait, il n'y aurait pas qu'un seul nuage.

Sinon, on écrit le nom au singulier.

Voilà une bien triste journée **sans** soleil.
→ Il ne peut y avoir qu'un soleil.

dans – d'en

Il ne faut pas confondre :
- *dans* : préposition qui peut être remplacée par une autre préposition : *à l'intérieur de, parmi, chez...*
Je m'entraîne **dans** un gymnase. → Je m'entraîne **à l'intérieur** d'un gymnase.

- *d'en* : contraction de *de en. D'* est la forme élidée de la préposition *de,* et *en* un pronom personnel (ou premier terme d'une locution prépositive : *en face, en haut, en bas...*). Elle est généralement placée devant un verbe à l'infinitif.
Du pain, je viens **d'en** couper deux tranches.
Le code de la route, il convient **d'en** respecter les règles.

EXERCICE P. 153

QUELQUE(S) – QUEL(S) QUE – QUELLE(S) QUE

Il existe des formes homophones comme *quelque(s) – quel(s) que – quelle(s) que* qu'il faut savoir distinguer.

Confusion due à la prononciation

Il ne faut pas confondre :

• ***quelque(s)*** : déterminant indéfini qui s'écrit en un seul mot et qui s'accorde en nombre.

Il arrivera dans **quelque** temps.　　Il arrivera dans **quelques** heures.

Quelques exemplaires de cet album sont encore disponibles.

Il faut retenir l'orthographe de quelques expressions :

en quelque sorte – quelque part – quelque chose – quelque peine à – quelque peu

• ***quel(les) que*** : regroupement de deux mots, un adjectif indéfini attribut et une conjonction de subordination.

Quel que soit le parcours, tu l'accompliras.

Dans ce cas, *quel* s'accorde avec le sujet qui se trouve après le verbe *être* (ou *devoir être, pouvoir être*) au présent du subjonctif.

Quel que soit <u>ton projet</u>, nous le respecterons.

Quelle que soit <u>ta décision</u>, nous la respecterons.

Quels que doivent être <u>tes projets</u>, nous les respecterons.

Quelles que puissent être <u>tes intentions</u>, nous les respecterons.

• ***quelque*** : adverbe lorsqu'il se trouve placé devant un adjectif ; il est alors invariable.

Quelque mouillés que soient ces vêtements, il faudra les enfiler.

Quelque appétissants que soient ces gâteaux, je n'en reprendrai pas.

On peut le remplacer par un autre adverbe.

Aussi mouillés que soient ces vêtements, il faudra les enfiler.

Aussi appétissants que soient ces gâteaux, je n'en reprendrai pas.

⚠ Remarques

1 On peut parfois confondre l'adverbe et le déterminant placé devant un adjectif suivi d'un nom.

Quelques bons élèves devront passer cet examen.

Quelque bons élèves que soient ces étudiants, ils devront passer cet examen.

On supprime l'adjectif. Si cette suppression est possible, *quelque* est en rapport avec le nom, donc il s'accorde.

Quelques élèves devront passer l'examen terminal.

Si c'est impossible, *quelque* est adverbe et reste invariable.

On n'écrit pas : « Quelque élèves que soient ces étudiants, ils devront passer l'examen terminal. »

2 *Quelques-uns* et *quelques-unes* sont des pronoms indéfinis pluriels ; les pronoms singuliers étant *quelqu'un* et *quelqu'une* (plus rare).

3 Lorsqu'il a le sens de *parfois*, *quelquefois* s'écrit en un seul mot.

M. Marrou va **quelquefois** à la pêche.

　　　　　EXERCICE P. 153

LA – L'A – L'AS – LÀ / SA – ÇA – ÇÀ

Il existe des formes homophones comme *la – l'a – l'as – là* ou *sa – ça – çà* qu'il faut savoir distinguer.

la – l'a – l'as – là

Il ne faut pas confondre :

• *la* : article ou pronom personnel complément, qui peut être remplacé par *une, le* ou *les*.
La piscine, Alice **la** fréquente chaque semaine.
→ **Le** stade, Alice **le** fréquente chaque semaine.

• *l'a* : contraction de *la a* ou de *le a*, qui peut être remplacée par *l'avait, l'aura*.
La piscine, Alice **l'a** fréquentée pendant un an.
→ La piscine, Alice **l'avait** fréquentée pendant un an.

• *l'as* : contraction de *la as* ou de *le as*, qui peut être remplacée par *l'avais, l'auras*.
La piscine, tu **l'as** fréquentée pendant un an.
→ La piscine, tu **l'avais** fréquentée pendant un an.

• *là* : adverbe de lieu, qui peut souvent être remplacé par *ici* ou *-ci*.
C'est **là** que j'ai appris à nager.
→ C'est **ici** que j'ai appris à nager.
Là est parfois accolé à un pronom démonstratif ou à un nom.
Ce bassin est profond ; dans celui-**là** on a pied.
→ Ce bassin est profond ; dans celui-**ci** on a pied.
Cet objet-**là** possède une valeur inestimable.
→ Cet objet-**ci** possède une valeur inestimable.

sa – ça – çà

Il ne faut pas confondre :

• *sa* : déterminant possessif de la 3e personne du singulier, qui peut être remplacé par un autre déterminant *son, ses...*
Un bon chasseur ne sort pas sans **sa** chienne.
→ Un bon chasseur ne sort pas sans **son** chien.

• *ça* : pronom démonstratif, qui peut souvent être remplacé par *cela* ou *ceci*.
J'ai regardé le feuilleton, mais je n'ai pas trouvé **ça** passionnant.
→ J'ai regardé le feuilleton, mais je n'ai pas trouvé **cela** passionnant.

• *çà* : adverbe de lieu, qui ne se rencontre que dans l'expression *çà et là* où il signifie *ici*.
On observe, **çà** et là, quelques affiches.
→ On observe, **ici** et là, quelques affiches.

 EXERCICE P. 153

PRÊT(S) – PRÈS / PLUS TÔT – PLUTÔT

Il existe des formes homophones comme *prêt(s)* – *près* ou *plus tôt* – *plutôt* qu'il faut savoir distinguer.

prêt(s) – près

Il ne faut pas confondre :

• *prêt* (*prêts*) : adjectif qualificatif, qui s'accorde avec le nom qu'il accompagne. Si on substitue au nom masculin un nom féminin, il peut être remplacé par la forme du féminin, *prête* (*prêtes*).
Le chat est **prêt** à bondir sur la petite balle rouge.
Les chats sont **prêts** à bondir sur la petite balle rouge.
→ La chatte est **prête** à bondir sur la petite balle rouge.
→ Les chattes sont **prêtes** à bondir sur la petite balle rouge.
Prêt(s) est généralement suivi par la préposition *à* (parfois *au*, *pour*).
Tu es **prêt** à nous suivre.
Le parachutiste est **prêt** au grand saut.
Les parachutistes sont **prêts** pour le grand saut.

• *près* : préposition ou adverbe de lieu, qui peut souvent être remplacé par une autre préposition ou un autre adverbe de lieu, *à côté* ou *loin*.
Les alpinistes sont **près** du sommet ; encore un petit effort !
→ Les alpinistes sont **à côté** du sommet ; encore un petit effort !
→ Les alpinistes sont **loin** du sommet ; encore un petit effort !
Près est souvent suivi par la préposition *de* (*du, d'*).
La mairie est située **près de** la poste.
La mairie est située **près du** bureau de poste.

Remarque

Il existe un autre homonyme, le nom *prêt* (action de *prêter*). Il est généralement précédé d'un déterminant.

Pour acheter une nouvelle voiture, M. Sarda sollicite un **prêt**.

plus tôt – plutôt

Il ne faut pas confondre :

• *plus tôt* : locution adverbiale qui exprime une idée de temps et qui est le contraire de *plus tard*.
Le dimanche, la boulangerie ouvre **plus tôt** que d'habitude.
Le dimanche, la boulangerie ouvre **plus tard** que d'habitude.

• *plutôt* : adverbe qui signifie *de préférence, encore, très*. Il peut être remplacé par un autre adverbe.
Ces vignes seront vendangées à la main **plutôt** qu'à la machine.
→ Ces vignes seront vendangées à la main **de préférence** à la machine.
Dans ce quartier la vie est **plutôt** agréable.
→ Dans ce quartier la vie est **assez** agréable.

EXERCICE P. 154

PEUT – PEUX – PEU

Il existe des formes homophones comme *peut – peux – peu* qu'il faut savoir distinguer.

Confusion due à la prononciation

Il ne faut pas confondre :

• *peut* : forme conjuguée du verbe *pouvoir* à la 3e personne du singulier du présent de l'indicatif.
On écrit *peut* quand on peut le remplacer par une autre forme conjuguée du verbe *pouvoir* à la même personne (*pouvait, pourra, a pu...*).
Coline **peut** graver des CD.　　→ Coline **pouvait** graver des CD.

• *peux* : forme conjuguée du verbe *pouvoir* à la 1re ou 2e personne du singulier du présent de l'indicatif.
On écrit *peux* quand on peut le remplacer par une autre forme conjuguée du verbe *pouvoir* à la même personne (*pouvais, pourrai, ai pu...*).
Je **peux** graver des CD.　　→ Je **pouvais** graver des CD.
Seul le sujet permet de distinguer *peut* et *peux*.

• *peu* : adverbe de quantité, donc invariable.
On écrit *peu* quand on peut le remplacer par *beaucoup* (ou quelquefois par *très* devant un adjectif).
Coline a gravé **peu** de CD.　　→ Coline a gravé **beaucoup** de CD.
Coline est **peu** expérimentée.　　→ Coline est **très** expérimentée.
Lorsque *peu* est précédé de *un*, c'est l'ensemble *un peu* qui se remplace par *beaucoup* ou *très*.
Coline est **un peu** expérimentée.　　→ Coline est **très** expérimentée.

⚠ Remarques

1 *Peu* est parfois employé comme nom (il signifie alors *une petite quantité*).

Coline grave le **peu** de CD qu'elle possède.

2 Il ne faut pas confondre l'adverbe *peut-être* (qui s'écrit avec un trait d'union) et le groupe formé du verbe *pouvoir* conjugué et de l'infinitif *être* (qui ne prend pas de trait d'union). Pour éviter toute confusion, on essaie de remplacer par *pouvait être*.

Coline gravera **peut-être** des CD.
Ce CD **peut être** gravé en quelques minutes.
→ Ce CD **pouvait être** gravé en quelques minutes.

3 Il faut retenir l'orthographe de quelques expressions.

Peu s'en faut que l'orage n'éclate.

Ce banc est **un tant soit peu** bancal.

Il faut **faire peu de cas** des calomnies.

Cet immeuble compte **à peu près** dix étages.

Il faut aider les malheureux, **si peu que ce soit**.

Cette moquette est **quelque peu** usée.

Tous ces enfants se ressemblent **peu ou prou**.

Jouer aux cartes ou aux dominos, **peu importe**.

La côte est rude, **ce n'est pas peu dire** !

 EXERCICE P. 154

QUAND – QUANT – QU'EN / OU – OÙ

Il existe des formes homophones qu'il faut savoir distinguer.

quand – quant – qu'en

Il ne faut pas confondre :

• **quand** : conjonction de subordination, qui peut être remplacée par *lorsque*.
Quand nous aurons un moment de libre, nous classerons nos photographies.
→ **Lorsque** nous aurons un moment de libre, nous classerons nos photographies.

• **quand** : adverbe, qui peut être remplacé par *à quel moment*.
Quand serez-vous en vacances ? → **À quel moment** serez-vous en vacances ?

• **quant** : préposition, qui peut être remplacée par *en ce qui concerne, pour (ma) part*.
L'autobus arrivera à dix heures ; **quant au** train, je l'ignore.
→ L'autobus arrivera à dix heures ; **en ce qui concerne** le train, je l'ignore.
Philippe parle l'espagnol, **quant à** moi, j'essaie d'apprendre l'allemand.
→ Philippe parle l'espagnol, **pour ma part**, j'essaie d'apprendre l'allemand.

• **qu'en** : peut se décomposer en *que en* (on place l'apostrophe par euphonie).
Le plombier pensait **qu'en** une heure il aurait terminé.
Les historiens consultent des documents ; **qu'en** dégagent-ils comme conclusion ?
Ce problème n'est simple **qu'en** apparence.
Ce n'est **qu'en** travaillant qu'on devient un virtuose du piano.

⚠ Remarques

1 Pour choisir entre *quand* et *quant*, la liaison induit en erreur.
En effet, avec *quand* suivi d'une voyelle, la liaison est également en **t**.

Quand (t)il court, Richard penche la tête.
Quant (t)à Richard, il penche la tête.

Il faut se souvenir que *quant* est toujours suivi d'une autre préposition : *à, au, aux*.

2 Le nom *camp* est aussi un homonyme qui se distingue assez facilement car il est souvent précédé d'un déterminant.

Les joueurs se replient dans leur **camp**.

3 Il faut retenir l'orthographe de ces noms composés.

Hautain, il est resté sur son **quant-à-soi**.
Elle ne se soucie pas des **qu'en-dira-t-on**.

ou – où

Il ne faut pas confondre :

• **ou** : conjonction de coordination, qui peut être remplacée par *ou bien*.
Pour trouver ce mot, utilise un dictionnaire **ou** (**ou bien**) un lexique.

• **où** : pronom ou adverbe, qui indique le lieu, le temps, la situation.
On peut parfois le remplacer par *dans lequel, à quel endroit, à laquelle*.
Voici un étui **où** il y a deux stylos. → Voici un étui **dans lequel** il y a deux stylos.
Où habitez-vous ?   → **Dans quel endroit** habitez-vous ?

51 QUOIQUE – QUOI QUE / PARCE QUE PAR CE QUE / POURQUOI – POUR QUOI

Il existe des formes homophones qu'il faut savoir distinguer.

quoique – quoi que

Il ne faut pas confondre :

• **quoique** : conjonction de subordination, qui peut toujours être remplacée par *bien que*.
Quoique les fenêtres restent fermées, il fait froid dans ce bureau.
→ **Bien que** les fenêtres restent fermées, il fait froid dans ce bureau.

• **quoi que** : pronom relatif composé qui a le sens de *quelle que soit la chose que* ou de *quelque chose que*.
Quoi que vous décidiez, prévenez-nous.

⚠ Remarques

1 Le verbe qui suit *quoique* ou *quoi que* est toujours au mode subjonctif.

Quoi qu'il dise, personne n'écoute.
Quoiqu'il réponde, personne ne l'écoute.

2 Dans l'expression *quoi qu'il en soit*, *quoi qu'* s'écrit en deux mots.

Je maintiens ma position, quoi qu'il en soit.

parce que – par ce que

Il ne faut pas confondre :

• **parce que** : locution conjonctive de subordination qui introduit un complément circonstanciel de cause et qui peut être remplacée par *car*.
Mme Thierry achète ses fromages à la ferme **parce qu'**ils y sont plus frais.
→ Mme Thierry achète ses fromages à la ferme **car** ils y sont plus frais.

• **par ce que** : expression formée d'une préposition, d'un pronom démonstratif neutre et d'un pronom relatif et qui a le sens de *par la chose que*.
Par ce que vous avancez comme motif, vous ne serez pas cru.
C'est une expression peu employée.

pourquoi – pour quoi

Il ne faut pas confondre :

• **pourquoi** : adverbe ou conjonction qui peut être remplacé par *pour quelle raison* ou *dans quelle intention*.
Le menuisier ne comprend pas **pourquoi** ce bois est aussi tendre.
→ Le menuisier ne comprend pas **pour quelle raison** ce bois est aussi tendre.

• **pour quoi** : pronom relatif ou interrogatif précédé de la préposition *pour* a le sens de *pour cela*.
Cet homme, on le condamne **pour quoi** (pour cela).

⚠ Remarque

Pourquoi peut aussi être un nom invariable, synonyme de *motif*.

Je ne m'explique pas le **pourquoi** (le motif) de cette affaire.

EXERCICE P. 154

LE PARTICIPE PRÉSENT ET L'ADJECTIF VERBAL

Il faut savoir distinguer les formes en **-ant** comme le participe présent et l'adjectif verbal.

Le participe présent

Le participe présent, **invariable**, est une forme verbale terminée par **-ant**.
Goûtez-moi ce biscuit craqu**ant** sous la dent.
Goûtez-moi cette biscotte craqu**ant** sous la dent.

L'adjectif verbal

• L'adjectif verbal, terminé lui aussi par **-ant**, s'accorde avec le nom (ou le pronom) auquel il se rapporte.
goûter un biscuit craqu**ant**   goûter une biscotte craqu**ante**
• L'adjectif verbal, comme l'adjectif qualificatif peut être épithète ou attribut.
Vous tenez des propos **amusants**.   Vos propos sont **amusants**.

⚠ Remarques

1 Il ne faut pas confondre les adjectifs verbaux terminés par **-ant** avec les adverbes terminés par **-ent** ou **-ant**.

Cette actrice est souv**ent** éblouissante.
Auparav**ant** ces locaux étaient bruyants.

2 Certains adjectifs verbaux sont employés comme des noms.

Les gagn**ants** se partageront le gros lot ; les perd**ants** espèrent que le sort leur sera favorable la prochaine fois.

Comment éviter toute confusion ?

Il est parfois difficile de distinguer le participe présent de l'adjectif verbal.
On peut remplacer le nom masculin par un nom féminin ; oralement, on entend la différence.
Voici l'entrée des joueurs remplaçants.
Voici l'entrée des joueuses remplaçantes.   → adjectif verbal
Les joueurs remplaçant leurs partenaires sont là.
Les joueuses remplaçant leurs partenaires sont là.   → participe présent

⚠ Remarques

1 Des participes présents et des adjectifs verbaux peuvent avoir des orthographes différentes.

en communi**qu**ant par signes
          les vases communi**c**ants
en provo**qu**ant une émeute
          une tenue provo**c**ante
en diffé**r**ant la réponse
          une réponse diffé**r**ente
en navi**gu**ant dans le golfe
          le personnel navi**g**ant

en conver**ge**ant vers la sortie
          des réponses conver**g**entes
en précéd**ant** le cortège
          le numéro précéd**ent**
en fati**gu**ant son entourage
          une marche fati**g**ante

2 Même quand il est adjectif, *soi-disant* est toujours invariable.

Cette **soi-disant** solution échoua.

          EXERCICE P. 154

53

LES ACCENTS

Les accents sont des signes placés sur les voyelles pour, le plus souvent, en modifier la prononciation. Un texte où les accents sont absents est beaucoup plus difficile à lire.

Les différents accents

- L'accent aigu (´) se place uniquement sur la lettre *e* qui se prononce alors [e].
Jérémie est désespéré car il a perdu sa précieuse clé.
- L'accent grave (`) se place souvent sur la lettre *e* qui se prononce alors [ɛ].
Cet athlète possède une bonne hygiène de vie.
On trouve parfois un accent grave sur les lettres *a* et *u*.
Où se trouve l'Espagne ? Au-delà des Pyrénées, à deux heures de Paris en avion.
- L'accent circonflexe (^) se place sur la lettre *e* qui se prononce alors [ɛ].
Le joueur se jette tête baissée dans la mêlée.

⚠ Remarques

1 On trouve aussi un accent circonflexe sur les autres voyelles (sauf *y*).

un gâteau – une traîne – un cône – la flûte

Les accents circonflexes sur les lettres *i* et *u* ne modifient pas leur prononciation.

2 L'accent circonflexe peut être le témoin d'une lettre disparue que l'on retrouve dans des mots de la même famille.

l'hôpital – hospitalisé – l'hospice
la croûte – croustillant

3 L'accent circonflexe permet aussi de distinguer des mots homonymes.

L'abricot est mûr.
un mur de brique

une tache de graisse
une rude tâche

respecter le jeûne du ramadan
parler à un jeune enfant

gravir la côte
surveiller la cote d'alerte

Cas particuliers

- Lorsque le *e* se trouve entre deux consonnes au milieu d'une syllabe, il ne prend pas d'accent, même s'il est prononcé [ɛ].
ne jamais perdre la technique de la lecture
Exceptions :
en fin de mot : le progrès – le succès – près – l'arrêt – la forêt
- On ne double pas la consonne qui suit une voyelle accentuée.
l'intérieur mais un terrain   bâtir mais battre
Exceptions : un châssis – une châsse – enchâsser – l'enchâssement
- Devant la lettre *-x*, le *e* n'a jamais d'accent.
Il nous explique la solution d'un exercice complexe.

⚠ Remarque

Selon les régions, la prononciation des lettres accentuées peut varier, mais l'orthographe demeure la même.

EXERCICE P. 154

LA CÉDILLE – LE TRÉMA – LE TRAIT D'UNION – L'APOSTROPHE

Il existe d'autres signes écrits qu'il faut connaître.

La cédille

Pour conserver le son [s], on place **une cédille** sous la lettre **c** devant les voyelles **a, o, u.**
la leçon – menaçant – un reçu

Le tréma

Le tréma, généralement placé sur la lettre **i**, indique que l'on doit prononcer séparément la voyelle qui le précède immédiatement.
être naïf – faire preuve d'héroïsme – un plat en faïence

⚠ **Remarque**

Placé sur le **e** qui suit un **u**, le tréma indique que le **u** doit être prononcé.

ciguë – aiguë – ambiguë – contiguë

Le tréma peut aussi avoir la valeur d'un **é**.

un canoë

Le trait d'union

Le trait d'union sert à lier plusieurs mots. On le place :
• entre les différents éléments de beaucoup de mots composés ;
sur-le-champ – un sapeur-pompier – un non-lieu – un arc-en-ciel

• entre le verbe et le pronom personnel sujet antéposé (ainsi que *ce*) ;
Pourquoi ne dis-tu pas la vérité ?   Est-ce la vérité ?   Sait-on la vérité ?

• entre le verbe à l'impératif et le(s) pronom(s) personnel(s) complément(s) ;
Lève-toi !   Parlons-en.   Faites-le-moi savoir.

• dans certaines locutions adverbiales ;
pêle-mêle   avant-hier   au-dessus   par-delà

• dans les déterminants numéraux inférieurs à *cent* ;
trente-quatre   quatre-vingt-dix-huit

• devant les particules -*ci* et -*là* ;
celui-ci   cette maison-là   ces immeubles-là

• entre le pronom personnel et l'adjectif *même* ;
lui-même   elle-même   eux-mêmes

• dans certaines expressions.
là-haut   jusque-là   ci-joint   de-ci   de-là

L'apostrophe

L'apostrophe (') se place en haut et à droite d'une lettre pour marquer l'élision de *a, e, i* ou devant un mot commençant par une voyelle ou un *h* muet.
l'arrivée   s'asseoir   lorsqu'il   quelqu'un   parce qu'on   s'il pleut

EXERCICE P. 155

55 LES ABRÉVIATIONS – LES SIGLES – LES SYMBOLES

Le langage courant fonctionne de plus en plus avec des abréviations, des sigles et des symboles ; il faut savoir les déchiffrer.

Les abréviations

• Parfois, c'est une ou plusieurs syllabes qui sont retranchées du mot par apocope (la fin du mot) :

la photographie → la photo   sympathique → sympa   un professeur → un prof

ou plus rarement par aphérèse (le début du mot).

l'autobus → le bus   un blue-jean → un jean

• Quelquefois, le mot d'origine est légèrement modifié.

être régulier → être réglo   un réfrigérateur → un frigo

• Dans d'autres cas, on forme une abréviation en ne conservant que la première lettre (minuscule ou majuscule) suivie d'un point. Pour éviter les ambiguïtés, on conserve parfois plusieurs lettres, suivies ou non d'un point.

nom → n.   page → p.   adjectif → adj.
monsieur → M.   mademoiselle → Mlle

 Remarque

Ces mots ainsi abrégés prennent normalement la marque du pluriel.

les mathématiques → les maths
les informations → les infos

Les sigles

• De très nombreux groupes de mots sont réduits à leur sigle. On ne retient que les initiales (en majuscules) de chacun des mots essentiels qui composent l'expression. La présence de points entre les lettres tend à disparaître.

l'ANPE → l'agence nationale pour l'emploi   un P.V. → un procès-verbal

• Lorsqu'on les lit, on énonce chaque lettre, mais si des voyelles sont incluses dans le sigle, on peut le prononcer comme un mot ordinaire.

un OVNI → un objet volant non identifié

Remarque

Certains sigles, très courants, sont devenus des noms communs.

le sida → le syndrome d'immunodéficience
              acquise
un radar → un Radio Detecting And Ranging

Les symboles

Dans les domaines mathématique, scientifique et technique, on utilise des symboles qui ont l'avantage d'être communs à presque toutes les langues.

Il faut retenir les plus courants qui symbolisent principalement les unités de mesures.

seconde → s   kilogramme → kg   centimètre → cm   hectolitre → hL
ampère → A   mètre cube → m³   paragraphe → §   arobase → @

EXERCICE P. 155

LES ÉCRITURES DES SONS [s] ET [z]

Les sons [s] et [z] **peuvent s'écrire de plusieurs manières.**

Les différentes graphies du son [s]

- **s**
la salade – sauter – solide – la réponse – le sucre

- **ss**
la crevasse – la graisse – une assiette – pousser

- **c** seulement devant les voyelles **e, i** et **y**
un cerceau – l'urgence – un citron – un cygne

- **ç** devant les voyelles **a, o** et **u**
une façade – un glaçon – un reçu

- **t** seulement devant la lettre **i**, à l'intérieur ou en fin de mot
la condition – la sélection – un quotient – la gentiane
Beaucoup de ces noms se terminent par -tion, mais tous les noms terminés par ce son ne s'écrivent pas -tion ; il y a d'autres graphies.
la passion – la pension – la suspicion

- **sc** dans quelques mots
la science – la discipline – la scierie

⚠ Remarques

1 Il ne faut pas oublier que la lettre **s** marque le pluriel de beaucoup de noms et d'adjectifs ; dans ce cas, elle est muette.

2 Dans les nombres *dix* et *six* (et leurs dérivés), le **x** se prononce [s].

Les différentes graphies du son [z]

- **z**
un zéro – le gazon – bizarre – la luzerne

- **s** lorsque celui-ci est placé entre deux voyelles
le musée – le visage – le poison

⚠ Remarque

Comme entre deux voyelles, la lettre **s** se prononce [z], pour obtenir le son [s], il faut donc doubler le **s**.
déjouer une ruse
parler le russe
téléphoner à son cousin
s'asseoir sur un coussin

Néanmoins, dans les noms composés de deux mots qui sont soudés et dans ceux dont le préfixe précède la lettre **s**, le son [s] peut s'écrire avec un seul **s**.
un parasol – un tournesol – un contresens – vraisemblable – la préséance – un ultrason – le cosinus – extrasensible – la photosynthèse

 EXERCICE P. 155

LES ÉCRITURES DU SON [k]

Le son [k] peut s'écrire de plusieurs manières.

Les différentes graphies du son [k]

- **c** devant les voyelles **a**, **o** ou **u** et devant les consonnes
un cachet – une colline – récupérer – un tracteur – l'acné
Un certain nombre de mots s'écrivent avec deux **c**.
une occasion – accompagner – une accusation – acclamer

- **qu**
quatre – une quille – un quotient – un masque

- **k**
un kangourou – ankylosé – le parking
Dans deux mots, le **k** est doublé :
le drakkar – le trekking

- **ch**
la chorale – la chlorophylle – la psychologie
Dans quelques mots, le son [k] final s'écrit **ch**.
un almanach – des aurochs – le varech – un mach (unité de mesure de vitesse supersonique)

- **ck**
un jockey – le racket – un teckel
Ces mots sont très souvent d'origine étrangère.

- **cqu** dans quelques mots
acquitter – Jacques – Jacqueline – le jeu de jacquet

Comme le choix entre ces écritures est difficile, il faut apprendre par cœur l'orthographe des mots les plus courants et consulter un dictionnaire en cas de doute.

⚠ Remarques

1 Devant les voyelles **e**, **i** et **y**, le son [k] ne s'écrit jamais avec un **c**.
(Sinon, nous aurions le son [s].)

une kermesse – un kilo – un kyste
la question – quitter – lorsque
le hockey – l'orchestre – une orchidée

Mais on peut trouver deux **c** pour obtenir le son [ks].

un accident – une coccinelle – accélérer

2 Les lettres **qua** peuvent se prononcer [kwa] dans les mots d'origine latine.

un aquarium – l'équateur – l'aquarelle – le quartz

3 Il faut retenir l'orthographe du nom *piqûre*, alors que *piquer* ne prend pas d'accent circonflexe.

EXERCICE P. 155

LES ÉCRITURES DU SON [ã]

Le son [ã] peut s'écrire de plusieurs manières.

Les différentes graphies du son [ã]

• **an**

l'angoisse – la banque – tranquille – un volcan

On rencontre cette graphie dans la terminaison des participes présents et de nombreux adjectifs verbaux (voir leçon 52).

en march**an**t – être viv**an**t – les toits ouvr**an**ts

• **en**

la cendre – la dépense – le calendrier – ennuyer – la légende

– Sans lettre muette, cette graphie n'apparaît jamais en position finale.

– On rencontre cette graphie dans le suffixe **-ent** qui permet de former de nombreux noms et adverbes (voir leçon 90).

un alim**ent** – un serm**ent** – un torr**ent** – rapidem**ent** – couramm**ent**

– De nombreux verbes du 3e groupe se terminent par **-endre**.

descendre – apprendre – vendre – attendre

Exceptions qui se terminent par **-andre** :

répandre – épandre

– Devant les lettres **b**, **m** et **p**, on écrit **am-** au lieu de **an-** et **em-** au lieu de **en-**.

une **am**bulance – un cra**m**pon – la ja**m**be- ta**m**ponner

le te**m**ps – e**m**barrasser – e**m**mener – e**m**porter

Exceptions :

néa**n**moins et quelques noms propres : Gutenberg, Istanbul...

Comme le choix entre ces écritures est difficile, il faut apprendre par cœur l'orthographe des mots les plus courants et consulter un dictionnaire en cas de doute.

⚠ Remarques

1 Le préfixe **en-** (**em-**) qui signifie souvent « à l'intérieur » permet de former de nombreux verbes :

embarquer – encaisser – enfermer – enfoncer – emprisonner – empaqueter

2 Il faut retenir la graphie de quelques préfixes :

anti- : de l'antigel – un antibiotique – des antibrouillards

entre- : une entrevue – entreposer – une entreprise

amph- : un amphithéâtre – amphibie – les amphibiens

anthropo- : un anthropophage – l'anthropologie – l'anthropomorphisme

3 Il faut retenir quelques graphies plus rares du son [ã].

-aen : la ville de Caen

-aon : un faon, un paon, un taon, la ville de Laon

-am : la pomme d'Adam

-ean : Jean

EXERCICE P. 155

LES ÉCRITURES DU SON [ɛ̃]

Le son [ɛ̃] peut s'écrire de plusieurs manières.

Les différentes graphies du son [ɛ̃]

• **in**
un lapin – le dindon – mince
Variante : im devant **b, m, p**.
un timbre – impair – immangeable
En début de mot, on écrit généralement **in-** ou **im-**.
interdire – infiltrer – important – imbuvable
Exception : ainsi

• **yn**
le syndicat – une synthèse – une syncope
Variante : ym devant **b, p ;**
une cymbale – une symphonie
et dans le nom de la plante aromatique : le thym.

• **ain**
un copain – la plainte – le prochain
Retenons l'orthographe des noms :
le daim – la faim (affamer) – un essaim (essaimer)

• **ein**
un rein – un frein – la ceinture
Retenons l'orthographe de la ville de Reims.

• **en** notamment en fin de mot après **i, é, y**
un gardien – un lycéen – moyen – il revient
Exception : un examen
Mais on trouve également la graphie **-en-** à l'intérieur de quelques mots.
un agenda – un référendum – un pentagone

⚠ Remarques

1 Les verbes du 3e groupe terminés par [ɛ̃dʀ] à l'infinitif s'écrivent **-eindre** :

atteindre – éteindre – peindre
Exceptions : craindre – plaindre – contraindre (et leurs dérivés)

2 On peut parfois s'appuyer sur un mot de la même famille pour trouver la bonne graphie.

plein → la plénitude
urbain → l'urbanisme
un burin → buriner

3 L'opposition orale entre le son [ɛ̃] de « un brin de muguet » et le son [œ̃] de « un manteau brun » est loin d'être réalisée par tous les francophones. De par leur diffusion nationale, les différents médias accentuent l'alignement du [ɛ̃] sur le [œ̃]. Heureusement, les mots dans lesquels le son [œ̃] s'écrit **un** ou **um** sont peu nombreux et d'usage courant.

aucun – chacun – brun – humble –
le parfum – commun – lundi – emprunter –
défunt – un importun...

EXERCICE P. 155

60 LES ÉCRITURES DU SON [f]

Le son [f] peut s'écrire de plusieurs manières.

Les différentes graphies du son [f]

• **f**
une fraise – enfin – la définition – sacrifier

• **ff**
suffire – souffler – le coffre – siffler

• **ph**
la phrase – la physique – la catastrophe – un éléphant

– La graphie **ph** ne se trouve en finale que dans le prénom Joseph.

– Quelques préfixes et suffixes, d'origine grecque, s'écrivent avec **ph**.
-graphe (qui écrit) → l'orthographe – le paragraphe – le télégraphe
-phone (son) → le magnétophone – un interphone – aphone
-phage (qui mange) → un sarcophage – un œsophage – un anthropophage
photo- (lumière) → la photographie – la photocopie – photogénique
morpho- (autour) → la morphologie – une métamorphose
Les mots ainsi formés sont souvent difficiles à orthographier.

Les mots terminés par le son [f]

• On peut trouver la lettre **f** en fin de mot.
le chef – vif – actif – un canif – un tarif
Mais pour les mots se terminant par le son [f], il existe d'autres terminaisons :
la coiffe – la greffe – la girafe – un biographe

• La lettre **f**, en finale, n'est pas toujours prononcée.
la clef – le nerf – le cerf
Ainsi que dans le pluriel de deux noms :
les œufs – les bœufs
Alors que le **f** se prononce dans le singulier :
l'œuf – le bœuf

Comme le choix entre ces écritures est difficile, il faut apprendre par cœur l'orthographe des mots les plus courants et consulter un dictionnaire en cas de doute.

⚠ Remarques

1 Les mots commençant par **aff-**, **eff-**, **off-** s'écrivent tous avec deux **f**.
Exceptions : afin – l'Afrique – africain

2 En liaison, **f** s'assimile parfois au **v** devant une voyelle.
neuf (v)ans – neuf (v)heures

Mais il reste également en [f] dans d'autres liaisons.
neuf (f)enfants – un vif (f)attrait

3 En fin de mots d'origine russe, on trouve un **v** prononcé [f].
un cocktail Molotov
le théâtre de Tchékhov

 EXERCICE P. 156

LES ÉCRITURES DU SON [j]

Le son [j] peut s'écrire de plusieurs manières.

Les différentes graphies du son [j]

• **y**
la bruyère – essuyer – une rayure – prévoyant
Mais la lettre *y* peut aussi se prononcer [i].
un paysan – une abbaye – le lycée – le gymnase
Dans les noms, la lettre *y* n'est jamais suivie d'un *i* (sauf dans un essayiste).

• **ill**
une douille – le réveillon – le poulailler – la cuillère
Dans ce cas, la lettre *i* est inséparable des deux *l* et ne se prononce pas avec la voyelle qui la précède.

• **ll**, seulement après la voyelle *i* qui termine une syllabe
griller – la chenille – une bille – croustiller
Mais les deux *l* se prononcent [l] dans :
la ville – un bacille – tranquille – un village – un million (et ses dérivés)

⚠ Remarques

1 Lorsque le son [j] suit une consonne, il s'écrit généralement *i* ; dans ce cas, il se confond avec le son [i].

un panier – curieux – le diable – rien

2 Il existe quelques graphies plus rares :

les yeux – le yaourt – le yoga – une hyène
la faïence – la pagaïe (le désordre) – un aïeul
un quincaillier – un médaillier – un groseillier
cueillir – l'orgueil – le recueil

Les noms terminés par le son [j]

• Les noms féminins terminés par [j] s'écrivent tous en **-ille**.
la muraille – la bouteille – la feuille – la rouille – la famille

• Les noms masculins terminés par [j] s'écrivent en **-il**.
du corail – le recueil – le fauteuil – le fenouil
Exceptions :
– les noms composés masculins formés avec le nom féminin *feuille*.
un portefeuille – un millefeuille – le chèvrefeuille
Mais il faut écrire le cerfeuil.

– les noms masculins terminés par le [ij]
le gorille – un quadrille – un joyeux drille – un pupille

⚠ Remarque

Il ne faut pas confondre les noms masculins terminés par *-il* avec les verbes conjugués de la même famille.

le travail / il travaille
le réveil / elle se réveille
le détail / il détaille
l'émail / il émaille

EXERCICE P. 156

LES ÉCRITURES DES SONS [g] ET [ʒ]

orthographe

Les sons [g] et [ʒ] **peuvent s'écrire de plusieurs manières.**

Les différentes graphies du son [g]

- *g* devant les voyelles *a*, *o* et *u*
le garage – un ragoût – la figure
- *gu* devant les voyelles *e*, *i* et *y*
la vague – une guirlande – **Guy**

⚠ **Remarques**

1 Les verbes terminés par **-guer** à l'infinitif conservent le *u* dans toute leur conjugaison.

nous naviguons – en naviguant – il naviguait

2 En lettre finale, le *g* est parfois prononcé.

un gag – un grog – un gang – un gong – un zigzag – un iceberg – le camping

3 Il existe quelques graphies plus rares.

la seconde – le zinc – l'eczéma
le toboggan – aggraver – agglomérer
des spaghettis – le ghetto
une geisha

Les différentes graphies du son [ʒ]

- *g* devant les voyelles *i* et *y*
un gitan – agiter – la gymnastique – digitale
- *j* ou *g* devant la voyelle *e*
jeune – un jeton – rejeter – le sujet – majeur
le genou – la sagesse – génial – général – légère
- *j* devant la voyelle *u*
une jupe – juteux – une injure
Devant les voyelles *a* et *o*, le son [ʒ] s'écrit assez souvent *j*.
jaune – joli – ajouter – japper – la jambe – jongler
- *ge* à la fin d'un mot
le linge – rouge – un ange – une orange – un mariage
- *ge* devant les voyelles *a* et *o*
la vengeance – en voyageant – un plongeon – la rougeole – un cageot

⚠ **Remarque**

On trouve la lettre *j* dans un certain nombre de noms d'origine étrangère ; la prononciation étrangère est souvent conservée.

le jazz – un jean – le djebel – un fjord – un job – une jeep...

EXERCICE P. 156

LES ÉCRITURES
DES SONS [ə], [œ], [ø]

Les sons [ə], [œ] et [ø] **peuvent s'écrire de plusieurs manières.**

Les différentes graphies du son [ə]

- *e*

demain – cela – une mesure

- *on*

monsieur

- *ai*

un faisan – faisander
nous faisons – je/tu faisais – il/elle faisait – nous faisions –
vous faisiez – ils/elles faisaient – en faisant
Mais, au futur simple et au présent du conditionnel, les formes du verbe
faire **s'écrivent avec un** *e* **:**
il fera – vous feriez – je ferais – nous ferions

⚠ Remarque

Le son [ə], contrairement aux sons [œ] et [ø], n'est pas toujours prononcé.

bouleverser – envelopper – le boulevard

Les différentes graphies du son [œ]

- *eu*

un adieu – jeudi – le beurre

- *œu*

le cœur – un vœu – le bœuf

- *œ*

un œil – une œillade – le fœhn

- *ue*

un recueil – l'orgueil – accueillir

- *e, u, i*

Dans des mots empruntés à l'anglais : un skipper – le club – un tee-shirt

Les différentes graphies du son [ø]

- *eu*

le feu – un bleuet – ceux

- *eû*

le jeûne – jeûner
Mais on écrit : déjeuner – le petit-déjeuner
à jeun se prononce [aʒœ̃]
gageure se prononce [gaʒyʀ]

EXERCICE P. 156

64 LE SON [ɔ̃] / LES FINALES SONORES [ɔm], [om], [ɛn] ET [am]

Le son [ɔ̃] **et** les finales sonores [ɔm], [om], [ɛn] et [am] **peuvent s'écrire de plusieurs manières.**

Les différentes graphies du son [ɔ̃]

• Le son [ɔ̃] s'écrit toujours **on**.
un p**on**ton – ils v**on**t – une br**on**chite – une mais**on**

• Devant **b** et **p**, on écrit **om**.
p**om**per – t**om**ber – un vr**om**bissement
Exceptions :
de l'emb**on**point – un b**on**b**on** – une b**on**b**on**ne – une b**on**b**on**nière

⚠ **Remarque**

Il faut retenir l'orthographe de quelques noms où l'on entend le son [ɔ̃].

le comte (titre de noblesse) – un nom – un prénom – un pronom – le renom l'acupuncture – un lumbago – du punch (prononcé [ɔ̃] lorsqu'il s'agit de la boisson)

Les finales sonores [ɔm], [om], [ɛn] et [am]

• Les mots terminés par le son [ɔm] s'écrivent :
-um : un référend**um** – un musé**um** – un pens**um**
-omme : une p**omme** – il se surn**omme** – un h**omme**
-om : le slal**om**
-ome : un gastron**ome** – auton**ome** – un agron**ome**

• Les mots terminés par le son [om] s'écrivent :
-ôme : un ar**ôme** – un dipl**ôme** – un fant**ôme**
-aume : un b**aume** – la p**aume** – il emb**aume**
-ome : un at**ome** – le chr**ome** – un aérodr**ome**
-om : un pogr**om** – un **om**

• Les mots terminés par le son [ɛn] s'écrivent :
-en : le lich**en** – le poll**en** – l'abdom**en**
-ène : il ram**ène** – la sc**ène**
-eine : la p**eine** – une bal**eine** – ser**eine**
-aine : la g**aine** – la porcel**aine** – une aub**aine**
-aîne : une tr**aîne** – il entr**aîne** – la ch**aîne**
-enne : une chi**enne** – europé**enne** – une ant**enne**
-êne : la g**êne** – une al**êne** (de cordonnier) – un ch**êne**

• Les mots terminés par le son [am] s'écrivent :
-am : un tr**am** – l'isl**am** – le macad**am**
-ame : un dr**ame** – une r**ame** – il décl**ame**
-amme : la fl**amme** – un gr**amme** – la g**amme**
-âme : un bl**âme** – il se p**âme** – inf**âme**
-emme : une f**emme**

EXERCICE P. 156

LES CONSONNES DOUBLES

On trouve généralement les consonnes doubles à l'intérieur des mots.

Règles générales

- **Une consonne peut être doublée :**
  – entre deux voyelles ;
  un ba**ll**on – di**ff**érent – la po**mm**e – une servi**ett**e – la pie**rr**e – une pa**nn**e

  – entre une voyelle et la consonne *l* ;
  si**ffl**er – le su**ppl**ice – a**ccl**amer

  – entre une voyelle et la consonne *r*.
  ad**mett**re – a**ppr**ocher – la sou**ffr**ance
- **Précédée d'une autre consonne, une consonne n'est jamais doublée.**
  parler – un pompier – un verger – une armée – la pente

⚠ Remarques

1 Neuf consonnes sont assez souvent doublées :

c – f – l – m – n – p – r – s – t

Cinq ne sont que rarement doublées :

k – b – d – g – z

Six consonnes ne sont jamais doublées :

h – j – q – v – w – x

2 On peut trouver une double consonne à la fin de certains noms d'origine étrangère :

le blu**ff** – un pu**ll** – un dji**nn** (un génie ou démon) – une mi**ss** – un wa**tt** – le jazz

3 Certains homonymes se distinguent par la présence ou non d'une consonne double.

une serviette sale   une sa**ll**e à manger
une date historique   manger une da**tt**e

Accentuation et prononciation

- **La consonne qui suit une voyelle accentuée n'est jamais doublée.**
  une étre**nn**e, **mais** une sirène   un parte**rr**e, **mais** un caractère
  Exception : le châssis (et les mots de la même famille).
  Inversement, lorsqu'une consonne est doublée, il n'y a jamais d'accent sur la voyelle qui précède.
  une vigne**tt**e, **mais** la planète   une ronde**ll**e, **mais** un modèle
- **Entre deux voyelles, si la lettre *s* est doublée, elle se prononce [s].**
  le poi**ss**on – ba**ss**e – la ca**ss**e – un ru**ss**e
  Entre deux voyelles, si la lettre *s* est simple, elle se prononce [z].
  le poison – la base – la case – une ruse
- **Dans la conjugaison de beaucoup de verbes en *-eler* et *-eter*, le *l* et le *t* sont doublés devant un *e* muet. La prononciation est alors modifiée.**
  appeler : il appe**ll**e – nous appe**ll**erons   jeter : je je**tt**e – ils je**tt**eront
  Mais, pour quelques verbes, la consonne n'est pas doublée et on place un accent grave pour obtenir le son [ɛ].
  geler : il gèle – il gèlera   acheter : j'achète – vous achèterez

EXERCICE P. 156

LES CONSONNES DOUBLES APRÈS UNE VOYELLE INITIALE

Les consonnes doubles **peuvent suivre une voyelle initiale.**

Les différents cas

• Les mots commençant par **ab-**, **ad-** et **am-** ne doublent jamais le **b**, le **d** et le **m**.
l'abandon – aboyer – un abus – d'abord
adieu – adapter – adroit – un adulte
l'amitié – amer – amortir – amusant
Exceptions :
un abbé – une abbaye – une abbesse – abbatial
une addition – additionner – l'adduction
l'ammoniaque – une ammonite

• Les mots commençant par **app-** prennent souvent deux **p**.
appeler – approcher – l'apparence – applaudir – appuyer – l'appétit
Exceptions :
l'apéritif – apercevoir – apaiser – après – s'apitoyer – aplatir – l'apostrophe – un apôtre – l'apothéose

• Les mots commençant par **acc-**, dans lesquels on entend le son [k], prennent le plus souvent deux **c**.
accompagner – l'accident – accrocher – acclamer
Exceptions :
l'acrobate – l'académie – l'acacia – l'acompte – l'acajou – acoustique – acquitter – âcre

• Les mots commençant par **aff-**, **eff-** et **off-** prennent deux **f**.
l'affaire – un effort – l'officier
Exceptions :
afin – l'Afrique – africain

• Les mots commençant par **ag-** ne prennent qu'un seul **g**.
agressif – agréable – agrandir – un agriculteur
Exceptions :
aggloméré – agglutiner – aggraver

• Les mots commençant par **att-** prennent le plus souvent deux **t**.
attacher – l'attaque – attraper – attendre
Exceptions :
l'atelier – l'athlète – l'atlas – l'atmosphère – l'atome – l'atout – atroce – atrophié – l'athéisme – un atoll

• Les mots commençant par **am-** et **an-** ne prennent qu'un seul **m** et qu'un seul **n**.
un amiral – une amazone – une amorce – analphabète – l'anatomie – anonyme
Exceptions :
l'ammoniac – une année – annexer – annoncer – annuler – annoter

• Les mots commençant par **il-**, **ir-** et **im-** doublent la consonne après le **i**.
une illusion – illustre – irrégulier – l'irruption – immédiat – immense
Exceptions :
une île – un os iliaque – irascible – un iris – l'ironie – une image – imiter

 EXERCICE P. 157

LES NOMS EN [œR] : -eur, -eure, -eurt, -eurre – LES NOMS EN [waR] : -oir, -oire

Les noms en [œR] et en [waR] **ont différentes finales sonores homophones qu'il faut savoir distinguer.**

Les noms terminés par [œR]

- **La grande majorité des noms, masculins et féminins, terminés par [œR] s'écrivent -eur.**
le chauff**eur** – un balad**eur** – un ascens**eur** – la douc**eur** – la longu**eur**
Exceptions :
le b**eurre** – la dem**eure** – l'h**eure** – un h**eurt** (heurter) – un l**eurre** (leurrer)

- **Certains noms terminés par [œR] s'écrivent avec un *o* et un *e* liés.**
le c**œur** – la s**œur** – la ranc**œur** – un ch**œur**

- **Quelques adjectifs qualificatifs masculins se terminent également par -eur.**
le meill**eur** résultat – un classement flatt**eur** – le règlement intéri**eur**

⚠ **Remarque**

Quelques noms empruntés à des langues étrangères se terminent par le son [œR], mais ils gardent leur orthographe d'origine.	un leader – un speaker – un flipper – un dealer – un manager* – un cutter* * Certains peuvent aussi se prononcer [ɛR].

Les noms terminés par [waR]

- **Les noms féminins terminés par [waR] s'écrivent tous -oire.**
une hist**oire** – la gl**oire** – une baign**oire**

- **Les noms masculins terminés par [waR] s'écrivent généralement -oir.**
un trott**oir** – le désesp**oir** – le pouv**oir** – le dev**oir**
Exceptions :
le laborat**oire** – le répert**oire** – un interrogat**oire** – un observat**oire**...
Il faut retenir l'orthographe du nom d'origine anglaise *un square* (un petit jardin public).

- **Les adjectifs masculins terminés par [waR] s'écrivent tous -oire.**
un emploi provis**oire** – un prix déris**oire** – un effort mérit**oire**
Exception : un tableau n**oir**

⚠ **Remarque**

On hésite souvent sur le genre de quelques noms terminés par [waR]. – noms masculins : un iv**oire** – un access**oire** – noms féminins : une écrit**oire** – une échappat**oire**	Le nom *mémoire* peut être féminin (*avoir une bonne mémoire*) ou masculin (*rédiger un mémoire sur les insectes*).

EXERCICE P. 157

LES NOMS TERMINÉS PAR LE SON [o]

Les noms terminés par le son [o] ont différentes finales sonores homophones qu'il faut savoir distinguer.

Confusion due à la prononciation

Les noms terminés par le son [o] peuvent s'écrire :

• *-eau*

un tonneau – le cerveau – un pinceau

Beaucoup de noms terminés par le son [o] s'écrivent ainsi.

Seuls deux noms terminés par *-eau* sont du genre féminin :

la peau – l'eau

• *-au*

le préau – le tuyau – le boyau

• *-o*

un lavabo – un piano – le loto

Il faut retenir l'orthographe d'un nom commun terminé par *-oo* : un zoo.

• *-ôt*

un impôt – le dépôt – un entrepôt

• *-op*

le galop – un sirop

Autres cas

• À la fin des noms terminés par *-o* ou *-au*, on trouve souvent une lettre muette.

un lot – le repos – le galop – un escroc – un assaut – le réchaud – le taux

• Il est parfois possible de trouver la consonne finale d'un nom terminé par *-au* ou *-o* avec un mot de la même famille dans lequel on entend la consonne.

un abricot → un abricotier   le repos → se reposer

Mais il y a des exceptions (*le numéro* → *numéroter*), aussi est-il plus prudent de consulter un dictionnaire en cas de doute.

• Les noms pluriels en [o] s'écrivent *-aux* (sans *e*) lorsque le nom singulier se termine par *-al* ou *-ail*.

un cheval → des chevaux   un travail → des travaux

⚠ Remarques

1 Beaucoup de noms terminés par *-o* sont des noms formés en raccourcissant d'autres noms (voir leçon 55).

la photographie → la photo
un microphone → un micro
une automobile → une auto

2 Il n'y a jamais de lettre muette après la terminaison *-eau*, sauf lorsque le nom est au pluriel.

des pinceaux – des bureaux – des chapeaux

          EXERCICE P. 157

LES NOMS TERMINÉS PAR LE SON [ɛ]

Les noms terminés par le son [ɛ] ont différentes finales sonores homophones qu'il faut savoir distinguer.

Règle générale

Les noms masculins terminés par le son [ɛ] s'écrivent **-et**.
le fil**et** – un bill**et** – le parqu**et** – le budg**et**

 Remarque

Un mets et *un entremets* prennent un **-s** même au singulier.

Autres cas

Il y a d'autres terminaisons qu'il faut bien connaître :
- **-ai** : le miner**ai** – le dél**ai** – le qu**ai**
- **-ait** : le forf**ait** – le retr**ait** – le portr**ait**
- **-ais** : le pal**ais** – un harn**ais** – le mar**ais**
- **-ès** : l'acc**ès** – le congr**ès** – le progr**ès**
- **-êt** : un arr**êt** – un pr**êt** – le gen**êt**
- **-ect** : le resp**ect** – l'asp**ect** – un susp**ect**
- **-ey** : le voll**ey** – un pon**ey** – un b**ey**
- **-ay** : le tramw**ay**

Ces noms sont des emprunts aux langues étrangères (sauf *le gamay*, nom d'un cépage).

⚠ Remarques

1 On peut parfois trouver la lettre muette finale des noms terminés par le son [ɛ] avec un mot de la même famille dans lequel cette lettre est prononcée.

le regret → regretter
l'excès → excessif
le lait → la laiterie
l'engrais → engraisser
le crêt → la crête
le suspect → suspecter

2 Les noms féminins terminés par le son [ɛ] s'écrivent **-aie**.

la plaie – la baie – la craie
Exceptions : la paix – la forêt

3 Beaucoup de noms d'habitants se terminent par **-ais**.

les Lyonnais – les Anglais – les Libanais

4 Beaucoup de lieux plantés d'arbres (ou d'arbustes) sont des noms féminins terminés par **-aie**.

la roseraie – la palmeraie – l'orangeraie

5 La graphie **-ay** termine de nombreux noms propres.

Bombay – l'Uruguay – le Paraguay – Joachim Du Bellay – Épernay – Annonay

 EXERCICE P. 157

70 LES NOMS TERMINÉS PAR LE SON [e]

Les noms terminés par le son [e] ont différentes finales sonores homophones qu'il faut savoir distinguer.

Les noms féminins

• **Les noms féminins** terminés par le son [e] s'écrivent **-ée**.
une allée – la cheminée – la veillée – la bouée
Exceptions :
la clé (qui peut aussi s'écrire la clef) – l'acné – une psyché (un grand miroir)
• Les noms féminins terminés par **-té** ou **-tié** s'écrivent **-é**.
la bonté – la liberté – la santé – l'amitié
Exceptions :
la dictée – la montée – la remontée – la jetée – la portée – la butée – la pâtée
Ainsi que les noms qui indiquent un contenu.
une brouettée de sable – une potée aux choux – une nuitée d'hôtel

Les noms masculins

• Beaucoup de **noms masculins** terminés par le son [e] s'écrivent **-er**.
le papier – le danger – l'épervier – un loyer

Ce sont assez souvent :
– des **noms de métiers ;**
un boucher – un pompier – un routier – un serrurier
– des **noms d'arbres ou d'arbustes ;**
un framboisier – un cerisier – un rosier – un olivier
– des **noms formés sur des infinitifs** de verbes du 1er groupe.
le dîner – le souper – le déjeuner – le goûter

• Un certain nombre de noms masculins terminés par le son [e] s'écrivent **-é**.
le blé – le bébé – le degré – le café

• Quelques noms masculins terminés par le son [e] s'écrivent **-ée**.
le lycée – le musée – le scarabée – un mausolée – un trophée – un rez-de-chaussée

⚠ Remarques

1 Certains participes passés de verbes du 1er groupe sont employés comme noms.
un corrigé – un énoncé – un soufflé – un traité

Certains sont employés au masculin ou au féminin dont ils prennent la marque.
un(e) réfugié(e) – un(e) employé(e) – un(e) accusé(e) – un(e) invité(e)

2 Il ne faut pas confondre *la pâtée* du chien (nom féminin) qui fait exception à la règle des noms féminins en **-té** ou **-tié**, et *le pâté* (nom masculin).

3 Quelques noms masculins ont des terminaisons particulières :
le pied – le marchepied – le nez

 EXERCICE P. 157

LES NOMS TERMINÉS PAR LES SONS [i] ET [y]

Les noms terminés par les sons [i] et [y] **ont différentes finales sonores homophones qu'il faut savoir distinguer.**

Les noms terminés par le son [i]

- **Les noms féminins** terminés par le son [i] s'écrivent *-ie*.
la parod**ie** – l'autops**ie** – l'éclairc**ie**
Exceptions :
la sour**is** – la breb**is** – la perdr**ix** – la fourm**i** – la nu**it**
- **Les noms masculins** terminés par le son [i] peuvent s'écrire :
– *-i*
un cr**i** – un ennem**i** – un confett**i**
– *-ie*
un incend**ie** – un gén**ie** – un parapl**uie**
– *-is*
un rad**is** – le maqu**is** – le parv**is**
– *-it*
le bru**it** – le créd**it** – l'appét**it**
Il existe quelques terminaisons plus rares :
-il : le pers**il** – un out**il**   *-ix* : le pr**ix** – un cruc**ifix**   *-iz* : le r**iz**
-id : le n**id**   *-ye* : le rall**ye**   *-y* : le jur**y**

Remarque

Merci, toujours écrit avec un *i* final, peut être un nom masculin :

Mon ami m'adresse un grand merci.

ou un nom féminin :

Ce pilote est à la merci d'un incident mécanique.

Les noms terminés par le son [y]

- **Les noms féminins** terminés par le son [y] s'écrivent *-ue*.
la gr**ue** – la coh**ue** – la verr**ue**
Exceptions :
la trib**u** – la vert**u** – la br**u** – la gl**u**
- **Les noms masculins** terminés par le son [y] peuvent s'écrire :
– *-u*
un aperç**u** – un tiss**u** – un éc**u**
– *-us*
un surpl**us** – un intr**us** – un ob**us**
– *-ut*
un b**ut** – un sal**ut** – le chal**ut**
– *-ux*
le refl**ux** – l'affl**ux**
– *-ût*
à l'aff**ût** – un f**ût**

Pour les noms masculins, il est prudent de consulter un dictionnaire en cas de doute.

EXERCICE P. 157

LES NOMS TERMINÉS PAR LES SONS [u] ET [wa]

Les noms terminés par les sons [u] et [wa] **ont différentes finales sonores homophones** qu'il faut savoir distinguer.

Les noms terminés par le son [u]

- **Les noms féminins** terminés par le son [u] s'écrivent **-oue**.
la j**oue** – la r**oue** – la pr**oue**
Exception : la t**oux**

- **Les noms masculins** terminés par le son [u] peuvent s'écrire :
– **-ou**
le gen**ou** – le p**ou** – le tr**ou**
– **-out** ou **-oût**
un aj**out** – un ég**out** – le g**oût**
– **-ous**
un rem**ous** – le dess**ous**
– **-oux**
un jal**oux** – le h**oux**

- Il existe quelques terminaisons plus rares :
le caoutch**ouc** – le j**oug** – le l**oup** – le p**ouls** – boire tout son s**aoul** (son s**oûl**)

Les noms terminés par le son [wa]

- **Les noms féminins** terminés par le son [wa] s'écrivent :
– **-oie**
la j**oie** – la courr**oie** – la s**oie**
– **-oi**
la f**oi** – la l**oi** – une par**oi**
– **-oix**
la p**oix** – la cr**oix** – la n**oix** – la v**oix**

- **Les noms masculins** terminés par le son [wa] s'écrivent :
– **-oi**
un empl**oi** – un conv**oi** – l'ém**oi**
– **-ois**
un m**ois** – un b**ois** – un cham**ois**
– **-oit**
un endr**oit** – un t**oit** – le dr**oit**

- Il existe quelques terminaisons plus rares :
un ch**oix** – le f**oie** – le p**oids** – le d**oigt** – le fr**oid**

Pour tous ces noms, il est prudent de consulter un dictionnaire en cas de doute.

 Remarque

Un certain nombre de noms d'habitants se terminent par **-ois**.

les Lill**ois** – les Dan**ois** – les Chin**ois** – les Iroqu**ois** – les Bavar**ois**

 EXERCICE P. 158

LES NOMS TERMINÉS PAR LE SON [l]

Les noms terminés par le son [l] **ont différentes finales sonores homophones.**

Les noms terminés par le son [al]

• **Les noms masculins** terminés par le son [al] s'écrivent :
– **-al** : un métal – un animal – un piédestal
– **-âle** : un râle – un mâle – un châle
Exceptions : un scandale – un vandale – un dédale – un pétale –
un cannibale – un intervalle

• **Les noms féminins** terminés par le son [al] s'écrivent :
– **-ale** : une sandale – une escale – une rafale
– **-alle** : une dalle – une malle – une salle

Les noms terminés par le son [ɛl]

• **Les noms masculins** terminés par le son [ɛl] s'écrivent :
– **-el** : le tunnel – un hôtel – le miel
Exceptions : le zèle – un parallèle – un polichinelle – un vermicelle –
un rebelle – un cocktail

• **Les noms féminins** terminés par le son [ɛl] s'écrivent :
– **-elle** : une mamelle – une pelle – une selle
Exceptions : la clientèle – une parallèle – la grêle – une stèle – une aile

Les noms terminés par le son [il]

Les noms masculins et féminins terminés par le son [il] s'écrivent :
– **-il** : le fil – un profil – un civil
– **-ile** : l'argile – un reptile – une file
Exceptions : la ville – le bacille – un mille – un vaudeville
la chlorophylle – une idylle – le crésyl – le phényle

Les noms terminés par les sons [ɔl] et [ol]

• **Les noms masculins et féminins** terminés par les sons [ɔl] et [ol] s'écrivent :
– **-ol** : le sol – un envol – un bol (seulement des noms masculins)
– **-ole** : une gondole – un symbole – une casserole
– **-olle** : la colle – une corolle – une fumerolle
– **-ôle** : le rôle – un contrôle – la tôle

• Graphies plus rares :
le saule – une gaule – un hall – un goal – le crawl – le football – un atoll

Les noms terminés par le son [ul]

Les noms masculins et féminins terminés par le son [ul] s'écrivent :
– **-ule** : un véhicule – la mandibule – un tentacule
Exceptions : le calcul – le recul – le consul – le cumul – la bulle – le tulle

EXERCICE P. 158

LES NOMS TERMINÉS PAR LE SON [ʀ]

Les noms terminés par le son [ʀ] ont différentes finales sonores homophones.

Les noms terminés par le son [aʀ]

- **Les noms masculins** terminés par le son [aʀ] s'écrivent :
- **-ard** : un billard – le hasard – un placard
- **-ar** : un cauchemar – un nénuphar – le dollar
- **-art** : un écart – un rempart – un quart
- **-are** : un phare – un hectare – un cigare
- **Graphies plus rares** : un tintamarre – des arrhes – un jars
- **Les noms féminins** terminés par le son [aʀ] s'écrivent :
- **-arre** : la bagarre – une jarre – une amarre
- **-are** : la mare – la fanfare – la gare
Exceptions : la part – la plupart

Les noms terminés par le son [ɛʀ]

- **Les noms masculins et féminins** terminés par le son [ɛʀ] s'écrivent :
- **-aire** : l'anniversaire – un itinéraire – un missionnaire
- **-er** : un bulldozer – un reporter – un ver (de terre)
- **-erre** : une équerre – le tonnerre – une serre
- **-ert** : le couvert – le dessert – un expert
- **Graphies plus rares** : le revers – l'univers – le nerf – le flair – un clerc

Les noms terminés par le son [iʀ]

- **Les noms masculins et féminins** terminés par le son [iʀ] s'écrivent :
- **-ir** : le tir – l'avenir – un saphir
- **-ire** : un vampire – la cire – une tirelire
- **Graphies plus rares** : le martyr(e) – une lyre – le zéphyr – la myrrhe

Les noms terminés par le son [ɔʀ]

- **Les noms masculins et féminins** terminés par le son [ɔʀ] s'écrivent :
- **-or** : le cor de chasse – le trésor – un ténor (seulement des noms masculins)
- **-ore** : une flore – une métaphore – un météore
- **-ort** : un effort – le ressort – un transport
- **-ord** : le bord – un raccord – à tribord
- **Graphies plus rares** : le porc – le minotaure – le corps – le mors – le remords

Les noms terminés par le son [yʀ]

Les noms masculins et féminins terminés par le son [yʀ] s'écrivent :
- **-ure** : une manucure – la toiture – le carbure
Exceptions : le fémur – le mur – l'azur – le futur

EXERCICE P. 158

LES NOMS TERMINÉS PAR LE SON [ãs]

Les noms terminés par le son [ãs], qui sont le plus souvent des noms féminins, s'écrivent généralement avec deux terminaisons différentes, aussi fréquentes l'une que l'autre.

Les noms terminés par -ance

la bal**ance** – les vac**ances** – la nu**ance** – la venge**ance** – la Fr**ance**

Beaucoup de ces noms sont des substantifs d'adjectifs qualificatifs (ou d'adjectifs verbaux) terminés par **-ant**.

des soldats vaill**ants** → la vaill**ance** des soldats
une import**ante** décision → l'import**ance** d'une décision
une croy**ance** surviv**ante** → la surviv**ance** d'une croyance
des câbles résist**ants** → la résist**ance** des câbles

Les noms terminés par -ence

l'ag**ence** – la cad**ence** – la sem**ence** – la lic**ence** – la faï**ence**

Beaucoup de ces noms sont des substantifs d'adjectifs qualificatifs terminés par **-ent**.

une pensée cohér**ente** → la cohér**ence** d'une pensée
des hommes corpul**ents** → la corpul**ence** de ces hommes
des propos véhém**ents** → la véhém**ence** des propos
une proposition indig**ente** → l'indig**ence** d'une proposition

Il faut retenir deux exceptions à la règle de formation de ces noms.

un père exige**ant** → l'exig**ence** d'un père
un journal exist**ant** → l'exist**ence** d'un journal

⚠ Remarques

1 Quelques noms ont des terminaisons particulières.

– **-anse**

la danse – une ganse – l'anse – la panse – la transe

– **-ense**

la défense – l'offense – la dépense – la dispense – la récompense

2 Seul un nom en [ãs] est masculin :

le silence

3 On peut parfois retrouver la terminaison correcte à l'aide d'un mot de la même famille que l'on sait orthographier.

l'enfant → l'enfance
avancer → l'avance
un affluent → l'affluence
absent → l'absence

4 En anglais, le nom *danse* s'écrit *dance* !

EXERCICE P. 158

LES CONSONNES FINALES MUETTES

Il y a une ou des consonnes muettes à la fin de :

– certains noms ;
le plom**b** – le flan**c** – ron**d** – du persi**l** – un ner**f** – le san**g** – un ta**s** – une croi**x** –
un poi**ds** – un manuscri**t** – le ri**z**

– certains adjectifs.
gri**s** – vivan**t** – heureu**x** – ba**s** – ron**d**

Comment retrouver les consonnes finales muettes ?

• Pour entendre la consonne finale, on peut :

– **essayer de former le féminin ;**
un ballon ron**d** → une table ronde
un organisme vivan**t** → une scène vivante
un ciel gri**s** → une journée grise

– **chercher un mot de la même famille ;**

le plom**b** → le plombier   l'outi**l** → l'outillage
le flan**c** → flancher   un ta**s** → tasser

– **s'appuyer sur la liaison.**
renvoyer les personnes do**s** (z)à dos

• On peut identifier la consonne finale **-x** lorsqu'elle se transforme en **-s-** dans des mots féminins, ou de même famille.
heureu**x** → heureuse   une croi**x** → croiser

• Il n'est pas toujours possible d'utiliser ces procédés :
le homar**d** – le croqui**s** – un haren**g** – le parcour**s** – monsieu**r**
Ou bien ils peuvent entraîner une erreur.
s'abriter, **mais** un abri   juteux, **mais** le jus   un bijoutier, **mais** un bijou

Lorsqu'un doute subsiste, il faut chercher l'orthographe des mots dans un dictionnaire.

⚠ Remarques

1 La plupart des noms terminés par une consonne muette sont masculins. Seule une trentaine de noms féminins ont une consonne finale muette.

2 Sur les vingt consonnes de l'alphabet, treize peuvent être muettes à la fin d'un mot :
b – c – d – f – g – h – l – p – r – s – t – x – z

3 Dans certains noms, ces mêmes consonnes sont sonores.

un our**s** – le thora**x** – un bou**c** – un poi**l** – un tes**t** – le ble**d** – un veu**f** – le contac**t**

4 Lorsqu'on accorde les mots ou lorsqu'on conjugue les verbes, on place aussi des lettres muettes.

des rues étroites – de nouveaux journaux
tu bouges – tu peux – ils cherchent –
elle pâlit – il sort

EXERCICE P. 158

LA LETTRE *H* EN DÉBUT DE MOT

Comme la lettre *h* ne se prononce pas, il est souvent difficile de savoir s'il faut la placer en début de mot.

Le *h* aspiré

Lorsqu'un mot commence par un *h* aspiré, on ne place pas d'apostrophe et la liaison avec le mot qui précède est impossible.
Le hameau a gardé tout son charme.
Les / hameaux ont gardé tout leur charme.
L'alpiniste se hisse au sommet.
Les alpinistes se sont / hissés au sommet.

⚠ Remarque

Pour quelques mots (heureusement peu nombreux), l'élision et la liaison sont impossibles bien qu'il n'y ait pas présence d'un *h* initial.

les yaourts – le yoga – les yachts – les yacks – le yen – les yoles – les yourtes les onze premiers – la ouate

Le *h* muet

• Lorsqu'un mot commence par un *h* muet, on place l'apostrophe au singulier et on fait la liaison au pluriel.
L'hélice du navire est faussée.
Les (s)hélices du navire sont faussées.
Il fait froid ; les gens s'habillent chaudement.
Cet instrument produit des sons très (z)harmonieux.
Dans ce cas, seule la mémorisation des mots ou la consultation d'un dictionnaire permettent de savoir s'il y a un *h* initial.

• Le *h* est muet dans beaucoup de mots qui commencent par un préfixe d'origine grecque.
l'hécatombe – l'hellénisme – l'héliotropisme – l'hémisphère – l'hémorragie – l'hétérogénéité – un hippodrome – l'homonyme – l'horoscope – l'hydrogène – l'hypnose – l'hypoglycémie

⚠ Remarques

1 On trouve la lettre *h* combinée avec d'autres lettres pour former des sons consonnes.
ch : la chasse – un match
ph : un phoque – une phrase
sh : le short – le shérif
sch : le schéma – le kirsch
ch (prononcé [k]) : la chlorophylle – le chrome – une chronique

2 On trouve parfois la lettre *h* à la fin de quelques mots ou interjections.
oh – eh – un mammouth – l'aneth – la casbah – le coprah

EXERCICE P. 158

78 LES LETTRES MUETTES INTERCALÉES

À l'intérieur des mots, on peut trouver des lettres muettes intercalées comme le *h* ou le *e*.

La lettre *h* intercalée

authentique – une panthère – le thermalisme – un dahlia – une inhalation – l'éther – l'adhésion – exhorter

• Le *h* peut séparer deux voyelles et tenir le rôle d'un tréma, empêchant qu'elles forment un seul son.
ahuri – brouhaha – un cahot – une cohorte – un véhicule – ahurissant

• On trouve un *h* dans de nombreux préfixes et suffixes, d'origine grecque.
thermo- : un thermomètre – le thermostat
chrono- : un chronomètre – la chronologie
-graphe : un géographe – le photographe
-thèque : la bibliothèque – la discothèque
rhin- : un rhinocéros – une rhinite
thérap- : une thérapie – un radiothérapeute

• Dans des mots d'origine étrangère, la lettre *h*, placée après un *g*, permet de prononcer le *g* [g].
un ghetto – des spaghettis

La lettre *e* intercalée

• Au futur simple de l'indicatif et au présent du conditionnel, pour les verbes du 1er groupe en *-ier, -ouer, -uer, -yer*, il ne faut pas oublier de placer le *e* de l'infinitif qui reste muet.
remercier → je remercierai – nous remercierions
renflouer → nous renflouerons – je renflouerais
éternuer → il éternuera – elles éternueraient
tutoyer → tu tutoieras – vous tutoieriez

• La plupart des noms dérivant de ces verbes gardent le *e* de l'infinitif.
remercier → le remerciement
renflouer → le renflouement
éternuer → l'éternuement
tutoyer → le tutoiement
Exceptions :
châtier → le châtiment   *arguer* → l'argument   *agréer* → l'agrément

⚠ Remarque

D'autres lettres peuvent être muettes à l'intérieur des mots.

– la lettre *m*
l'automne – condamner
– la lettre *p*
septième – le baptême – le compteur

– la lettre *g*
la sangsue – les amygdales
– la lettre *o*
l'alcool
– la lettre *a*
la Saône – un toast

 EXERCICE P. 159

79

LA LETTRE X

La lettre *x* peut être sonore (et se prononcer de plusieurs façons) ou muette.

La lettre *x* : consonne sonore

- La lettre *x* se prononce :
- [ks]

l'explication – une galaxie – l'expiration – un élixir

– [gz] dans les mots commençant pas **ex-**, si le *x* est suivi d'une voyelle ou d'un **h**.

exagérer – examen – l'exécution– existence – l'exhibition

- Suivie d'un **c**, la lettre *x* a la valeur d'un [k] dans les mots commençant par **ex-**.

exciter – l'excédent – excentrique – excellent

- En fin de mot, le son [ks] peut s'écrire **-x** ou **-xe**.

le silex – le larynx – une taxe – l'annexe

⚠ Remarques

1 Comme elle équivaut à deux consonnes, la lettre *x* n'est jamais précédée d'un **e** accentué.

2 La lettre *x* peut éventuellement se prononcer [s] ou [z].

[s] : dix – six – soixante – Bruxelles – Auxerre

[z] : deuxième – sixième – dixième

3 Très peu de mots commencent par la lettre *x*.

un xylophone – la xénophobie – le vin de Xérès – Xavier

4 Il arrive que le son [ks] soit transcrit par :

– deux **c** devant **e** ou **i** ;

le succès – accepter – l'occident – la succession

– **-ct-** devant le suffixe **-ion**.

l'action – la direction – la fonction

Exceptions :

la connexion – la réflexion – la flexion

5 Il faut retenir ces deux orthographes :

le tocsin : sonnerie de cloche pour donner l'alarme

l'eczéma : rougeurs sur la peau

La lettre *x* : consonne muette

La lettre *x* est muette :

- quand elle marque le pluriel de certains noms et adjectifs ;

les bateaux – les aveux – les bijoux – des journaux locaux

- à la fin de certains mots, même au singulier.

la croix – le houx – deux – roux

EXERCICE P. 159

LES SUFFIXES ET LES PRÉFIXES

Le suffixe se place à la fin du radical pour former un mot nouveau ; le préfixe au début du radical. Différents suffixes ou préfixes ont des formes homophones.

Des suffixes

• Les noms et adjectifs terminés par [sjɛl] s'écrivent **-ciel** ou **-tiel**.
un logi**ciel** – superfi**ciel**   un poten**tiel** – torren**tiel**
Les adjectifs féminins doublent le _l_.
une idée superfi**cielle**   une pluie torren**tielle**

• Les noms et adjectifs terminés par [sjal] s'écrivent **-cial** ou **-tial**.
commer**cial** – ra**cial**   par**tial** – spa**tial**
Exception : paroissial
Les adjectifs féminins ne doublent pas le _l_.
une branche commer**ciale**   une navette spa**tiale**
Les adjectifs masculins pluriels se terminent généralement par _-aux_.
des centres commer**ciaux** – des préjugés ra**ciaux**

• Les adjectifs terminés par [sjø] s'écrivent le plus souvent **-cieux**.
gra**cieux** – spa**cieux** – pré**cieux** – mali**cieux**
Quelques-uns s'écrivent **-tieux**.
préten**tieux** – minu**tieux** – infec**tieux**

• Les noms terminés par [sjõ] s'écrivent le plus souvent **-tion**.
la posi**tion** – la por**tion** – la nata**tion** – l'éduca**tion**
Quelques-uns s'écrivent :
-sion : la ver**sion** – l'excur**sion**   **-ssion** : la pa**ssion** – la mi**ssion** – l'obse**ssion**
-xion : l'anne**xion** – la réfle**xion**   **-cion** : la suspi**cion**

 Remarque

Les verbes du 1er groupe terminés par **-onner** s'écrivent avec deux **n**.
savo**nner** – tâto**nner** – actio**nner**

Exceptions : télépho**ner** – s'époumo**ner** – ramo**ner** – trô**ner**

Des préfixes

• Les mots formés avec les préfixes **il-, im-, in-, ir-** doublent la consonne quand le radical commence par **_l, m, n, r_**.
il-limité – **im**-mangeable – l'**in**-novation – **ir**-réel
Exceptions : imaginer – l'île – l'iris – inamical (radical : ami)
Comme il n'est pas toujours possible de retrouver le radical (souvent un mot latin aujourd'hui inusité), il faut vérifier dans un dictionnaire en cas de doute.

• Pour bien orthographier un mot formé à l'aide de préfixes comme **dé-, dés-, en-, em-, r(e)-**, il faut penser au radical.
emménager est formé sur le radical _ménager_ et le préfixe **em-** → deux **m**
enivrer est formé sur le radical _ivre_ et le préfixe **en-**   → un seul **n**

          EXERCICE P. 159

LES HOMONYMES LEXICAUX

Les homonymes **sont des mots dont la prononciation est identique mais qui ont des orthographes différentes**. Seuls le contexte ou la consultation d'un dictionnaire permettent de lever les ambiguïtés.

l'épreuve de **saut** en hauteur

porter un **seau** d'eau

Il n'y a pas de **sot** métier.

parler sous le **sceau** du secret

Comment les distinguer ?

• Certains homonymes ne se distinguent que par **la présence d'un accent**.

Ce fruit est **mûr**.

avoir une **tâche** difficile

ouvrir une **boîte** de chocolat

Il s'appuie contre le **mur**.

effacer une **tache** d'encre

Ce vieillard **boite** légèrement.

• Les homonymes peuvent être **de natures grammaticales différentes**.

L'infirmière fait une prise de **sang** au malade. → nom

Il ne faut jamais rouler **sans** boucler sa ceinture de sécurité. → préposition

Ce radiateur électrique vaut **cent** euros. → déterminant numéral

Ce bouquet de fleurs **sent** bon. → verbe conjugué

⚠ Remarques

1 Des mots de la même famille permettent quelquefois de trouver l'orthographe correcte.

avoir f**ai**m → souffrir de la f**a**mine

attendre la f**in** → cela va bientôt f**in**ir

2 Quelques mots sont homophones mais difficiles à distinguer car ils appartiennent à la même famille. Il est préférable de consulter un dictionnaire.

souffrir le **martyre** – canoniser un **martyr**

des adjectifs **numéraux** – les **numéros** gagnants

3 Certains éléments de la phrase sont parfois homonymes. Le sens permet de les distinguer assez facilement.

Je l'**ai fait** volontiers.

l'**effet** de surprise

Voici **des filets** de pêcheur.

Les images **défilaient** rapidement.

Ce pantalon, tu l'**as mis** souvent.

Dans le pain, je préfère **la mie**.

Cas particulier

Lorsque des homonymes se prononcent et s'écrivent de la même manière, on dit qu'ils sont **homographes**. Il peut s'agir de :

• deux noms de genres différents ;

le **tour** de France

la **tour** du château

• d'un nom et d'un verbe.

la **voie** de chemin de fer

Il faut que je te **voie**.

EXERCICE P. 159

LES MOTS D'ORIGINE ÉTRANGÈRE

Certains mots, souvent utilisés, sont empruntés à d'autres langues que le français.

Les différentes langues d'emprunt

- **l'anglais** : le camping – un puzzle – le stress – un sprint – un pickpocket – un clown – le record
- **l'italien** : un confetti – l'opéra – un imprésario – le carpaccio – un dilettante
- **l'espagnol** : un toréador – la paella – un rodéo – le cacao – l'embargo – la cédille – la pacotille
- **le portugais** : un autodafé
- **l'allemand** : un bivouac – un blockhaus – un leitmotiv – un hamster – un edelweiss – un putsch
- **le japonais** : le karaté – un bonze – une geisha – un kamikaze – hara-kiri – le tatami – le samouraï
- **l'arabe** : le bazar – le pacha – le muezzin – la razzia – l'alcool – la baraka – l'élixir – un gourbi
- **le russe** : le mazout – un cosaque – une datcha – la steppe – une isba – la vodka – la toundra – la troïka
- **les langues nordiques** : un fjord – un drakkar – un geyser – un homard – le ski – un troll – le fartage – une saga – le sauna
- **les langues africaines** : le baobab – le chimpanzé – la banane – le zèbre

⚠ Remarques

1 Les noms d'origine étrangère peuvent conserver le pluriel de leur langue, mais le pluriel du français s'impose le plus souvent.

un rugbyman / des rugbymen
　　　　　　des rugbymans
un box / des boxes
　　　　des box
un sandwich / des sandwiches
　　　　　　des sandwichs
un concerto / des concerti
　　　　　　des concertos

2 Pour les noms composés d'origine anglaise, seul le second mot prend la marque du pluriel.

des week-ends　　　　　des skate-boards

3 À l'écrit, il faut penser qu'il existe peut-être un mot français avant d'utiliser certains mots anglo-saxons. Il est préférable d'écrire :

baladeur **plutôt que** walkman
présentateur **plutôt que** speaker

Les mots hérités du latin

Certains mots ou expressions latines sont encore employés aujourd'hui. Ils sont **parfois légèrement déformés** ; par exemple, ils peuvent prendre des accents alors qu'il n'y en a pas en latin.
le minimum　　un spécimen　　un référendum　　un junior　　un mémento
Mais le plus souvent, ils ont été **adoptés sans aucune modification**.
un alter ego : un autre moi-même.
un casus belli : un acte susceptible d'entraîner une guerre.
un modus vivendi : un accord entre deux parties opposées.

LES PARONYMES –
LES BARBARISMES – LES PLÉONASMES

La langue française recèle des pièges qu'il faut savoir éviter.

Les paronymes

• Certains mots ont des formes et des prononciations proches, ce sont **des paronymes**.
Pour choisir le terme correct, il faut bien examiner le sens de la phrase.
écouter les **prévisions** météorologiques   faire des **provisions** de nourriture

• La phrase peut être incorrecte ou incompréhensible lorsqu'on emploie un mot pour un autre.
Il ne faut pas écrire : Les syndicats agitent le **sceptre** du chômage.
Mais : Les syndicats agitent le **spectre** du chômage.

 Remarque

Les humoristes utilisent parfois délibérément les paronymes pour nous faire sourire.

Il était fier comme un bar-tabac.
(au lieu de comme Artaban)

Je vous le donne Émile.
(au lieu de je vous le donne en mille)
avoir des papiers en bonne et difforme
(au lieu de en bonne et due forme)
un ingénieur à Grenoble
(au lieu d'un ingénieur agronome)

Les barbarismes

Quand on déforme un mot, on commet **un barbarisme**.
avoir des problèmes **pécuniaires**
Et non : avoir des problèmes **pécuniers** (même si l'on dit des problèmes financiers)

 Remarque

L'origine du mot *barbarisme* est grecque. Dans la Grèce antique, un barbare était un étranger

qui déformait la langue de la cité lorsqu'il s'exprimait.

Les pléonasmes

Lorsqu'on emploie consécutivement deux mots qui signifient la même chose, on commet **un pléonasme**.
Avant de partir en promenade, j'ai **ajouté en plus** des vêtements chauds.
(Lorsque l'on ajoute quelque chose, c'est évidemment en plus.)
Quand mes camarades sont sortis, je les **ai suivis derrière**.
(Si l'on suit quelqu'un, on se trouve derrière lui.)
Béatrice nous présente une **double alternative**.
(Une alternative, c'est déjà un choix entre deux possibilités.)

⚠ **Remarque**

L'expression *au jour d'aujourd'hui* est incorrecte : c'est un pléonasme.

84 DES ANOMALIES ORTHOGRAPHIQUES

Pour trouver l'orthographe d'un mot, on peut s'aider d'un mot de la même famille.

Les mots qui ont le même radical

Les mots, qui ont le même radical et un rapport de sens, appartiennent à **la même famille**.

l'existence → exister → le son [ã] s'écrit avec un **e**
immense → mesure → s'écrit avec un **e** et un **s**
le pouls → pulsation → s'écrit avec un **l** et un **s**

Les noms dérivés de verbes

• Les noms dérivés des verbes en **-guer** et **-quer**, formés avec les suffixes en **-a (-age, -ation, -aison, -abilité, -ateur...)** ou **-o (-on)** perdent le **u** après le **g** et transforment, le plus souvent, le **qu** en **c**.
fatiguer → la fatigabilité   évoquer → l'évocation
Exceptions : le piquage – un attaquant – un trafiquant – un pratiquant

• Pour les noms formés avec le suffixe **-eur**, le radical est conservé.
fuguer → un fugueur   marquer → un marqueur

Cas particuliers

Dans une même famille :
• des mots contiennent une consonne double et d'autres une consonne simple ;
la sonnerie / la sonorisation   l'honneur / honorer   nommer / nominal
la charrue / le chariot   une monnaie / monétaire   battre / combatif

• on peut trouver des modifications d'accents ;
la grâce / gracieux   le séchage / la sècheresse   extrême / l'extrémité

• on peut trouver des anomalies.
ceindre → la ceinture / un cintre   le vent → venté / un vantail

Mots dont la prononciation n'est pas strictement conforme à l'orthographe.

la femme	l'aquarelle	un square	un album
solennel	l'aquarium	le poêle	un géranium
la solennité	aquatique	la poêle	un muséum
solennellement	l'équateur	poêler	du rhum
l'automne	équatorial	un faon	un sérum
condamner	l'équation	un paon	le référendum
second	quadragénaire	un taon	le faisan
la seconde	quadriennal	monsieur	faisandé
secondaire	quaternaire	messieurs	faisable
seconder	équilatéral	un gars	la ville
un parasol	un quadrilatère	un examen	tranquille
un tournesol	un quadrupède	un pollen	le bacille
vraisemblable	des quadruplés	un agenda	le million
la vraisemblance	un quatuor	un pentagone	le milliard

EXERCICE P. 159

GRAMMAIRE

Les prépositions, les conjonctions de coordination **et** les interjections **sont des mots invariables.**

Les prépositions

Les prépositions introduisent des mots (ou des groupes de mots) qui ont la fonction de compléments.

Il s'arrête **devant** une affiche.   Il peint **à la manière** de Georges Braque.

Les prépositions sont des **mots simples** (*de – à – avant – après – avec – chez – pour – par – dans – sous...*) ou des **locutions prépositives** (*à travers – afin de – au-dessous de – à côté de – au cours de – à condition que...*).

⚠ Remarques

1 Certains participes présents et participes passés (*attendu que, étant donné, eu égard à, y compris, concernant, vu, excepté...*) peuvent être employés comme des prépositions.

Concernant notre itinéraire, il faudra l'étudier à l'**aide** d'une carte routière.

Dans le prix de ce canapé, tout est inclus, **y compris** le transport.

2 Si certains verbes se construisent indifféremment avec **à** ou *de* devant un infinitif complément, d'autres marquent un sens différent selon la proposition.

Le bois continue **à** brûler.
= Le bois continue **de** brûler.

Norbert parle **à** ses amis.
≠ Norbert parle **de** ses amis.

Les conjonctions de coordination

Les conjonctions de coordination relient deux mots, deux groupes de mots ou deux propositions de même nature. Il existe :

• sept **conjonctions de coordination simples** : *mais – ou – et – donc – or – ni – car*

• des **mots ou locutions conjonctives** (surtout des adverbes) : *aussi – en revanche – néanmoins – alors – d'ailleurs – en outre – en effet...*

L'île de Ré **et** le continent sont reliés par un pont.

La péniche arrive en vue de l'écluse, **mais** l'éclusier n'est pas à son poste.

Les interjections

Les interjections traduisent l'attitude affective, la réaction, le sentiment de celui qui parle ou écrit.

Les interjections ne jouent aucun rôle grammatical ; elles viennent enrichir la phrase et sont généralement suivies d'un point d'exclamation.

Courage ! Le sommet est en vue.

Eh bien ! Cela n'a pas été une partie de plaisir.

Les interjections peuvent être employées seules.

Attention !   **Bravo !**   **Debout !**   **Chut !**   **Chiche !**

Un certain nombre d'interjections sont des onomatopées, c'est-à-dire des mots qui imitent un bruit.

Pan ! la balle s'écrasa contre le mur.   **Miaou !** le chaton est là.

EXERCICE P. 160

LES PROPOSITIONS INDÉPENDANTES, JUXTAPOSÉES ET COORDONNÉES

Une phrase peut être formée d'une proposition (phrase simple), voire de deux ou plusieurs propositions (phrase complexe).

Les propositions indépendantes

Une proposition indépendante comporte un seul verbe conjugué ; elle ne dépend d'aucune autre proposition et aucune autre ne dépend d'elle.

On a souvent besoin d'un plus petit que soi.

De nombreux sous-traitants travaillent pour cette usine automobile.

Les propositions juxtaposées et coordonnées

• **Les propositions juxtaposées** sont reliées par une virgule, un point-virgule ou deux-points.

Mikaël attend devant la barrière**,** il n'y a plus de place au parking.

Le parking est complet **;** est-ce habituel ?

Le tarif de ce parking est élevé **:** beaucoup renoncent à le fréquenter.

• **Les propositions coordonnées** sont reliées par une conjonction de coordination, une locution conjonctive ou un adverbe de liaison.

Mikaël attend devant la barrière, **car** il n'y a plus de place au parking.

Le parking est complet **et** ce n'est pas habituel.

Le tarif de ce parking est élevé, **donc** beaucoup renoncent à le fréquenter.

Dans certains cas, la conjonction de coordination est précédée d'une virgule.

• Le rapport de sens entre les propositions juxtaposées est souvent moins fort que celui entre les propositions coordonnées. Les conjonctions de coordination peuvent exprimer :

la cause → Jacqueline est déçue, car toutes ses plantes perdent leurs feuilles.

la conséquence → Cette viande est trop grasse, donc je ne l'achèterai pas.

l'opposition → Ils voulaient faire du canotage, mais la barque prend l'eau.

⚠ Remarques

1 Dans une même phrase, il est possible de rencontrer des propositions juxtaposées et des propositions coordonnées.

Tu suis le couloir, tu pousses la porte et
prop. juxtaposée   prop. juxtaposée
tu entres car c'est le lieu du rendez-vous.
prop. coordonnée   prop. coordonnée

2 Dans les propositions coordonnées et juxtaposées, le groupe sujet ou le verbe peuvent ne pas être exprimés. Ce sont **des propositions elliptiques**.

L'agriculteur laboure son champ, le herse, puis sème du tournesol.

Oriane part en vacances aux Canaries, Roxane en Irlande.

3 Certaines phrases n'ont pas de verbe ; ce sont **des phrases nominales**. Elles sont le plus souvent indépendantes, mais peuvent être juxtaposées ou coordonnées.

Beaucoup de bruit pour rien !
De bonnes intentions, mais sans résultat.

   EXERCICE P. 160

Dans une phrase complexe, la proposition principale peut avoir une ou plusieurs propositions subordonnées relatives **sous sa dépendance**.

Les subordonnées relatives

• **La proposition subordonnée relative** permet de compléter un nom ou un pronom appartenant à la proposition principale.
Portez à la déchetterie ces objets / **qui** sont encombrants.
proposition principale   proposition subordonnée relative

• La proposition subordonnée relative peut être enchâssée dans la proposition principale.
Ces objets,   **qui** sont encombrants,   portez-les à la déchetterie.
prop. principale   prop. subordonnée relative   prop. principale

Les pronoms relatifs

• **Un pronom relatif** unit une proposition subordonnée à un nom (ou pronom) placé dans la proposition principale.
L'artisan **qui** vient de s'installer embauchera bientôt un apprenti.
Le film **dont** vous m'avez parlé n'est pas diffusé dans mon quartier.

• Les pronoms relatifs peuvent être :
– de **formes simples** : *qui – que – quoi – dont – où* ;
– de **formes composées** : *lequel – laquelle – lesquels – lesquelles*.
Ces formes composées sont parfois construites avec les prépositions *à* et *de* :
à laquelle – auquel – auxquels – duquel – desquels...

• Le nom, le groupe nominal, le pronom ou la proposition, remplacés par le pronom relatif, sont ses **antécédents**. Le pronom relatif s'accorde avec son antécédent.
La voiture de sport **que** je lave appartient à mon oncle.
Celles **qui** gênent la circulation devront être déplacées.
Les personnes **auxquelles** je pense auront un avertissement.

• Dans la subordonnée relative, le pronom relatif a diverses fonctions :
– **sujet :** Tu as parié sur le cheval **qui** a remporté la course du tiercé.
– **COD :** Louise apprécie le bijou **que** son mari lui a offert.
– **COI :** La séance de cinéma **à laquelle** j'ai assisté commençait à seize heures.
– **complément du nom :** L'outil **dont** tu aiguises la lame est dangereux.

 **Remarque**

Il existe des **adjectifs relatifs** qui ne sont que très rarement employés.
Il se peut que le bureau des renseignements soit fermé, **auquel** cas tu chercheras sur Internet.

Les manifestants défilent boulevard Saint-Michel, **lesquels** manifestants brandissent d'immenses banderoles.

Dans une phrase complexe, la proposition principale peut avoir une ou plusieurs propositions subordonnées conjonctives **sous sa dépendance**.

g r a m m a i r e

Les subordonnées conjonctives

• **Les propositions subordonnées conjonctives** complètent le verbe de la proposition principale ou expriment une circonstance de l'action de la principale.
Le stade de France permet **que** 80 000 spectateurs assistent aux compétitions.
Je téléphone **pour que** tu n'oublies pas ton rendez-vous.

• **Les subordonnées complétives** – introduites par *que* – sont le plus souvent compléments d'objet du verbe de la principale et ne peuvent être ni déplacées ni supprimées sans modifier le sens de la phrase.
M. Ayraud attend **que** les pompiers interviennent. → COD
M. Ayraud s'étonne **que** les pompiers soient déjà là. → COI
Le mode – indicatif ou subjonctif – du verbe de la subordonnée complétive dépend du verbe de la principale ou de la forme de ce verbe.
Je pense que tu viendras. → indicatif   Je doute que tu viennes. → subjonctif

• **Les subordonnées circonstancielles** précisent les circonstances de l'action de la proposition principale.
Quand on détecte un incendie, on appelle les pompiers. → compl. circ. de temps
Les subordonnées circonstancielles peuvent suivre, précéder ou être insérées dans la proposition principale.
Bien qu'il ait rempli tous les formulaires, M. Dumontel n'a pas obtenu de réponse.
M. Dumontel n'a pas obtenu de réponse **bien qu'**il ait rempli tous les formulaires.
M. Dumontel, **bien qu'**il ait rempli tous les formulaires, n'a pas obtenu de réponse.

⚠ Remarques

1 Il est possible qu'une proposition subordonnée dépende d'une autre proposition subordonnée et non de la proposition principale.

Il se peut   / que l'orage ait éclaté
prop. principale   prop. subordonnée

/ pendant que nous dormions.
         prop. subordonnée

2 Il ne faut pas confondre la proposition subordonnée conjonctive introduite par *que* avec la proposition subordonnée relative également introduite par *que*.

Il m'apporte la lettre **que** j'attends.
→ relative

J'attends **qu'**il m'apporte la lettre.
→ conjonctive

Les conjonctions de subordination

Une proposition conjonctive commence toujours par :
• **une conjonction de subordination** (*que – quand – si – lorsque – puisque – comme – quoique – sinon...*)

• ou **une locution conjonctive**, assez souvent formée sur la conjonction *que* (*afin que – parce que – depuis que – aussitôt que – en sorte que – sans quoi – au cas où – dès que – en attendant que...*).

EXERCICE P. 160

LES ADVERBES

Les adverbes **sont des mots invariables.**

Règles générales

- Les adverbes modifient le sens :
– d'un **verbe** ;

Axel aide **volontiers** ses camarades.   Axel aide **souvent** ses camarades.
Axel aide **parfois** ses camarades.   Axel aide **rarement** ses camarades.

– d'un **adjectif** ;
Ce café est **très** chaud.   Ce café est **assez** chaud.
Ce café est **plutôt** chaud.   Ce café est **extrêmement** chaud.

– d'un **autre adverbe.**
Ces vêtements coûtent **trop** cher. Ces vêtements coûtent **finalement** cher.

- Il existe des adverbes de manière (*plutôt – mieux – bien...*), de lieu (*ici – partout – ailleurs...*), de temps (*jamais – tard – autrefois...*), de quantité (*assez – encore – trop...*), d'affirmation (*vraiment – bien sûr – sans doute...*), de négation (*ne ... guère – ne ... pas – ne ... point*).

⚠ Remarques

1 Les adverbes placés avant les adjectifs qualificatifs ne s'accordent pas.

une ligne **bien** droite – des traits **bien** droits

2 Certains adverbes (*jamais – toujours, volontiers – ailleurs – auprès – dehors – dessus – dessous...*) sont terminés par un **-s** muet.

3 Les adverbes *debout, ensemble, pêle-mêle, à demi* sont invariables.

Les spectateurs sont restés **debout**.
Les joueurs sont restés **ensemble**.
Les pièces du puzzle s'étalent **pêle-mêle** sur la table.
La statue est à **demi** recouverte d'un voile blanc.

Cas particuliers

- **Les locutions adverbiales** sont des groupes de mots équivalant à des adverbes.
Ce café est assez chaud.   Ce café est **à peu près** chaud.
Axel aide parfois ses camarades.   Axel aide **de temps en temps** ses camarades.
Ces vêtements coûtent trop cher.   Ces vêtements coûtent **sans doute** cher.

- **Certains adjectifs** sont employés comme des adverbes ; ils sont alors invariables.
Ce monsieur est fort (musclé).   Ces messieurs sont forts (musclés).
Ce monsieur parle **fort** (beaucoup).   Ces messieurs parlent **fort** (beaucoup).

- L'adverbe peut parfois jouer le rôle d'un **déterminant**.
Avec *un peu*, l'accord du verbe se fait au singulier :
Un peu de repos vous ferait du bien.
Avec *beaucoup de*, il se fait au pluriel :
Beaucoup de personnes habitent la région parisienne.

EXERCICE P. 160

90 — LES ADVERBES DE MANIÈRE EN *-MENT*

Les adverbes de manière en *-ment* sont formés à partir d'un adjectif qualificatif, généralement féminin.

brave – brave → brave**ment**   brutal – brutale → brutale**ment**
doux – douce → douce**ment**   naturel – naturelle → naturelle**ment**
dur – dure → dure**ment**   curieux – curieuse → curieuse**ment**

grammaire

Comment orthographier les adverbes en *-ment* ?

• Dans certains cas, on place un accent sur le **e** qui précède la terminaison *-ment*.
confus – confuse → confu**sé**ment   énorme – énorme → énor**mé**ment

• Les adverbes correspondant à des adjectifs terminés au masculin par *-é, -ai, -i, -u* sont formés à partir de l'adjectif masculin.
aisé → ai**sé**ment   vrai → **vrai**ment
infini → **infini**ment   résolu → **résolu**ment
On ajoute quelquefois un accent circonflexe sur le *u*.
assidu → assi**dû**ment   cru → **crû**ment

• Les adverbes formés à partir d'adjectifs terminés par le son [ɑ̃], s'écrivent :
-emment, s'ils sont formés à partir d'adjectifs terminés par *-ent* ;
impatient → impati**emment**   prudent → prud**emment**
-amment, s'ils sont formés à partir d'adjectifs terminés par *-ant*.
suffisant → suffis**amment**   brillant → brill**amment**

⚠ Remarques

1 Pour ne pas confondre les adverbes, les noms et les adjectifs terminés par le son [ɑ̃], on remplace :

– l'adverbe (invariable) par l'expression *de manière...* ;

Les savants sont **généralement** des personnes modestes.
Les savants sont **de manière générale** des personnes modestes.

– le nom (variable) par un autre nom ;

Ces savants étudient les **glissements** de terrains.
Ces savants étudient les **modifications** de terrains.

– l'adjectif (variable) par un autre adjectif.

Ces rues portent les noms de savants **éminents**.
Ces rues portent les noms de savants **célèbres**.

2 On ne peut pas former des adverbes de manière avec tous les adjectifs qualificatifs (*immobile, content, familial, fameux, aigu, lointain...*). Au lieu de l'adverbe, il faut alors employer une périphrase.

Les enfants ouvrent leurs cadeaux **en famille**.
Les enfants ouvrent leurs cadeaux **d'un air content**.

EXERCICE P. 160

LES PRONOMS POSSESSIFS, DÉMONSTRATIFS, INDÉFINIS

Les pronoms remplacent généralement un groupe nominal déjà mentionné afin d'éviter une répétition.

Les pronoms possessifs

• **Le pronom possessif** remplace un groupe nominal dont le déterminant peut être adjectif possessif.
Gloria enfile son pull ; **le mien** est introuvable.
Ces meubles sont en merisier ; **les nôtres** sont en acajou.

• Les pronoms possessifs des première et deuxième personnes du pluriel prennent **un accent circonflexe** ; les adjectifs possessifs n'en ont pas.
Notre appartement domine le parc municipal ; **le vôtre** donne sur le gymnase.

singulier			pluriel		
1re personne	2e personne	3e personne	1re personne	2e personne	3e personne
le mien	le tien	le sien	le nôtre	le vôtre	le leur
la mienne	la tienne	la sienne	la nôtre	la vôtre	la leur
les miens	les tiens	les siens	les nôtres	les vôtres	les leurs
les miennes	les tiennes	les siennes			

Les pronoms démonstratifs

• **Le pronom démonstratif** remplace un groupe nominal dont le déterminant peut être un adjectif démonstratif.
Je suis devant les boutiques ; enfin **celles** qui sont ouvertes !

• Le pronom démonstratif *ce* subit l'élision devant toute forme du verbe *être* commençant par une voyelle, ainsi que devant le pronom personnel *en*.
C'est le début du printemps. **C'**était un jour de fête. **C'**en est fini de ce travail.

			masculin	féminin	neutre
formes simples		sing.	celui	celle	ce
		plur.	ceux	celles	
formes composées	démonstratifs proches	sing.	celui-ci	celle-ci	ceci
		plur.	ceux-ci	celles-ci	
	démonstratifs lointains	sing.	celui-là	celle-là	cela – ça
		plur.	ceux-là	celles-là	

Les pronoms indéfinis

Le pronom indéfini remplace un groupe nominal dont le déterminant peut être un adjectif indéfini.
Tout le nécessaire manque.   → **Tout** manque.
Les pronoms indéfinis sont nombreux : *aucun – autre(s) – autrui – chacun(e) – certains – personne – nul – plusieurs – quiconque – tout, tous – la plupart...*

EXERCICE P. 160

LA VOIX PASSIVE –
LE COMPLÉMENT D'AGENT

La voix passive présente la même action que la voix active mais de façon différente.
Voix active : le sujet fait l'action.
  Une bâche protège le tas de bois.

Voix passive : le sujet subit l'action.
  Le tas de bois est protégé par une bâche.

g r a m m a i r e

La voix passive

• Le COD du verbe actif devient le sujet du verbe passif et le sujet du verbe actif devient le complément d'agent du verbe passif.
Une bâche protège le tas de bois. Le tas de bois est protégé par une bâche.
  sujet   COD   sujet   compl. d'agent

• En général, il n'y a que les verbes transitifs directs qui puissent être employés à la voix passive puisque c'est le COD qui devient sujet.

• Au passif, tous les verbes sont conjugués avec *être* qui porte la marque du temps.
présent de l'indicatif :
Les cheveux de Sabine **sont** retenus par un ruban.
présent du conditionnel :
Les cheveux de Sabine **seraient** retenus par un ruban.
présent du subjonctif :
Il faut que les cheveux de Sabine **soient** retenus par un ruban.

 Remarques

1 Les verbes comme *arriver, tomber, entrer, partir,* etc. dont la conjugaison se fait toujours avec l'auxiliaire *être,* ne sont jamais à la voix passive.

2 Un verbe pronominal peut avoir un sens passif.
Ces appartements se sont loués en quelques jours.

Le complément d'agent

• Le complément d'agent est souvent introduit par les prépositions *par* et *de.*
L'Étranger a été écrit **par** Albert Camus. → Albert Camus a écrit *L'Étranger.*
L'Étranger est connu **de** beaucoup de lecteurs. → Beaucoup de lecteurs connaissent *L'Étranger.*

• Il est possible que le complément d'agent soit sous-entendu.
L'immeuble a été bâti en peu de temps.
Le passage à l'actif se fait avec le pronom sujet *on.*
On a bâti l'immeuble en peu de temps.
Quand le complément d'agent est sous-entendu, il n'est pas toujours aisé de distinguer le verbe passif et le verbe *être* suivi d'un participe passé employé comme adjectif.
Le parking est occupé. Le parking est occupé par des véhicules. → passif
Le parking est occupé. Le parking est vide.
→ *occupé* et *vide* sont attributs du sujet

EXERCICE P. 161

LES FORMES AFFIRMATIVE, NÉGATIVE ET INTERROGATIVE

Une phrase peut prendre différentes formes, voire combiner ces formes.

Les formes affirmative et négative

• **La forme négative** s'oppose à la forme affirmative.

Lucas part en avance.   Lucas **ne** part **pas** en avance.

• Le verbe est le seul élément de la phrase qui puisse être encadré par une locution négative. Aux temps composés, la négation encadre l'auxiliaire (ou parfois le verbe et un adverbe).

Lucas **n'est pas** parti en avance.   Lucas **n'est** vraiment **pas** parti en avance.

• Il existe **plusieurs locutions négatives** : *ne ... pas – ne ... rien – ne ... plus – ne ... jamais – ne ... guère – ne ... que – ne ... ni ... ni – ne ... point.*
Parfois, le second terme de la négation est placé avant *ne*.

Aucun ne connaît la réponse.   **Personne** ne connaît la réponse.

Lorsque le verbe est à l'infinitif, la locution négative est placée avant lui.

Vous devez apprendre à **ne pas** mentir.

⚠ Remarques

1 La locution *ne ... que* signifie généralement *seulement.*

Tu **ne** possèdes **que** vingt euros.

2 Parfois la négation est réduite au seul premier terme *ne.*

On **ne** peut laisser circuler de fausses nouvelles.
Obtenir un prix ? Samir **n'**ose y croire.

3 Pour exprimer la négation, on peut également utiliser un mot de sens contraire (un antonyme).

Lucas part en retard.

La forme interrogative

• Lorsque le sujet du verbe est un pronom, il se place après le verbe ou après l'auxiliaire pour les temps composés. Dans ce cas, on lie le verbe au pronom par un trait d'union.

Réaliseras-**tu** ton projet ?   Avez-**vous** versé un acompte ?

• Pour formuler une interrogation, on peut également (surtout si le pronom sujet est *je*) faire précéder le verbe de l'expression *Est-ce que... .*

Est-ce que le vent souffle ?   **Est-ce que** je t'accompagne ?

⚠ Remarques

1 Pour éviter la rencontre de deux voyelles, on place un *t* euphonique entre les terminaisons *a* et *e* des verbes et les pronoms de la 3e personne du singulier.

Compare-**t-il** ces produits ?
Acheta-**t-elle** ces produits ?
Échange-**t-on** nos places ?

2 Lorsque le sujet du verbe est un nom, on place, après le verbe, un pronom personnel (dit de reprise) de la 3e personne.

Le score est-**il** définitif ?
Les joueurs quitteront-**ils** le terrain ?

3 L'interrogation peut aussi être marquée par des mots interrogatifs.

Qui est là ? **Où** es-tu ? **Quelle** heure est-il ?

EXERCICE P. 161

94 LES FORMES IMPERSONNELLE, PRONOMINALE ET EMPHATIQUE

Une phrase peut prendre différentes formes, **voire combiner ces formes.**

La forme impersonnelle

• Un verbe à la **forme impersonnelle** est un verbe dont le sujet ne représente ni une personne, ni un animal, ni une chose défini.

Les verbes impersonnels ne se conjuguent qu'à la 3e personne du singulier avec le sujet *il* (parfois *ce*, *ça* ou *cela*), du genre neutre.

Il ne vous arrive que des ennuis.

Ça déborde de bons sentiments dans ce mélo !

• Il existe des verbes qui ne peuvent être employés qu'à la forme impersonnelle ; à part le verbe *falloir*, ils expriment tous des phénomènes naturels.

Il **faut** écouter les conseils. – Il **a neigé** une grande partie de la nuit.

Il **a plu** des cordes. – Il **tonnera** probablement avant la fin de la journée.

Le participe passé des verbes impersonnels est toujours invariable.

• Dans une tournure impersonnelle, *il* est le **sujet apparent**, celui avec lequel le verbe s'accorde. Le complément d'objet est le **sujet réel**, celui avec lequel le verbe ne s'accorde pas.

Il <u>se passe</u> de <u>curieux événements</u> dans ce hameau.
  ↑   COD
sujet
apparent

De fait, le COD est le véritable agent de l'action exprimée par le verbe.

De curieux événements <u>se passent</u> dans ce hameau.

• Retenons certaines tournures présentatives dont le sujet *il* est neutre.

Il était une fois...   **Il est trois heures.**   Il y a...

 Remarque

Certains verbes peuvent être exceptionnellement à la forme impersonnelle.

Des encombrements <u>se forment</u> à la sortie du tunnel. → forme personnelle
Il <u>se forme</u> des encombrements à la sortie du tunnel. → forme impersonnelle

La forme pronominale

• Un verbe à **la forme pronominale** est conjugué avec **un pronom personnel réfléchi.**

Je **me** repose un peu. Tu **te** lances à l'aventure. Les villages **s'**embellissent.

• Les temps composés d'un verbe à la forme pronominale se construisent avec l'auxiliaire *être*.

Je **me** suis reposée un peu.   Les villages **se** sont embellis.

La forme emphatique

La forme emphatique met en relief certains mots en utilisant des présentatifs ou le déplacement de groupes de mots avec reprise par un pronom.

C'est le modèle que je préfère. → Le modèle que je préfère, c'est celui-ci.

      Exercice P. 161

grammaire

DES ERREURS À ÉVITER (1)

À l'oral comme à l'écrit, de nombreuses erreurs de sens peuvent être évitées.

Les contresens

• Se tromper sur l'interprétation d'un mot ou d'une expression, c'est commettre un contresens.
Ne pas avoir un sou vaillant.
→ ne pas avoir un sou qui vaille (qui vaut quelque chose), et non avoir un sou courageux

• Assez souvent, le contresens provient d'un mot pris au sens propre et non au sens figuré.
Être dans ses petits souliers.
→ être mal à l'aise, et non porter des souliers trop petits

Les erreurs les plus fréquentes (1)

• *Amener* s'emploie plutôt pour des êtres.
La maman **amène** ses enfants à l'école.
Apporter s'emploie plutôt pour des choses.
La maman **apporte** le goûter à ses enfants.

• On ne dit pas : Vous n'êtes pas sans ignorer que la Thaïlande se trouve en Asie.
Mais : Vous **n'êtes pas sans savoir** que la Thaïlande se trouve en Asie.
ou : Vous **n'ignorez pas** que la Thaïlande se trouve en Asie.

• Il faut éviter de terminer une phrase par la préposition *avec.*
On ne dit pas : Le journal proposait un DVD gratuit ; je l'ai pris avec.
Mais : J'ai pris le DVD gratuit offert **avec** le journal.

• On ne dit pas : Malgré qu'il soit fatigué, il termine son travail.
Mais : **Bien qu'**il soit fatigué, il termine son travail.

• On n'emploie jamais *car* et *en effet* ensemble.
On ne dit pas : Rentrons, car en effet la nuit tombe.
Mais : Rentrons, **car** la nuit tombe.   Rentrons, **en effet** la nuit tombe.

• On ne dit pas *de façon à ce que* ou *de manière à ce que* ; on dit :
Il dispose les objets **de façon qu'**il puisse les atteindre facilement.
Il dispose les objets **de manière qu'**il puisse les atteindre facilement.

• Lorsque le verbe est suivi de deux pronoms compléments, le COD se place le plus près du verbe.
Rendez-**les**-moi.   Dites-**le**-vous pour dit.

• On ne peut rentrer quelque part que si on en est sorti.
On dit : Après mon travail, je **rentre** chez moi.
Et : J'**entre** à la mairie.

• On n'est pas furieux après quelqu'un, mais **furieux contre** quelqu'un.

EXERCICE P. 161

DES ERREURS À ÉVITER (2)

Les erreurs les plus fréquentes (2)

• De nombreuses erreurs sont commises dans la conjugaison des verbes. Il faut éviter ces incorrections en identifiant d'abord le groupe auquel les verbes appartiennent, puis en consultant les tableaux de conjugaison correspondants. Par exemple : le verbe *mourir* appartient au 3ᵉ groupe ; à l'imparfait de l'indicatif, on ne place pas l'élément **-ss-** caractéristique des verbes du 2ᵉ groupe. On ne dit pas : il mourrissait   Mais : il mourait

• Il existe des verbes proches qui appartiennent à des groupes différents.
ressortir de, 3ᵉ groupe : Les spectateurs **ressortent** enchantés **de** ce concert.
ressortir à, 2ᵉ groupe : Ces procès **ressortissent au** tribunal correctionnel.

• Le nom qui marque la nationalité ou qui désigne les habitants d'un lieu est un nom propre ; il prend une majuscule.
Les Français et les Italiens sont des Latins.
Je savoure un fromage de Roquefort.
Le nom qui désigne une langue, un produit d'origine, ainsi que l'adjectif qualificatif, s'écrivent sans majuscule.
Le français et l'italien sont des langues latines.
N'abusez pas du beaujolais nouveau.

• Il ne faut pas confondre l'emploi des deux adverbes *jadis* et *naguère*.
Jadis signifie : « *Il y a fort longtemps* » et *naguère* : « *Il n'y a guère de temps.* »
Jadis, les serfs étaient malheureux.
Ces rues, **naguère** fréquentées, sont maintenant désertes.

• Comme *pallier* est un verbe transitif, on ne dit pas :
L'éleveur pallie au manque de foin en donnant de la paille à ses bêtes.
Mais : L'éleveur **pallie** le manque de foin en donnant de la paille à ses bêtes.

• Ne pas confondre l'adverbe *voire*, qui a le sens de *même*, et l'infinitif *voir*.
Ce champignon est comestible, **voire** savoureux.
Je vais **voir** si ce champignon est comestible.

• Ne pas confondre la locution adverbiale *à l'envi*, qui a le sens de *à qui mieux mieux*, et le nom *l'envie*.
Les hyènes se disputaient **à l'envi** la carcasse du gnou.
Cette femme enceinte à **une envie** de fraises.

• Le participe passé du verbe *dire – dit –* se soude avec l'article défini et avec l'adverbe *sus* dans des expressions pour rappeler qu'il a déjà été question des personnes ou des choses.
Je suis certain que **ladite** signature est une imitation grossière.
Mon adresse **susdite** est celle de mon lieu de vacances.
Mais les deux mots sont distincts lorsque *le* est un pronom personnel précédant le verbe au présent de l'indicatif.
Il ne viendra pas ; il me **le dit** calmement.

CONJUGAISON

LES VERBES

Un verbe est un mot qui indique ce que fait, ce qu'est ou ce que pense une personne, un animal ou une chose.

L'infinitif

- On dit qu'un verbe est **conjugué** lorsque son écriture change selon le sujet du verbe ou le temps de la phrase.
- Lorsqu'il n'est pas conjugué, le verbe se présente sous une forme neutre : **l'infinitif**. C'est ainsi qu'il figure dans un dictionnaire.

parler – marcher – réunir – découvrir – faire – croire – venir – pouvoir

Le radical et la terminaison d'un verbe

Un verbe se compose d'un **radical** et d'une **terminaison** (ou désinence).

cherch-er   réun-ir   voul-oir   descend-re

radical   terminaison

(Dans les exemples ci-dessus, les terminaisons sont celles de l'infinitif.)

⚠ **Remarque**

Pour certains verbes, le radical reste le même dans toutes les formes verbales.

je **ris** – nous **ri**ions – ils **ri**ront – il faut qu'elle **rie** – **ris** – j'ai **ri**

Pour d'autres verbes, le radical peut varier d'une forme verbale à l'autre.

je **vais** – nous **allons** – elle **ira** – il faut que tu **ailles**

Les trois groupes de verbes

- **Le 1er groupe** : tous les verbes dont l'infinitif se termine par **-er** (sauf *aller*).

cherch**er** – trouv**er** – parl**er** – appel**er**

- **Le 2e groupe** : les verbes dont l'infinitif se termine par **-ir** et qui intercalent l'élément **-ss-** entre le radical et la terminaison, aux personnes du pluriel du présent de l'indicatif.

réunir (nous réuni**ss**ons) – agir (vous agi**ss**ez)

- **Le 3e groupe** : tous les autres verbes.

perdre – apparaître – vivre – courir (on ne dit pas « nous courissons »)

Les verbes *avoir* et *être* n'appartiennent à aucun groupe. Ils s'emploient comme les autres verbes, mais aussi comme **auxiliaires** aux temps composés (voir leçon 98).

Les verbes pronominaux

On appelle **verbes pronominaux** les verbes qui sont accompagnés d'un pronom personnel de la même personne que le sujet. À l'infinitif, c'est le pronom de la 3e personne : *se*.

se laver – **se** tenir – **se** nourrir – **s'**asseoir – **se** pincer – **se** poser
Je **me** lave. – Tu **te** tenais. – Il **se** nourrit. – Nous **nous** asseyons. – Vous **vous** pincez. – Ils **se** posent.

 EXERCICE P. 162

LES TEMPS – LES MODES – LES PERSONNES

La conjugaison est composée de séries verbales appelées « temps », elles-mêmes réunies en séries appelées « modes ».

Les temps

Le temps du verbe permet de se situer (action / parole) sur un axe temporel (passé, présent, futur). La terminaison d'un verbe varie selon **le temps**.

hier → je march**ais**   aujourd'hui → je march**e**   demain → je marche**rai**

- **Temps simples** : formes sans auxiliaire.
je marche – nous marchions – vous marcheriez
- **Temps composés** : auxiliaire *être* ou *avoir* + participe passé du verbe.
j'ai marché – nous avions marché – ils seront partis

Les modes

- **L'indicatif** : action dans sa réalité.
Il **lit** ce roman.
- **L'impératif** : action sous forme d'ordre, de conseil, de recommandation.
Lis ce roman !
- **Le subjonctif** : action envisagée ou hypothétique.
Il faut qu'il **lise** ce roman.
- **Le conditionnel** : action éventuelle, qui dépend d'une condition.
S'il en avait le temps, il **lirait** ce roman.

conjugaison

Les personnes

La terminaison d'un verbe varie selon **la personne**.

je, tu, il, elle, on, nous, vous, ils, elles sont des **pronoms de conjugaison**.

Il y a trois personnes du singulier et trois personnes du pluriel.

je marche	→ c'est moi qui fais l'action	1re pers. du singulier
tu marches	→ c'est toi qui fais l'action	2e pers. du singulier
il/elle/on marche	→ c'est lui (elle) qui fait l'action	3e pers. du singulier
nous marchons	→ c'est nous qui faisons l'action	1re pers. du pluriel
vous marchez	→ c'est vous qui faites l'action	2e pers. du pluriel
ils/elles marchent	→ ce sont eux (elles) qui font l'action	3e pers. du pluriel

⚠ Remarques

1 Dans la langue courante, il est devenu fréquent d'employer le pronom *on* à la place du pronom *nous*.
Nous marchons vite.
On marche vite.

2 Le *vous* de politesse s'emploie quand on ne veut pas tutoyer son unique interlocuteur : la terminaison du verbe est celle de la 2e personne du pluriel. Mais on ne s'adresse qu'à une seule personne.

EXERCICE P. 162

LE PRÉSENT DE L'INDICATIF :
avoir – être – 1ᵉʳ groupe

Le présent de l'indicatif **indique généralement le moment actuel, mais il a aussi d'autres valeurs.**

Les valeurs du présent de l'indicatif

• Le présent indique une action qui se déroule au moment où l'on parle.
Tu **regardes** la télévision.

• Il peut exprimer une habitude, une action ou un fait souvent répété.
Ce magasin **ouvre** tous les jours à 9 heures.

• Il peut présenter une vérité générale, un fait permanent.
Qui ne **risque** rien n'**a** rien.

• Il exprime des actions passées que l'on place dans le présent pour les rendre plus vivantes (présent de narration).
En 1492, Christophe Colomb **découvre** l'Amérique.

• Il peut avoir une valeur de passé récent ou de futur très proche.
Je **viens** juste de lui téléphoner.   Demain, j'**arrive** vers 15 heures.

Tableaux de conjugaison

auxiliaires		1ᵉʳ groupe
avoir	**être**	**parler**
j' ai	je suis	je parle
tu as	tu es	tu parles
il/elle a	il/elle est	il/elle parle
nous avons	nous sommes	nous parlons
vous avez	vous êtes	vous parlez
ils/elles ont	ils/elles sont	ils/elles parlent

⚠ Remarques

1 Certaines formes des auxiliaires sont homophones (elles ont la même prononciation).

Tu [ɛ] frileux. 2ᵉ pers. sing. → es *(être)*
Il [ɛ] frileux. 3ᵉ pers. sing. → est *(être)*
J'[ɛ] froid. 1ʳᵉ pers. sing. → ai *(avoir)*
Tu [a] froid. 2ᵉ pers. sing. → as *(avoir)*
Elle [a] froid. 3ᵉ pers. sing. → a *(avoir)*

2 Pour les verbes du 1ᵉʳ groupe, quatre terminaisons sont muettes :
je parle – tu parles – il parle – elles parlent

Il faut donc bien chercher la personne à laquelle le verbe est conjugué pour placer la terminaison correcte.

3 Le pronom personnel précédant le verbe n'est pas obligatoirement le sujet du verbe : ce peut être un pronom personnel complément.

Tu *me* donnes un as. → Tu donnes un as.

4 Les verbes du 3ᵉ groupe comme *ouvrir, couvrir, découvrir, recouvrir, entrouvrir, offrir, souffrir, cueillir, recueillir, saillir, défaillir, assaillir, tressaillir* se conjuguent comme les verbes du 1ᵉʳ groupe au présent de l'indicatif.

j'ouvre – tu découvres – il souffre – nous cueillons – vous défaillez – elles tressaillent

EXERCICE P. 162

LE PRÉSENT DE L'INDICATIF :
2ᵉ et 3ᵉ groupes

Au présent de l'indicatif, **les terminaisons des verbes des 2ᵉ et 3ᵉ groupes sont identiques.**

Tableaux de conjugaison

2ᵉ groupe	3ᵉ groupe	
réussir	**courir**	**rompre**
je réussis	je cours	je romps
tu réussis	tu cours	tu romps
il/elle réussit	il/elle court	il/elle rompt
nous réussissons	nous courons	nous rompons
vous réussissez	vous courez	vous rompez
ils/elles réussissent	ils/elles courent	ils/elles rompent

⚠ Remarques

1 Certains verbes du 3ᵉ groupe (et leurs dérivés) perdent la dernière lettre de leur radical aux personnes du singulier.

vivre	je vis	tu vis	on vit
mettre	je mets	tu mets	il met
battre	je bats	tu bats	elle bat
dormir	je dors	tu dors	il dort
sentir	je sens	tu sens	on sent
partir	je pars	tu pars	elle part
sortir	je sors	tu sors	il sort
mentir	je mens	tu mens	elle ment
paraître	je parais	tu parais	il paraît*

* Pour les verbes terminés par **-aître** à l'infinitif – ainsi que *plaire* –, on conserve l'accent circonflexe quand le *i* du radical est suivi d'un *t*.

2 Il existe plusieurs formes homophones. Pour éviter les erreurs, il faut chercher le verbe, le groupe et la personne avant de placer la terminaison.

réussir → je réussis – tu réussis – il réussit
courir → je cours – tu cours – elle court – ils courent

3 Pour les verbes terminés par **-dre**, il n'y a pas de terminaison à la 3ᵉ personne du singulier.

j'attends – il attend

4 Il ne faut pas confondre les verbes du 1ᵉʳ groupe homophones de verbes du 3ᵉ groupe à certaines personnes. Pour éviter les fautes d'orthographe, il faut chercher l'infinitif qui indique le groupe auquel appartient chaque verbe.

Vous [fɛt] un tour en ville.
3ᵉ groupe → faites *(faire)*
Tu [fɛt] ton anniversaire.
1ᵉʳ groupe → fêtes *(fêter)*

5 Pour les personnes du pluriel des verbes du 2ᵉ groupe, on intercale l'élément **-ss-** entre le radical et la terminaison. Cet élément permet de distinguer les verbes en **-ir** du 2ᵉ groupe de ceux également en **-ir** du 3ᵉ groupe.

6 Les formes conjuguées du verbe *croître* conservent l'accent circonflexe quand elles peuvent être confondues avec les formes conjuguées du verbe *croire*.

croître → Je croîs. L'arbre croît.
croire → Je crois. Il me croit.

7 Le verbe *vêtir* (et ses dérivés) conserve l'accent circonflexe à toutes les personnes.

revêtir → je revêts – tu revêts – elle revêt – nous revêtons – vous revêtez – ils revêtent

conjugaison

EXERCICE P. 162

LE PRÉSENT DE L'INDICATIF :
verbes irréguliers

Au présent de l'indicatif, certains verbes du 3e groupe ont des formes irrégulières qu'il faut retenir.

Quelques verbes irréguliers

aller	je vais	elle va	nous allons	ils vont
faire	tu fais	nous faisons	vous faites	elles font
venir	je viens	elle vient	nous venons	ils viennent
pouvoir	je peux	il peut	nous pouvons	elles peuvent
valoir	tu vaux	elle vaut	vous valez	ils valent
dire	je dis	elle dit	vous dites	elles disent
devoir	tu dois	il doit	nous devons	ils doivent
voir	il voit	nous voyons	vous voyez	elles voient
lire	je lis	elle lit	nous lisons	ils lisent
mourir	tu meurs	il meurt	vous mourez	elles meurent
asseoir*	j'assois	elle assoit	nous assoyons	ils assoient
	j'assieds	elle assied	nous asseyons	ils asseyent
acquérir	j'acquiers	il acquiert	vous acquérez	ils acquièrent
écrire	tu écris	elle écrit	nous écrivons	elles écrivent
vaincre	tu vaincs	elle vainc	vous vainquez	ils vainquent
fuire	je fuis	nous fuyons	vous fuyez	elles fuient
peindre	je peins	il peint	nous peignons	ils peignent
conduire	tu conduis	elle conduit	vous conduisez	elles conduisent
résoudre	je résous	nous résolvons	vous résolvez	ils résolvent
coudre	tu couds	il coud	nous cousons	elles cousent

* Les deux conjugaisons sont acceptées, même si la première est d'un niveau moins soutenu.

⚠ Remarques

1 Les verbes dont l'infinitif se termine par *-indre*, comme *peindre, joindre, craindre*, perdent le *d* du radical aux personnes du singulier.
Aux personnes du pluriel, le radical est modifié.

2 Le radical des verbes dont l'infinitif se termine par *-uire*, comme *conduire*, est modifié aux personnes du pluriel : ajout du *s*.

3 Les verbes *résoudre* et *dissoudre* perdent le *d* aux trois personnes du singulier. Leur radical est modifié aux trois personnes du pluriel.

4 Les verbes *coudre, découdre, moudre* conservent le *d* aux trois personnes du singulier.

5 Le verbe *falloir* ne s'utilise qu'à la 3e personne du singulier.
Il **faut** préserver l'environnement.

EXERCICE P. 162

L'IMPARFAIT DE L'INDICATIF :
1er, 2e et 3e groupes

L'imparfait de l'indicatif **est un temps du passé.**

Les valeurs de l'imparfait de l'indicatif

• L'imparfait marque un fait situé dans le passé.
Avant de découvrir cette région, je n'**aimais** pas la campagne.

• Il indique une action qui a duré, qui n'est peut-être pas achevée, qui n'est pas délimitée dans le temps.
La mer **se déchaînait** et le bateau **tanguait** dangereusement.

• C'est aussi le temps de la description (paysages, scènes) et de l'expression de faits habituels dans le passé.
Le dimanche, nous **mangions** chez nos parents.

Tableaux de conjugaison

1er groupe	2e groupe	3e groupe	
parler	agir	vendre	revenir
je parlais	j'agissais	je vendais	je revenais
tu parlais	tu agissais	tu vendais	tu revenais
il/elle parlait	il/elle agissait	il/elle vendait	il/elle revenait
nous parlions	nous agissions	nous vendions	nous revenions
vous parliez	vous agissiez	vous vendiez	vous reveniez
ils/elles parlaient	ils/elles agissaient	ils/elles vendaient	ils/elles revenaient

Remarques

1 À l'imparfait, tous les verbes prennent les mêmes terminaisons.

2 Pour les verbes du 2e groupe, on intercale l'élément **-ss-** entre le radical et la terminaison.

3 Pour tous les verbes, quatre terminaisons sont homophones.

je reculais – tu reculais – il reculait – elles reculaient

Il faut donc bien chercher la personne à laquelle le verbe est conjugué pour placer la terminaison correcte.

4 Pour les verbes du 1er groupe en **-gner, -iller, -ier, -yer**, les terminaisons des 1re et 2e personnes du pluriel ont une prononciation quasiment identique au présent et à l'imparfait. Il ne faut donc pas oublier d'ajouter un *i* à l'imparfait.

nous gagnons – nous gagnions
vous travaillez – vous travailliez
nous skions – nous skiions
vous balayez – vous balayiez

Pour bien faire la distinction, on remplace par une forme du singulier.

Aujourd'hui, nous skions.
Aujourd'hui, elle skie. → présent
Hier, nous skiions.
Hier, elle skiait. → imparfait

5 Certains verbes du 3e groupe (*rire, cueillir, bouillir, fuir, voir, asseoir, croire, craindre, peindre...*) se conjuguent avec cette même particularité.

nous riions – vous cueilliez –
nous bouillions – vous fuyiez –
nous voyions – nous croyions –
vous assoyiez – vous asseyiez –
vous craigniez – nous peignions

EXERCICE P. 162

103 L'IMPARFAIT DE L'INDICATIF :
avoir – être – verbes irréguliers

À l'imparfait de l'indicatif, quelques verbes modifient leur radical (on dit que ces verbes sont irréguliers), mais la forme de ce radical est la même pour toutes les personnes.

être – avoir

avoir	j'avais	il/elle avait	nous avions	ils/elles avaient
être	j'étais	il/elle était	nous étions	ils/elles étaient

Quelques verbes irréguliers

faire	je faisais	il faisait	nous faisions	ils faisaient
aller	tu allais	elle allait	vous alliez	elles allaient
dire	je disais	il disait	nous disions	ils disaient
prédire	tu prédisais	elle prédisait	vous prédisiez	elles prédisaient
maudire	je maudissais	il maudissait	nous maudissions	ils maudissaient
lire	tu lisais	elle lisait	vous lisiez	elles lisaient
écrire	j'écrivais	il écrivait	nous écrivions	ils écrivaient
conduire	tu conduisais	elle conduisait	vous conduisiez	elles conduisaient
boire	je buvais	il buvait	nous buvions	ils buvaient
vaincre	tu vainquais	elle vainquait	vous vainquiez	elles vainquaient
prendre	je prenais	il prenait	nous prenions	ils prenaient
éteindre	tu éteignais	elle éteignait	vous éteigniez	elles éteignaient
coudre	je cousais	il cousait	nous cousions	ils cousaient
résoudre	tu résolvais	elle résolvait	vous résolviez	elles résolvaient
paraître	je paraissais	il paraissait	nous paraissions	ils paraissaient
taire	tu taisais	elle taisait	vous taisiez	elles taisaient
plaire	je plaisais	il plaisait	nous plaisions	ils plaisaient
haïr	tu haïssais	elle haïssait	vous haïssiez	elles haïssaient

⚠ Remarques

1. Les terminaisons sont les mêmes pour tous les verbes : *-ais, -ais, -ait, -ions, -iez, -aient*.

2. Le radical sur lequel on forme l'imparfait de l'indicatif est le même que celui de la 1re personne du pluriel du présent de l'indicatif pour tous les verbes (sauf *être*).

présent → nous faisons
imparfait → je faisais

présent → nous conduisons
imparfait → tu conduisais

présent → nous buvons
imparfait → ils buvaient

présent → nous résolvons
imparfait → vous résolviez

3. Le verbe *falloir* ne se conjugue qu'à la 3e personne du singulier.

Il fallait procéder à des modifications.

EXERCICE P. 163

LE FUTUR SIMPLE :
avoir – être – 1er et 2e groupes

Le futur simple s'emploie généralement pour exprimer une action à venir, mais il a aussi d'autres valeurs.

Les valeurs du futur simple

• Le futur simple indique une action qui se fera, avec plus ou moins de certitude, dans l'avenir par rapport au moment où l'on parle.
Pour votre anniversaire, vous **inviterez** tous vos amis.

• Il exprime l'ordre à la place de l'impératif.
Vous **nettoierez** votre bureau avant de partir.

• Il peut aussi prendre la valeur du présent pour atténuer le ton de certains propos ou marquer une nuance de politesse, essentiellement aux 1res personnes du singulier et du pluriel.
Je te **demanderai** de rouler moins vite. Nous **solliciterons** un bref entretien.

• Lorsqu'on utilise le présent de narration dans un récit, tous les faits postérieurs au moment où se situe l'action racontée seront au futur simple.
Jeanne d'Arc **affirme** qu'elle **délivrera** Orléans.
     présent de narration   futur simple

Tableaux de conjugaison

auxiliaires		1er groupe	2e groupe
être	**avoir**	**rester**	**finir**
je serai	j'aurai	je resterai	je finirai
tu seras	tu auras	tu resteras	tu finiras
il/elle sera	il/elle aura	il/elle restera	il/elle finira
nous serons	nous aurons	nous resterons	nous finirons
vous serez	vous aurez	vous resterez	vous finirez
ils/elles seront	ils/elles auront	ils/elles resteront	ils/elles finiront

⚠ Remarques

1 Au futur simple, les terminaisons sont les mêmes pour tous les verbes.

2 Le futur des verbes des 1er et 2e groupes (hormis quelques verbes, leçon 105) se forme à partir de l'infinitif complet auquel on ajoute les terminaisons : *-ai, -as, -a, -ons, -ez, -ont.*

3 Certaines terminaisons sont homophones ; pour ne pas les confondre, il faut bien identifier la personne à laquelle le verbe est conjugué.

Tu rester[a].   2e pers. sing.   → as
Elle rester[a].   3e pers. sing.   → a

Nous finir[ʃ].   1re pers. plur.   → ons
Elles finir[ʃ].   3e pers. plur.   → ont

4 Quand on écrit un verbe du 1er groupe au futur simple, il faut bien penser à l'infinitif pour éviter d'oublier le **e** muet.
jouer → je jouerai – nous jouerons
skier → je skierai – nous skierons
créer → je créerai – nous créerons

5 Le verbe *cueillir* (et ses dérivés), du 3e groupe, se conjugue comme un verbe du 1er groupe.
je cueillerai – nous cueillerons

119   EXERCICE P. 163

conjugaison

LE FUTUR SIMPLE :
3e groupe – verbes irréguliers

Les terminaisons du futur simple des verbes du 3e groupe sont les mêmes que celles des verbes des 1er et 2e groupes.

Quelques verbes irréguliers

faire	je ferai	il fera	nous ferons	ils feront
aller	tu iras	elle ira	vous irez	elles iront
venir	je viendrai	il viendra	nous viendrons	ils viendront
tenir	tu tiendras	elle tiendra	vous tiendrez	elles tiendront
acquérir	j'acquerrai	il acquerra	nous acquerrons	ils acquerront
mourir	tu mourras	elle mourra	vous mourrez	elles mourront
courir	je courrai	il courra	nous courrons	ils courront
pouvoir	tu pourras	elle pourra	vous pourrez	elles pourront
devoir	je devrai	il devra	nous devrons	ils devront
vouloir	tu voudras	elle voudra	vous voudrez	elles voudront
voir	je verrai	il verra	nous verrons	ils verront
recevoir	tu recevras	elle recevra	vous recevrez	elles recevront
savoir	je saurai	il saura	nous saurons	ils sauront
valoir	tu vaudras	elle vaudra	vous vaudrez	elles vaudront
asseoir	j'assoirai	il assoira	nous assoirons	ils assoiront
	tu assiéras	elle assiéra	vous assiérez	elles assiéront

⚠ Remarques

1 Au futur simple, les verbes du 3e groupe, dont l'infinitif se termine par **-e**, perdent cette lettre.

descendre → je descendr**ai**
combattre → tu combattr**as**
rire → nous rir**ons**

2 Avant d'écrire un verbe du 3e groupe au futur simple, il faut chercher son infinitif pour ne pas oublier une lettre muette ou en placer une superflue.

Le ministre salu**e**ra le président.
saluer ; 1er groupe → présence d'un *e*
Le ministre conclura son discours.
conclure ; 3e groupe → pas de *e*

3 Le futur proche s'exprime à l'aide du verbe *aller* au présent de l'indicatif suivi de l'infinitif.

Dans un instant, je **vais prendre** le TGV.

4 *Revoir* et *entrevoir* (ainsi qu'*envoyer*) se conjuguent comme *voir*.

Nous vous **reverrons** demain.
Tu **entreverras** une solution.

Mais *pourvoir* et *prévoir* se conjuguent sur un autre radical.

Nous **pourvoirons** à vos besoins.
Tu **prévoiras** une trousse de secours.

5 Au futur simple, les formes des verbes *être* et *savoir* ont des prononciations proches. Pour ne pas les confondre, il faut bien examiner le sens de la phrase ou changer de temps.

Je **serai** sous un abri.   Je **saurai** où m'abriter.
Je **suis** sous un abri.   Je **sais** où m'abriter.

EXERCICE P. 163

Le passé simple est un temps du passé, le plus souvent utilisé dans la langue écrite.

Les valeurs du passé simple

• Le passé simple exprime des faits passés, complètement achevés, qui ont eu lieu à un moment précis, sans idée d'habitude et sans lien avec le présent.
Le train **arriva** à l'heure.

• Il marque la succession des faits, c'est le temps du récit écrit par excellence.
Karine **surmonta** son trac, **écarta** le rideau et **entra** en scène.

• Il exprime une action brève dans le passé, soudaine, à la différence de l'imparfait, temps de la description, qui marque une action qui dure ou des faits habituels.
Géraldine **regardait** un film à la télévision lorsque le téléphone **sonna**.

→ action qui dure : imparfait   → action brève : passé simple

⚠ Remarque

Aujourd'hui, le passé simple, qui est essentiellement un **temps du récit**, est surtout employé aux troisièmes personnes du singulier et du pluriel dont les formes sont plus aisées à mémoriser. Pour les deux premières personnes du pluriel, on lui préférera le passé composé.

Tableaux de conjugaison

auxiliaires		1er groupe
avoir	être	sonner
j'eus	je fus	je sonnai
tu eus	tu fus	tu sonnas
il/elle eut*	il/elle fut*	il/elle sonna
nous eûmes	nous fûmes	nous sonnâmes
vous eûtes	vous fûtes	vous sonnâtes
ils/elles eurent	ils/elles furent	ils/elles sonnèrent

* Ces formes ne prennent jamais d'accent circonflexe au passé simple.

⚠ Remarques

1 Au passé simple, les terminaisons sont les mêmes pour tous les verbes du 1er groupe : *-ai, -as, -a, -âmes, -âtes, -èrent*.

2 Le verbe *aller*, même s'il appartient au 3e groupe, se conjugue au passé simple comme un verbe du 1er groupe.

j'allai – nous allâmes – ils allèrent

3 Au passé simple et à l'imparfait de l'indicatif, les terminaisons des verbes du 1er groupe, à la 1re personne du singulier, ont pratiquement la même prononciation. Pour entendre la différence, on remplace par la 2e personne du singulier.

Souvent, j'hésit**ais** à parler.
Souvent, tu hésit**ais** à parler. → imparfait
Soudain, j'hésit**ai** à parler.
Soudain, tu hésit**as** à parler. → passé simple

LE PASSÉ SIMPLE :
2ᵉ et 3ᵉ groupes en -i-

Au passé simple, les verbes du 2ᵉ groupe et certains verbes du 3ᵉ groupe ont les mêmes terminaisons : *-is, -is, -it, -îmes, -îtes, -irent*.

Tableaux de conjugaison

2ᵉ groupe	3ᵉ groupe		
rougir	sourire	sortir	entendre
je rougis	je souris	je sortis	j'entendis
tu rougis	tu souris	tu sortis	tu entendis
il/elle rougit	il/elle sourit	il/elle sortit	il/elle entendit
nous rougîmes	nous sourîmes	nous sortîmes	nous entendîmes
vous rougîtes	vous sourîtes	vous sortîtes	vous entendîtes
ils/elles rougirent	ils/elles sourirent	ils/elles sortirent	ils/elles entendirent

⚠ Remarques

1 Au passé simple, pour les personnes du singulier, les terminaisons des verbes du 2ᵉ groupe sont les mêmes que celles du présent de l'indicatif. Pour distinguer ces deux temps, il faut chercher les indicateurs temporels ou observer les formes des autres verbes de la phrase.

passé simple :
L'avion **arrivait** de Mexico et à l'approche de Roissy, il **ralentit** et atterrit.

présent de l'indicatif :
L'avion **arrive** de Mexico et à l'approche de Roissy, il **ralentit** et **atterrit**.

2 À la 3ᵉ personne du singulier, il n'y a jamais d'accent sur la voyelle qui précède le *-t*.

il rougit – on sourit – il sortit – on entendit

3 Tous les verbes du 3ᵉ groupe n'ont pas une terminaison en *-i* au passé simple (voir leçon 108).

4 Les deux premières personnes du pluriel, aux formes désuètes, ne sont plus employées aujourd'hui.

Quelques verbes irréguliers

faire	je fis	il fit	nous fîmes	ils firent
prendre	tu pris	elle prit	vous prîtes	elles prirent
voir	je vis	il vit	nous vîmes	ils virent
mettre	tu mis	elle mit	vous mîtes	elles mirent
dire	je dis	il dit	nous dîmes	ils dirent
conduire	tu conduisis	elle conduisit	vous conduisîtes	elles conduisirent
asseoir	j'assis	il assit	nous assîmes	ils assirent
écrire	tu écrivis	elle écrivit	vous écrivîtes	elles écrivirent
peindre	je peignis	il peignit	nous peignîmes	ils peignirent
naitre	tu naquis	elle naquit	vous naquîtes	elles naquirent
vaincre	je vainquis	il vainquit	nous vainquîmes	ils vainquirent
acquérir	tu acquis	elle acquit	vous acquîtes	elles acquirent

EXERCICE P. 163

LE PASSÉ SIMPLE :
3ᵉ groupe en *-u-* et en *-in-*

Au passé simple, les verbes du 3ᵉ groupe se terminent par ***-s, -s, -t, -mes, -tes, -rent***. Ces terminaisons peuvent être précédées de ***-u-*** ou ***-in-***.

Tableaux de conjugaison

courir	vouloir	venir	tenir
je cour**us**	je voul**us**	je v**ins**	je t**ins**
tu cour**us**	tu voul**us**	tu v**ins**	tu t**ins**
il/elle cour**ut**	il/elle voul**ut**	il/elle v**int**	il/elle t**int**
nous cour**ûmes**	nous voul**ûmes**	nous v**înmes**	nous t**înmes**
vous cour**ûtes**	vous voul**ûtes**	vous v**întes**	vous t**întes**
ils/elles cour**urent**	ils/elles voul**urent**	ils/elles v**inrent**	ils/elles t**inrent**

⚠ Remarques

1 Pour trouver la terminaison des verbes du 3ᵉ groupe, on ne peut pas se référer à l'infinitif ni à d'autres formes conjuguées.

mourir → il meurt (présent)
         il mourut (passé simple)
venir → il vient (présent)
        il vint (passé simple)

Il faut retenir par cœur les formes du passé simple pour ces verbes.

2 Les verbes des mêmes familles que *venir* et *tenir* prennent les mêmes terminaisons.

venir : advenir – survenir – revenir – devenir – prévenir – intervenir – provenir – convenir – se souvenir – redevenir – contrevenir

tenir : appartenir – obtenir – détenir – entretenir – retenir – contenir – soutenir – maintenir – s'abstenir

conjugaison

Quelques verbes irréguliers

connaître	je con**nus**	il con**nut**	nous con**nûmes**	ils con**nurent**
savoir	tu **sus**	elle **sut**	vous **sûtes**	elles **surent**
valoir	je val**us**	il val**ut**	nous val**ûmes**	ils val**urent**
pouvoir	tu **pus**	elle **put**	vous **pûtes**	elles **purent**
devoir	je **dus**	il **dut**	nous **dûmes**	ils **durent**
vivre	tu véc**us**	elle véc**ut**	vous véc**ûtes**	elles véc**urent**
boire	je **bus**	il **but**	nous **bûmes**	ils **burent**
croire*	tu cr**us**	elle cr**ut**	vous cr**ûtes**	elles cr**urent**
croître*	je cr**ûs**	il cr**ût**	nous cr**ûmes**	ils cr**ûrent**
plaire	tu pl**us**	elle pl**ut**	vous pl**ûtes**	elles pl**urent**
taire	je t**us**	il t**ut**	nous t**ûmes**	ils t**urent**
résoudre	tu résol**us**	elle résol**ut**	vous résol**ûtes**	elles résol**urent**
pourvoir	je pourv**us**	il pourv**ut**	nous pourv**ûmes**	ils pourv**urent**

* Le verbe *croître (grandir)* prend un accent circonflexe à toutes les personnes pour ne pas être confondu avec le verbe *croire* qui ne le prend qu'aux deux premières personnes du pluriel.

 EXERCICE P. 163

LES TEMPS SIMPLES :
verbes en *-yer*, en *-eler* et *-eter*

Les verbes du 1er groupe en *-yer*, en *-eler* et *-eter* présentent des spécificités.

Verbes en *-yer*

payer		nettoyer	
présent	futur simple	présent	futur simple
je paie	je paierai	tu nettoies	tu nettoieras
nous payons	nous paierons	vous nettoyez	vous nettoierez
ils/elles paient	ils/elles paieront	ils/elles nettoient	ils/elles nettoieront

⚠ Remarques

1 Pour les verbes en *-ayer, -oyer, -uyer*, le *y* se transforme en *i* devant les terminaisons commençant par un *e* muet au présent et au futur simple de l'indicatif.

2 Pour les verbes en *-ayer*, le maintien du *y* devant le *e* muet est toléré. Mais, pour mieux retenir l'ensemble des conjugaisons des verbes en *-yer*, il est préférable de transformer le *y* en *i* pour tous les verbes, quelle que soit la voyelle qui précède le *y* à l'infinitif.

3 Les verbes *envoyer* et *renvoyer* ont une conjugaison particulière au futur simple :

j'enverrai – ils renverront

Verbes en *-eler* et *-eter*

appeler		jeter	
présent	futur simple	présent	futur simple
j'appelle	j'appellerai	tu jettes	tu jetteras
nous appelons	nous appellerons	vous jetez	vous jetterez
ils/elles appellent	ils/elles appelleront	ils/elles jettent	ils/elles jetteront

⚠ Remarques

1 La plupart des verbes en *-eler* et *-eter* doublent le *l* ou le *t* devant les terminaisons commençant par un *e* muet.

2 Seuls quelques verbes en *-eler (peler – geler* et ses composés – *écarteler – marteler – modeler – démanteler)* et en *-eter (acheter – crocheter – haleter – fureter)* ne doublent pas le *l* ou le *t* devant les terminaisons commençant par un *e* muet. Ils s'écrivent avec un **accent grave** sur le *e* qui précède le *l* ou le *t*.

je pèle – nous pelons
tu achèteras – vous achèterez

3 À l'imparfait et au passé simple de l'indicatif, les terminaisons, pour l'ensemble des personnes, ne commencent jamais par un *e* muet ; on conserve donc le *y* des verbes en *yer*, on ne double pas la consonne des verbes en *-eler* et en *-eter* et on ne place pas d'accent grave.

4 Les verbes comme *interpeller* et *regretter* qui ont deux *l* ou deux *t* à l'infinitif les conservent à toutes les personnes.

j'interpelle – nous interpellons
tu regrettes – vous regrettez

EXERCICE P. 164

LES TEMPS SIMPLES :
verbes en *-cer*, *-ger*, *-guer* et *-quer*

Les verbes du 1er groupe en *-cer*, *-ger*, *-guer* et *-quer* observent certaines règles qu'il faut connaître.

Verbes en *-cer*

présent	imparfait	passé simple
je m'enfonce	tu t'enfonçais	je m'enfonçai
nous nous enfonçons	vous vous enfonciez	nous nous enfonçâmes

⚠ Remarques

1 Pour conserver le son [s], les verbes en *-cer* prennent une **cédille** sous le *c* devant les voyelles *o* ou *a*.

2 Au futur simple, l'infinitif des verbes en *-cer* se retrouve en entier à toutes les personnes ; le son [s] est ainsi toujours conservé.

tu t'**enfonce**ras – nous nous **enfonce**rons

3 Quelques verbes du 3e groupe *(apercevoir, percevoir, concevoir, décevoir, recevoir)* s'écrivent avec un *ç* devant les voyelles *o* et *u* au présent et au passé simple.

j'aperçois – il aperçoit
j'aperçus – ils aperçurent
tu conçus – vous conçûtes

Verbes en *-ger*

présent	imparfait	passé simple
je nage	tu nageais	je nageai
nous nageons	vous nagiez	nous nageâmes

⚠ Remarques

1 Les verbes en *-ger* prennent un *e* après le *g* devant les voyelles *o* ou *a* pour conserver le son [ʒ].

2 Au futur simple, l'infinitif des verbes en *-ger* se retrouve en entier à toutes les personnes ; le son [ʒ] est ainsi toujours conservé.

je **nage**rai – nous **nage**rons

Verbes en *-guer* et en *-quer*

présent	imparfait	passé simple
je me fatigue	je me fatiguais	je me fatiguai
nous nous fatiguons	nous nous fatiguions	nous nous fatiguâmes

⚠ Remarques

1 Pour tous les temps simples, et à toutes les personnes, les verbes en *-guer* conservent le *u* de leur radical, même s'il n'est pas indispensable pour maintenir le son [g].

2 Il en est de même pour les verbes en *-quer* qui conservent toujours le *u* du radical.

nous débarquons – elle débarquait – je débarquerai – vous débarquâtes

conjugaison

EXERCICE P. 164

LES TEMPS SIMPLES :
verbes comme *semer* et *céder*

Dans certaines formes de leur conjugaison, les verbes comme *semer* et *céder* voient leur radical changer : du *e* en *é* et du *é* en *è*.

Verbes comme *semer*

présent	futur simple	imparfait	passé simple
je sème	tu sèmeras	je semais	tu semas
nous semons	vous sèmerez	nous semions	vous semâtes

⚠ Remarques

1 Pour les verbes du 1er groupe qui ont un *e* muet dans l'avant-dernière syllabe de leur infinitif, on place un **accent grave** sur ce *e* devant une terminaison commençant par un *e* muet.

2 Pour l'imparfait et le passé simple de l'indicatif, il n'existe pas de terminaisons commençant par un *e* muet ; le radical n'est donc jamais modifié. En prononçant les formes verbales à haute voix, on entend la différence.

Verbes comme *céder*

présent	futur simple	imparfait	passé simple
je cède	tu cèderas	je cédais	tu cédas
nous cédons	vous cèderez	nous cédions	vous cédâtes

⚠ Remarques

1 Pour les verbes du 1er groupe qui ont un *é* dans l'avant-dernière syllabe de leur infinitif, l'accent aigu devient un **accent grave** devant un *e* muet.

2 Pour le futur simple, l'usage admet que l'on puisse conserver le *é* devant la terminaison muette. Cependant, pour ne pas créer de confusion, il est préférable d'appliquer la même règle qu'au présent de l'indicatif, d'autant que la prononciation actuelle appelle l'accent grave.

3 Pour l'imparfait et le passé simple de l'indicatif, il n'existe pas de terminaisons commençant par un *e* muet ; le radical n'est donc jamais modifié. En prononçant les formes verbales à haute voix, on entend la différence.

4 On applique la même règle de transformation du *é* en *è* devant un *e* muet pour les verbes du 1er groupe en *-éguer* ou en *-égner*.

présent :
je délègue – nous déléguons
tu règnes – vous régnez

futur simple :
il déléguera – ils délègueront
je règnerai – nous règnerons

5 Les verbes en *-éer* conservent l'accent aigu dans toute leur conjugaison. Attention, il ne faut pas oublier le *e* muet au futur simple.

je crée – tu créais – elle créa – nous créerons

EXERCICE P. 164

LE PASSÉ COMPOSÉ DE L'INDICATIF

Le passé composé est un temps du passé, souvent utilisé aussi bien à l'écrit qu'à l'oral.

Les valeurs du passé composé

• Il exprime des faits achevés à un moment donné du passé, en relation avec le présent ou dont les conséquences sont encore sensibles dans le présent.
Tu reviens de l'hôpital, tu **as rendu** visite à ta sœur.

• Aujourd'hui, il est souvent employé à la place du passé simple. Il indique alors un événement dans le passé sans relation avec le présent.
Il **s'est levé** et il **a quitté** la table.

Tableaux de conjugaison

auxiliaire *avoir*	auxiliaire *être*	
rêver	venir	se lever
j'ai rêvé	je suis venu(e)	je me suis levé(e)
tu as rêvé	tu es venu(e)	tu t'es levé(e)
il/elle a rêvé	il/elle est venu(e)	il/elle s'est levé(e)
nous avons rêvé	nous sommes venu(e)s	nous nous sommes levé(e)s
vous avez rêvé	vous êtes venu(e)s	vous vous êtes levé(e)s
ils/elles ont rêvé	ils/elles sont venu(e)s	ils/elles se sont levé(e)s

conjugaison

⚠ Remarques

1 Pour former le passé composé, on place l'auxiliaire conjugué au présent de l'indicatif devant le participe passé. Beaucoup de verbes, en particulier les verbes transitifs, se conjuguent avec l'auxiliaire *avoir*. Quelques verbes intransitifs *(aller, partir, arriver, entrer, rester, venir...)*, ainsi que les verbes pronominaux, se conjuguent avec l'auxiliaire *être*.

2 Tous les participes passés des verbes du 1er groupe se terminent par *-é*.
affirmer : affirmé   *rester* : resté
Tous les participes passés des verbes du 2e groupe se terminent par *-i*.
remplir : rempli   *maigrir* : maigri
Les participes passés des verbes du 3e groupe se terminent généralement par *-i* ou *-u*.
sourire : souri   *vendre* : vendu
Mais il existe des formes particulières.
naître : né, née   *devoir* : dû, due

plaire : plu   *pouvoir* : pu
savoir : su, sue   *voir* : vu, vue
vivre : vécu, vécue   *vaincre* : vaincu, vaincue
Certains participes passés se terminent par une lettre muette, *-t* ou *-s*. Le féminin du participe passé permet souvent de trouver la lettre muette.
asseoir : assis, assise   *prendre* : pris, prise
mourir : mort, morte   *faire* : fait, faite
ouvrir : ouvert, ouverte   *dire* : dit, dite
Pour l'accord des participes passés, voir leçons 27 à 33.

3 Les verbes *avoir* et *être* se conjuguent tous les deux avec l'auxiliaire *avoir*.
J'ai eu du courage. J'ai été courageux(se).

4 Aux 1re et 2e personnes, seule la personne qui écrit sait quel accord il faut faire.
soit le masculin : Je suis parti. Nous sommes partis.
soit le féminin : Tu es partie. Vous êtes parties.

EXERCICE P. 164

LE PLUS-QUE-PARFAIT DE L'INDICATIF

Le plus-que-parfait est un temps composé du passé.

Les valeurs du plus-que-parfait

• Le plus-que-parfait de l'indicatif exprime des faits accomplis dont la durée est indéterminée, et qui se situent avant une autre action passée exprimée le plus souvent à l'imparfait, au passé composé ou au passé simple.

Béatrice lisait les lettres qu'elle **avait reçues**.
Béatrice a lu les lettres qu'elle **avait reçues**.
Béatrice lut les lettres qu'elle **avait reçues**.
C'est après avoir reçu les lettres que Béatrice a pu les lire.

• Le plus-que-parfait peut aussi exprimer, dans le passé, des faits répétés ou habituels.

Pendant des mois, Mathilde **avait cherché** du travail : en vain.

• Il s'emploie également pour exprimer un fait passé par rapport au moment présent.

Je suis en panne et ça, je ne l'**avais** pas **prévu**.

• Il peut aussi être employé seul ; il présente un fait totalement accompli au moment où l'on parle.

Tu **avais** longuement **réfléchi** avant de t'exprimer.
J'**étais restée** pour vous aider.

• Dans les propositions de supposition, il exprime un fait qui ne s'est pas réalisé dans le passé.

Si j'**avais été** plus attentif, j'aurais retenu le nom de cet acteur.

Tableaux de conjugaison

auxiliaire *avoir*	auxiliaire *être*	
résister	intervenir	s'arrêter
j'avais résisté	j'étais intervenu(e)	je m'étais arrêté(e)
tu avais résisté	tu étais intervenu(e)	tu t'étais arrêté(e)
il/elle avait résisté	il/elle était intervenu(e)	il/elle s'était arrêté(e)
nous avions résisté	nous étions intervenu(e)s	nous nous étions arrêté(e)s
vous aviez résisté	vous étiez intervenu(e)s	vous vous étiez arrêté(e)s
ils/elles avaient résisté	ils/elles étaient intervenu(e)s	ils/elles s'étaient arrêté(e)s

⚠ Remarques

1 Pour former le plus-que-parfait d'un verbe, on place un des deux auxiliaires, conjugué à l'imparfait de l'indicatif, devant le participe passé.

2 Aux temps composés, l'adverbe, ainsi que la seconde partie de la négation, se placent entre l'auxiliaire et le participe passé.

L'émission s'était **brusquement** interrompue.
L'émission **ne** s'était **jamais** interrompue.

EXERCICE P. 164

LE PASSÉ ANTÉRIEUR
ET LE FUTUR ANTÉRIEUR

Le passé antérieur

• Le passé antérieur exprime des faits accomplis, généralement brefs, dont la durée est déterminée, et qui se situent avant une autre action passée exprimée au passé simple. On dit que c'est le **passé du passé**. Il se rencontre généralement dans les propositions subordonnées après une conjonction de temps *(quand, lorsque, aussitôt que, dès que, après que...)*.
Après qu'il **eut atteint** le col, Philippe **se reposa**.
Quand les coureurs **furent arrivés** au sommet du col, ils **se désaltérèrent**.

• Il s'emploie parfois dans une proposition indépendante pour exprimer une action brève dans le passé. Il est alors accompagné d'un adverbe de temps *(bientôt, vite, enfin, en un instant...)*.
Les jeunes gens **eurent** bientôt **aménagé** leur nouvel appartement.
Le boxeur **se fut** rapidement **relevé**.

Au passé antérieur, l'auxiliaire (*être* ou *avoir*) est conjugué au passé simple.

auxiliaire *avoir*	auxiliaire *être*	
refuser	**rester**	**se servir**
j'eus refusé	je fus resté(e)	je me fus servi(e)
tu eus refusé	tu fus resté(e)	tu te fus servi(e)
il/elle eut refusé	il/elle fut resté(e)	il/elle se fut servi(e)
nous eûmes refusé	nous fûmes resté(e)s	nous nous fûmes servi(e)s
vous eûtes refusé	vous fûtes resté(e)s	vous vous fûtes servi(e)s
ils/elles eurent refusé	ils/elles furent resté(e)s	ils/elles se furent servi(e)s

Le futur antérieur

Le futur antérieur exprime une action qui sera achevée à un moment donné du futur. On dit que c'est le **passé du futur**. On peut le trouver dans des propositions subordonnées ou des propositions indépendantes.
Nous relirons ce que nous **aurons écrit**. L'autobus **sera parti** dans dix minutes.

Au futur antérieur, l'auxiliaire (*avoir* ou *être*) est conjugué au futur simple de l'indicatif.

auxiliaire *avoir*	auxiliaire *être*	
refuser	**rester**	**se servir**
j'aurai refusé	je serai resté(e)	je me serai servi(e)
tu auras refusé	tu seras resté(e)	tu te seras servi(e)
il/elle aura refusé	il/elle sera resté(e)	il/elle se sera servi(e)
nous aurons refusé	nous serons resté(e)s	nous nous serons servi(e)s
vous aurez refusé	vous serez resté(e)s	vous vous serez servi(e)s
ils/elles auront refusé	ils/elles seront resté(e)s	ils/elles se seront servi(e)s

EXERCICE P. 164

LE PRÉSENT DU CONDITIONNEL

Le présent du conditionnel exprime généralement des faits dont la réalisation est soumise à une condition.

Les valeurs du présent du conditionnel

• Le présent du conditionnel a valeur de **mode** lorsque l'action est :
– la conséquence possible d'un fait supposé, d'une condition ;
S'il pleuvait plus souvent, la pelouse **reverdirait**.
– une éventualité ;
Quelques plaisanteries **détendraient** peut-être l'atmosphère.
– un souhait ;
J'**aimerais** voyager à travers le monde.
– un fait dont on n'est pas certain, une supposition.
Par hasard, **ressemblerait**-il à son cousin ?

• Le présent du conditionnel, pour certains emplois, est considéré comme un temps de l'indicatif. C'est un **futur hypothétique du passé**.
Je pensais (ai pensé) que tu **attendrais** le prochain métro.
Dans ce cas, le présent du conditionnel s'impose parce que le verbe de la principale est au passé.
Si le verbe de la principale est au présent de l'indicatif, le verbe de la subordonnée est au futur simple.
Je pense que tu **attendras** le prochain métro.

Tableaux de conjugaison

camper	faiblir	dormir	vivre
je camperais	je faiblirais	je dormirais	je vivrais
tu camperais	tu faiblirais	tu dormirais	tu vivrais
il/elle camperait	il/elle faiblirait	il/elle dormirait	il/elle vivrait
nous camperions	nous faiblirions	nous dormirions	nous vivrions
vous camperiez	vous faibliriez	vous dormiriez	vous vivriez
ils/elles camperaient	ils/elles faibliraient	ils/elles dormiraient	ils/elles vivraient

⚠ Remarques

1 Au présent du conditionnel, tous les verbes ont les mêmes terminaisons, celles de l'imparfait de l'indicatif. Le radical est le même que celui qui permet de former le futur simple.

2 Pour les verbes des 1er et 2e groupes, on retrouve l'infinitif en entier.

3 Pour les verbes du 1er groupe en **-ouer, -uer, -ier, -éer**, il ne faut pas oublier de placer le **e**.

je jouerais – tu tuerais – elle épierais – il créerait

4 Les verbes du 3e groupe, dont l'infinitif se termine par **-e**, perdent cette lettre.

5 Pour certains verbes du 3e groupe, le radical a une forme particulière (voir leçon 116).

6 Il faut retenir les formes de être et avoir.
être : je serais – nous serions
avoir : j'aurais – nous aurions

EXERCICE P. 165

LE PRÉSENT DU CONDITIONNEL :
verbes irréguliers

Pour un certain nombre de verbes, on retrouve, au présent du conditionnel, les mêmes irrégularités de formes du radical qu'au futur simple. Les terminaisons sont toujours celles de l'imparfait de l'indicatif.

Formes particulières du 1er groupe

nettoyer	je nettoierais	il nettoierait	nous nettoierions	ils nettoieraient
envoyer	tu enverrais	elle enverrait	vous enverriez	elles enverraient
appeler	j'appellerais	il appellerait	nous appellerions	ils appelleraient
modeler	tu modèlerais	elle modèlerait	vous modèleriez	elles modèleraient
jeter	je jetterais	il jetterait	nous jetterions	ils jetteraient
acheter	tu achèterais	elle achèterait	vous achèteriez	elles achèteraient
achever	j'achèverais	il achèverait	nous achèverions	ils achèveraient
libérer*	tu libèrerais	elle libèrerait	vous libèreriez	elles libèreraient

* Si l'usage admet que l'on puisse conserver le *é* devant la terminaison muette, il est préférable d'appliquer la même règle qu'au présent de l'indicatif, d'autant que la prononciation actuelle appelle l'accent grave.

Quelques verbes irréguliers du 3e groupe

aller	j'irais	il irait	nous irions	ils iraient
faire	tu ferais	elle ferait	vous feriez	elles feraient
tenir (venir)	je tiendrais	il tiendrait	nous tiendrions	ils tiendraient
courir	tu courrais	elle courrait	vous courriez	elles courraient
pouvoir	je pourrais	il pourrait	nous pourrions	ils pourraient
voir	tu verrais	elle verrait	vous verriez	elles verraient
vouloir	je voudrais	il voudrait	nous voudrions	ils voudraient
valoir	tu vaudrais	elle vaudrait	vous vaudriez	elles vaudraient
asseoir	j'assiérais	il assiérait	nous assiérions	ils assiéraient
	tu assoirais	elle assoirait	vous assoiriez	elles assoiraient
savoir	je saurais	il saurait	nous saurions	ils sauraient

conjugaison

⚠ Remarques

1 Pour les verbes qui doublent le *r* au présent du conditionnel *(accourir, parcourir, concourir, secourir, mourir, acquérir, requérir, conquérir...)*, il ne faut pas confondre les formes de l'imparfait de l'indicatif et celles du présent du conditionnel.

Avant, il **courait** vite.
S'il s'entraînait, il **courrait** vite.

2 Les verbes *cueillir, accueillir, se recueillir* se conjuguent comme des verbes du 1er groupe.

tu cueillerais – il accueillerait – elles se recueilleraient

3 Le verbe *falloir* ne s'emploie qu'à la 3e personne du singulier.

Il **faudrait** baisser le son.

EXERCICE P. 165

FUTUR SIMPLE OU PRÉSENT DU CONDITIONNEL ?

À l'oral ou à l'écrit, il n'est pas rare d'hésiter entre le futur simple et le présent du conditionnel. Il faut donc savoir distinguer ces deux temps.

Confusion due à la prononciation

Les terminaisons de la première personne du singulier du futur simple et du présent du conditionnel ont **la même prononciation**.
Le 23 mars, je souhaiter[ɛ] l'anniversaire de mon ami Hervé.
Le 23 mars, je souhaiter[ɛ] que l'anniversaire d'Hervé soit une grande fête.

Comment éviter toute confusion ?

• Pour distinguer ces deux terminaisons, on peut examiner le sens de la phrase.
Le 23 mars, je souhaiter[ɛ] l'anniversaire de mon ami Hervé.
C'est une quasi-certitude → futur simple → terminaison : *-ai*.
Le 23 mars, je souhaiter[ɛ] que l'anniversaire d'Hervé soit une grande fête.
C'est une possibilité, un désir → présent du conditionnel → terminaison : *-ais*.
• On peut aussi remplacer la 1re personne du singulier par une autre personne ; on entend alors la différence.
– futur simple :
Le 23 mars, je souhaiter[ɛ] l'anniversaire de mon ami Hervé.
Le 23 mars, nous souhaiter**ons** l'anniversaire de notre ami Hervé.
– présent du conditionnel :
Le 23 mars, je souhaiter[ɛ] que l'anniversaire d'Hervé soit une grande fête.
Le 23 mars, nous souhaiter**ions** que l'anniversaire d'Hervé soit une grande fête.

Concordance des temps

• Si le verbe de la proposition subordonnée, introduite par *si*, est au présent de l'indicatif, le verbe de la proposition principale est au futur simple.
Si Hervé m'appell**e**, je lui souhaite**rai** son anniversaire.
Si Hervé nous appell**e**, nous lui souhaite**rons** son anniversaire.
• Si le verbe de la proposition subordonnée, introduite par *si*, est à l'imparfait de l'indicatif, le verbe de la proposition principale est au présent du conditionnel.
Si Hervé m'appel**ait**, je lui souhaite**rais** son anniversaire.
Si Hervé nous appel**ait**, nous lui souhaite**rions** son anniversaire.

⚠ Remarque

Le verbe de la subordonnée introduite par la conjonction *si* ne s'écrit jamais au présent du conditionnel.	La proposition correcte est : Si j'<u>achetais</u> un téléphone portable, j'**adopterais** une sonnerie originale.
« Si j'achè**terais** un téléphone portable... » est un barbarisme.	ou bien : Si j'<u>achète</u> un téléphone portable, j'**adopterai** une sonnerie originale.

EXERCICE P. 165

LES TEMPS COMPOSÉS DU CONDITIONNEL

Les temps composés du conditionnel sont le passé 1re forme et le passé 2e forme.

Le passé 1re forme du conditionnel

Le passé du conditionnel indique qu'un fait situé dans le passé serait accompli dans un moment à venir.
Je savais que la séance **aurait pris** fin quand minuit sonnerait.
Le chef de gare déclara que le train ne **serait** pas **parti** à 16 heures.

Le passé 1re forme du conditionnel est composé de l'auxiliaire *être* ou *avoir* au présent du conditionnel et du participe passé du verbe conjugué.

apprécier	aller	partir
j'aurais apprécié	je serais allé(e)	je serais parti(e)
il/elle aurait apprécié	il/elle serait allé(e)	il/elle serait parti(e)
nous aurions apprécié	nous serions allé(e)s	nous serions parti(e)s
ils/elles auraient apprécié	ils/elles seraient allé(e)s	ils/elles seraient parti(e)s

⚠ Remarque

Si le verbe de la subordonnée, introduite par *si*, est au plus-que-parfait de l'indicatif, le verbe de la principale est au conditionnel passé.

Si tu avais vu ce film, tu l'**aurais apprécié**.
Si j'en avais eu l'occasion, je **serais parti**.

Le passé 2e forme du conditionnel

On donne parfois au plus-que-parfait du subjonctif (voir leçon 125) le nom de passé 2e forme du conditionnel. Ce sont des temps recherchés, littéraires, qu'on ne rencontre qu'exceptionnellement à l'oral.

Le passé 2e forme du conditionnel est composé de l'auxiliaire *être* ou *avoir* à l'imparfait du subjonctif et du participe passé du verbe conjugué.

apprécier	aller	partir
j'eusse apprécié	je fusse allé(e)	je fusse parti(e)
il/elle eût apprécié	il/elle fût allé(e)	il/elle fût parti(e)
nous eussions apprécié	vous fussiez allé(e)s	nous fussions parti(e)s
ils/elles eussent apprécié	ils/elles fussent allé(e)s	ils/elles fussent parti(e)s

⚠ Remarque

Pour ne pas confondre la 3e personne du singulier du passé 2e forme du conditionnel avec la 3e personne du singulier du passé antérieur de l'indicatif, qui ne se différencient que par la présence d'un accent circonflexe au conditionnel, on remplace par le passé 1re forme du conditionnel.

Il sortit après qu'il **eut pris** son parapluie.
S'il avait prévu la pluie, il **eût pris** son parapluie.
(S'il avait prévu la pluie, il **aurait pris** son parapluie. → passé du conditionnel)

133 EXERCICE P. 165

LA VOIX PASSIVE – LES VERBES TRANSITIFS / INTRANSITIFS

Une phrase qui passe de la voix active à la voix passive exprime toujours la même idée avec une construction différente. Cette transformation n'est possible qu'avec des verbes qui peuvent être suivis d'un COD (verbes transitifs).

Voix active – Voix passive

- Un verbe est à la voix active lorsque le sujet fait l'action.
Ce réalisateur **tourne** un nouveau film.
- Un verbe est à la voix passive lorsque le sujet subit l'action.
Un nouveau film **est tourné** par ce réalisateur.

C'est le temps de l'auxiliaire *être* (simple ou composé) qui donne le temps de la forme verbale passive.

Un nouveau film **est** tourné par ce réalisateur.   **est** → présent de l'indicatif
Un nouveau film **sera** tourné par ce réalisateur.   **sera** → futur simple
Un nouveau film **a été** tourné par ce réalisateur.   **a été** → passé composé
Il faut que ce film **soit** tourné par ce réalisateur.   **soit** → présent du subjonctif

⚠ Remarques

1 La voix passive se construit exclusivement avec l'auxiliaire *être*. Le participe passé s'accorde donc avec le sujet du verbe.
Un film est tourné par ce réalisateur.
Une série est tournée par ce réalisateur.

2 Attention aux temps composés des verbes qui se conjuguent avec l'auxiliaire *être*.
Ce réalisateur est resté sur le plateau.
→ voix active – verbe au passé composé

3 De la voix active à la voix passive, le COD devient le sujet du verbe et le sujet devient le **complément d'agent**. Celui-ci est le plus souvent introduit par la préposition *par*.
Ce film est coupé **par** des messages publicitaires.

Parfois, il est simplement sous-entendu.
voix active : On a tourné un film.
voix passive : Un film a été tourné.
(sous-entendu « **par on** »)

Verbes transitifs – Verbes intransitifs

- Les verbes qui sont suivis d'un complément d'objet direct peuvent, le plus souvent, être mis à la forme passive. Ce sont des **verbes transitifs** directs.
- Les **verbes intransitifs** ne sont jamais accompagnés d'un COD, ils ne peuvent donc pas être à la voix passive ; mais, selon le sens, un verbe peut être transitif ou intransitif.

Le satellite **tourne** autour de la Terre.   → verbe intransitif
Ce jeune réalisateur **tourne** un nouveau film.   → verbe transitif

⚠ Remarque

Il ne faut pas confondre le verbe à la voix passive avec le verbe *être* suivi d'un participe passé marquant l'état ; le participe passé est alors attribut.

La lumière **est éteinte par Samuel**.
→ voix passive

La lumière **est éteinte**.
→ verbe *être* + attribut

   EXERCICE P. 165

LE PRÉSENT DU SUBJONCTIF

Le subjonctif s'emploie généralement dans les propositions subordonnées.

Les valeurs du subjonctif

Le subjonctif exprime généralement un désir, un souhait, un ordre, un doute, un regret, un conseil, une supposition... Les verbes au subjonctif sont, assez souvent, inclus dans une proposition subordonnée introduite par la conjonction *que*.

Je souhaite **que** tu **réussisses**.

La fragilité de ce moteur exige **que** le réglage **soit** parfait.

Nous doutons **qu'**il **retrouve** son chemin.

⚠ Remarques

1 Le subjonctif peut être employé dans une proposition indépendante ou dans une proposition relative.

Qu'il **soit** prêt à l'heure !
Il n'y a que toi qui **réussisses** ce tour de magie.

2 Les conjonctions *que* et *quoi* peuvent se trouver en tête de phrase dans des exclamations marquant l'ordre, l'étonnement, l'indignation. Le verbe est alors au subjonctif.

Que personne ne **sorte** !
Que tu te **perdes** ! Ce n'est pas possible.
Quoi que vous **mangiez**, vous ne serez pas rassasiés.

conjugaison

Tableaux de conjugaison

avoir	être	jouer	obéir	rire
que j'aie	que je sois	que je joue	que j'obéisse	que je rie
que tu aies	que tu sois	que tu joues	que tu obéisses	que tu ries
qu'il/elle ait	qu'il/elle soit	qu'il/elle joue	qu'il/elle obéisse	qu'il/elle rie
que nous ayons	que nous soyons	que nous jouions	que nous obéissions	que nous riions
que vous ayez	que vous soyez	que vous jouiez	que vous obéissiez	que vous riiez
qu'ils/elles aient	qu'ils/elles soient	qu'ils/elles jouent	qu'ils/elles obéissent	qu'ils/elles rient

⚠ Remarques

1 Au présent du subjonctif, tous les verbes (sauf *être* et *avoir*) prennent les mêmes terminaisons : **-e, -es, -e, -ions, -iez, -ent**.

2 Pour les verbes du 2ᵉ groupe, l'élément **-ss-** est toujours intercalé entre le radical et la terminaison.

Il faut que je finisse.
Il faut que nous réfléchissions.

3 Pour certains verbes du 1ᵉʳ groupe, on retrouve les mêmes modifications du radical devant un **e** muet.

appeler : Il faut que j'appelle.
feuilleter : Il faut qu'elles feuillettent.
acheter : Il faut que tu achètes.
geler : Il faut qu'il gèle.
payer : Il faut que tu paies.
se lever : Il faut qu'il se lève.
accélérer : Il faut qu'ils accélèrent.

EXERCICE P. 165

LE PRÉSENT DU SUBJONCTIF :
verbes irréguliers

Au présent du subjonctif, le radical d'un certain nombre de verbes du 3ᵉ groupe est modifié, mais les terminaisons sont toujours les mêmes : *-e, -es, -e, -ions, -iez, -ent.*

Quelques verbes irréguliers

faire	que je fasse	qu'il fasse	que nous fassions	qu'ils fassent
aller	que tu ailles	qu'elle aille	que vous alliez	qu'elles aillent
venir	que je vienne	qu'il vienne	que nous venions	qu'ils viennent
tenir	que tu tiennes	qu'elle tienne	que vous teniez	qu'elles tiennent
dire	que je dise	qu'il dise	que nous disions	qu'ils disent
écrire	que tu écrives	qu'elle écrive	que vous écriviez	qu'elles écrivent
lire	que je lise	qu'il lise	que nous lisions	qu'ils lisent
mourir	que tu meures	qu'elle meure	que vous mouriez	qu'elles meurent
haïr	que je haïsse	qu'il haïsse	que nous haïssions	qu'ils haïssent
devoir	que tu doives	qu'elle doive	que vous deviez	qu'elles doivent
savoir	que je sache	qu'il sache	que nous sachions	qu'ils sachent
voir	que tu voies	qu'elle voie	que vous voyiez	qu'elles voient
asseoir	que j'assoie / que tu asseyes	qu'il assoie / qu'elle asseye	que nous assoyions / que vous asseyiez	qu'ils assoient / qu'elles asseyent
vouloir	que je veuille	qu'il veuille	que nous voulions	qu'ils veuillent
recevoir	que tu reçoives	qu'elle reçoive	que vous receviez	qu'elles reçoivent
valoir	que je vaille	qu'il vaille	que nous valions	qu'ils vaillent
prendre	que tu prennes	qu'elle prenne	que vous preniez	qu'elles prennent
conduire	que je conduise	qu'il conduise	que nous conduisions	qu'ils conduisent
vaincre	que tu vainques	qu'elle vainque	que vous vainquiez	qu'elles vainquent
craindre	que je craigne	qu'il craigne	que nous craignions	qu'ils craignent
plaire	que tu plaises	qu'elle plaise	que vous plaisiez	qu'elles plaisent
se taire	que je me taise	qu'il se taise	que nous nous taisions	qu'ils se taisent
paraître	que tu paraisses	qu'elle paraisse	que vous paraissiez	qu'elles paraissent

⚠ Remarque

Le verbe *falloir* ne s'emploie qu'à la 3ᵉ personne du singulier.

Il se peut qu'il **faille** démonter la roue.

EXERCICE P. 166

PRÉSENT DE L'INDICATIF
OU PRÉSENT DU SUBJONCTIF ?

À l'oral ou à l'écrit, il n'est pas rare d'hésiter entre le présent de l'indicatif et le présent du subjonctif. Il faut donc savoir distinguer ces deux temps.

Confusion due à la prononciation

• Pour certains verbes du 3e groupe, les formes des personnes du singulier du présent de l'indicatif et celles du présent du subjonctif sont homophones.
On sait que tu **cours** [kuʀ] les brocantes chaque dimanche.
On doute que tu **coures** [kuʀ] les brocantes chaque dimanche.

• Pour les verbes du 1er groupe, les terminaisons des trois personnes du singulier et de la 3e personne du pluriel sont les mêmes au présent de l'indicatif et au présent du subjonctif.
On sait que je **fréquente** les brocantes chaque dimanche.
On doute que je **fréquente** les brocantes chaque dimanche.

Comment éviter toute confusion ?

Pour ne pas confondre présent de l'indicatif et présent du subjonctif, il faut :
– remplacer par la 1re ou la 2e personne du pluriel ;
On sait que vous **courez** les brocantes chaque dimanche.   → indicatif
On doute que vous **couriez** les brocantes chaque dimanche. → subjonctif
– employer un autre verbe du 3e groupe avec lequel on entend la différence.
On sait que je **fais** les brocantes chaque dimanche.   → indicatif
On doute que je **fasse** les brocantes chaque dimanche.   → subjonctif

Cas particuliers

• Pour les verbes du 1er groupe en *-yer, -ier, -iller, -gner*, aux deux premières personnes du pluriel du présent du subjonctif, il ne faut pas oublier, même si on ne l'entend pas distinctement, le *i* de la terminaison.
Il faut que vous renvoyiez le bon de commande rempli correctement.
Il faut que nous nous réfugiions sous un auvent.
Il faut que vous verrouilliez toutes les portes.
Il faut que nous regagnions rapidement notre place.

• Il en est de même pour quelques verbes du 3e groupe.
Il est rare que nous voyions des vents aussi violents.
Il convient que vous souriiez devant la caméra.

⚠ Remarques

1 *Après que* est suivi de l'indicatif (c'est une certitude).

Nous allumons le téléviseur après que nous **avons** mis nos écouteurs.

Avant que est suivi du subjonctif (il demeure un doute).

Nous allumons le téléviseur avant que nous **ayons** mis nos écouteurs.

2 Les verbes *être* et *avoir*, aux deux premières personnes du pluriel, ne prennent pas de *i* après le *y*.

Il se peut que nous **ayons** du temps libre.
Il faut que vous **soyez** libres rapidement.

conjugaison

EXERCICE P. 166

L'IMPARFAIT DU SUBJONCTIF

Comme le présent du subjonctif, l'imparfait du subjonctif exprime généralement un souhait, un ordre, un doute, un regret, un conseil, un désir, une supposition...

L'emploi de l'imparfait du subjonctif

• L'imparfait du subjonctif s'emploie lorsque le verbe de la principale est à un temps passé de l'indicatif ou au conditionnel.
Il faut que ce garçon s'**endorme**. → présent du subjonctif
Il fallait (Il faudrait) que ce garçon s'**endormit**. → imparfait du subjonctif

• L'imparfait du subjonctif est un temps qu'on ne rencontre que dans les textes littéraires, essentiellement à la 3e personne du singulier. Ce temps n'est plus employé à l'oral. À l'écrit, il est aujourd'hui admis que l'on puisse remplacer l'imparfait du subjonctif par le présent du subjonctif.

Tableaux de conjugaison

avoir	être	écouter	faiblir
que j'eusse	que je fusse	que j'écoutasse	que je faiblisse
que tu eusses	que tu fusses	que tu écoutasses	que tu faiblisses
qu'il/elle eût	qu'il/elle fût	qu'il/elle écoutât	qu'il/elle faiblît
que nous eussions	que nous fussions	que nous écoutassions	que nous faiblissions
que vous eussiez	que vous fussiez	que vous écoutassiez	que vous faiblissiez
qu'ils/elles eussent	qu'ils/elles fussent	qu'ils/elles écoutassent	qu'ils/elles faiblissent

faire	aller	venir	pouvoir
que je fisse	que j'allasse	que je vinsse	que je pusse
que tu fisses	que tu allasses	que tu vinsses	que tu pusses
qu'il/elle fît	qu'il/elle allât	qu'il/elle vînt	qu'il/elle pût
que nous fissions	que nous allassions	que nous vinssions	que nous pussions
que vous fissiez	que vous allassiez	que vous vinssiez	que vous pussiez
qu'ils/elles fissent	qu'ils/elles allassent	qu'ils/elles vinssent	qu'ils/elles pussent

⚠ Remarques

1 L'imparfait du subjonctif se forme avec la même voyelle dans la terminaison que celle du passé simple.

2 Pour les verbes du 2e groupe, les formes sont identiques à celles du présent du subjonctif, sauf pour la 3e personne du singulier.

3 À la 3e personne du singulier, il faut toujours placer un accent circonflexe sur la voyelle qui précède le *t*. C'est une forme différente des cinq autres personnes.

EXERCICE P. 166

PASSÉ SIMPLE OU IMPARFAIT DU SUBJONCTIF ?

À l'oral ou à l'écrit, il n'est pas rare d'hésiter entre le passé simple et l'imparfait du subjonctif. Il faut donc savoir distinguer ces deux temps.

Confusion due à la prononciation

Les terminaisons de la 3ᵉ personne du singulier du passé simple et de l'imparfait du subjonctif sont **homophones**.

• Pour les verbes du 1ᵉʳ groupe, à l'imparfait du subjonctif, on place un accent circonflexe sur le **a** qui précède le **t**. Au passé simple, la terminaison est un simple **a**.

Il était urgent que Luc **changeât** la batterie de la voiture.
Lorsqu'il vit qu'elle était usagée, Luc **changea** la batterie de la voiture.

• Pour les verbes des 2ᵉ et 3ᵉ groupes, seule la présence d'un accent circonflexe distingue l'imparfait du subjonctif du passé simple.

– 2ᵉ groupe :
Il était urgent que Luc **remplît** la batterie de la voiture.
Lorsqu'il vit qu'elle était usagée, Luc **remplit** la batterie de la voiture.

– 3ᵉ groupe :
Il était urgent que Luc **reprît** la batterie de la voiture.
Lorsqu'il vit qu'elle était usagée, Luc **reprit** la batterie de la voiture.

conjugaison

Comment éviter toute confusion ?

Pour ne pas confondre ces formes verbales, il faut :

– se rapporter au sens de l'action, ou bien essayer de changer de personne ;
Il était urgent que tu **changeasses** la batterie de la voiture.
Lorsque tu vis qu'elle était usagée, tu **changeas** la batterie de la voiture.

Il était urgent que tu **remplisses** la batterie de la voiture.
Lorsque tu vis qu'elle était usagée, tu **remplis** la batterie de la voiture.

Il était urgent que tu **reprisses** la batterie de la voiture.
Lorsque tu vis qu'elle était usagée, tu **repris** la batterie de la voiture.

– essayer de changer de temps en remplaçant l'imparfait du subjonctif par un autre temps du subjonctif, ou le passé simple par un autre temps de l'indicatif.
Il est urgent que Luc **change** la batterie de la voiture.
Lorsqu'il a vu qu'elle était usagée, Luc **a changé** la batterie de la voiture.

Il est urgent que Luc **remplisse** la batterie de la voiture.
Lorsqu'il a vu qu'elle était usagée, Luc **a rempli** la batterie de la voiture.

Il est urgent que Luc **reprenne** la batterie de la voiture.
Lorsqu'il a vu qu'elle était usagée, Luc **a repris** la batterie de la voiture.

 EXERCICE P. 166

LES TEMPS COMPOSÉS DU SUBJONCTIF

Les temps composés du subjonctif sont le passé et le plus-que-parfait.

Le passé du subjonctif

On écrit le verbe de la subordonnée au passé du subjonctif si le verbe de la proposition principale est au présent ou au futur et si l'on veut exprimer un fait passé par rapport au fait de la principale ou par rapport à tel moment à venir.

Il n'est pas possible que le temps **ait changé** aussi rapidement.
Je regretterai vivement que mes amis **soient partis** sans me saluer.

bouger	réagir	naître
que j'aie bougé	que j'aie réagi	que je sois né(e)
qu'il/elle ait bougé	qu'il/elle ait réagi	qu'il/elle soit né(e)
que nous ayons bougé	que nous ayons réagi	que nous soyons né(e)s
qu'ils/elles aient bougé	qu'ils/elles aient réagi	qu'ils/elles soient né(e)s

Le plus-que-parfait du subjonctif

On écrit le verbe de la subordonnée au plus-que-parfait du subjonctif si le verbe de la proposition principale est au passé et si l'on veut exprimer un fait passé par rapport au fait de la principale.

Il n'était pas possible que le temps **eût changé** aussi rapidement.
J'ai vivement regretté que mes amis **fussent partis** sans me saluer.

Il est admis, aujourd'hui, d'utiliser le passé du subjonctif à la place du plus-que-parfait.

bouger	réagir	naître
que j'eusse bougé	que j'eusse réagi	que je fusse né(e)
qu'il/elle eût bougé	qu'il/elle eût réagi	qu'il/elle fût né(e)
que nous eussions bougé	que nous eussions réagi	que nous fussions né(e)s
qu'ils/elles eussent bougé	qu'ils/elles eussent réagi	qu'ils/elles fussent né(e)s

⚠ Remarques

1 Les formes du plus-que-parfait du subjonctif sont identiques à celles du passé 2ᵉ forme du conditionnel.

2 À la 3ᵉ personne du singulier, il ne faut pas confondre le plus-que-parfait du subjonctif avec le passé antérieur de l'indicatif.

Quand il **eut opéré** le malade, le chirurgien le conduisit en salle de réveil.

Mieux assisté, il se pouvait que le chirurgien **eût opéré** le malade plus tôt.

Pour faire la distinction, on peut changer de personne.

Quand ils **eurent opéré** le malade, les chirurgiens le conduisirent en salle de réveil.

Mieux assistés, il se pouvait que les chirurgiens **eussent opéré** le malade plus tôt.

 EXERCICE P. 166

L'IMPÉRATIF

Le présent de l'impératif **ne se conjugue qu'à trois personnes, la 2e personne du singulier et les deux premières personnes du pluriel, sans sujet exprimé.**

Les valeurs de l'impératif

Le présent de l'impératif est employé pour exprimer des ordres, des conseils, des souhaits, des recommandations, des demandes, des interdictions.
Ne t'**énerve** pas.   **Traduis** ce texte.
Ralentissons à l'entrée du village.   **Respirez** profondément.

⚠ **Remarque**

Le passé de l'impératif est formé de l'auxiliaire (*avoir* ou *être*) au présent de l'impératif et du participe passé du verbe conjugué. C'est un temps très peu employé.
Soyez partis lorsque minuit sonnera.

conjugaison

Tableaux de conjugaison

1er groupe	2e groupe	3e groupe		
jongler	bondir	descendre	courir	s'inscrire
jongle	bondis	descends	cours	inscris-toi
jonglons	bondissons	descendons	courons	inscrivons-nous
jonglez	bondissez	descendez	courez	inscrivez-vous

⚠ **Remarques**

1 Pour les verbes du 2e groupe, on intercale l'élément **-ss-** entre le radical et les terminaisons pour les personnes du pluriel.

2 À la 2e personne du singulier, les verbes du 1er groupe (ainsi que *ouvrir, offrir, souffrir, cueillir, aller* et *savoir*) ne prennent pas de **s**. Néanmoins, pour faciliter la prononciation, ces verbes (ainsi que *aller*) prennent un **s** quand le mot qui suit est *en* ou *y*.
Ces chocolats, offres-en à tes amis.
N'hésite pas, vas-y franchement.

3 On place un trait d'union entre le verbe à l'impératif et le pronom personnel complément qui le suit.
Vos enfants, emmenez-les au cirque.
Laisse-nous terminer ce puzzle.

4 Les particularités rencontrées pour les verbes comme *nettoyer, appeler, acheter, céder* devant un **e** muet se retrouvent à la 2e personne du singulier du présent de l'impératif.
Nettoie-les.   Appelle-moi.
Achète-la.   Ne cède pas.

Formes particulières

avoir	être	aller	savoir	envoyer
aie	sois	va	sache	envoie
ayons	soyons	allons	sachons	envoyons
ayez	soyez	allez	sachez	envoyez

EXERCICE P. 166

PRÉSENT DE L'IMPÉRATIF
OU PRÉSENT DE L'INDICATIF ?

À l'oral ou à l'écrit, il n'est pas rare d'hésiter entre le présent de l'impératif et le présent de l'indicatif. Il faut donc savoir distinguer ces deux temps.

Confusion due à la prononciation

• Pour les verbes du 1er groupe, il ne faut pas confondre la 2e personne du singulier du présent de l'impératif, qui n'a pas de sujet exprimé, avec la 2e personne du singulier du présent de l'indicatif.

Appel**e** ton ami au téléphone.	présent de l'impératif	→ **e**
Tu appell**es** ton ami au téléphone.	présent de l'indicatif	→ **es**

• Pour les verbes du 3e groupe comme *offrir, ouvrir, cueillir, accueillir, tressaillir, souffrir* ou *aller*, la 2e personne du singulier du présent de l'impératif, qui ne prend pas de *s*, peut également être confondue avec une forme conjuguée du présent de l'indicatif.

Ouvr**e** ton courrier !	présent de l'impératif	→ **e**
Tu ouvr**es** ton courrier.	présent de l'indicatif	→ **es**
Va jusqu'aux grilles du stade.	présent de l'impératif	→ **a**
Tu v**as** jusqu'aux grilles du stade.	présent de l'indicatif	→ **as**

Cas particuliers des verbes pronominaux

• Pour les verbes pronominaux, la forme verbale du présent de l'impératif est suivie du pronom personnel réfléchi *toi*, qu'il ne faut pas confondre avec le pronom personnel de la forme interrogative *tu*.

Présent**e**-toi au plus vite au guichet de la poste !	présent de l'impératif → **e**
Pourquoi présent**es**-tu ton carnet au guichet ?	présent de l'indicatif → **es**

• Pour les deux personnes du pluriel du présent de l'impératif, il ne faut pas confondre les pronoms personnels réfléchis avec les pronoms personnels de la forme interrogative.

Contrôlons-**nous** pour être plus précis.	présent de l'impératif
Comment contrôlons-**nous** nos gestes ?	présent de l'indicatif
Contrôlez-**vous** pour être plus précis.	présent de l'impératif
Comment contrôlez-**vous** vos gestes ?	présent de l'indicatif

Comment éviter toute confusion ?

• Afin de bien distinguer présent de l'impératif et présent de l'indicatif, il faut être attentif(ve) à la recherche du pronom personnel.

• Pour bien différencier présent de l'impératif et présent de l'indicatif à la forme interrogative, on peut examiner la ponctuation. À la fin d'une phrase impérative, on trouve assez souvent un point d'exclamation ; à la fin d'une phrase interrogative, on trouve un point d'interrogation.

    EXERCICE P. 166

LES FORMES VERBALES EN -*ANT*

128

Il existe trois formes verbales en -*ant* : le participe présent, le gérondif et l'adjectif verbal.

Participe présent et gérondif

• Le **participe présent** est une forme verbale terminée par -*ant*, qui marque une action en cours de déroulement. Il peut avoir un complément d'objet ou un complément circonstanciel. Le participe présent est **invariable**.
Souriant aux spectateurs, les chanteurs entrent en scène.
Souriant sous les projecteurs, les chanteurs entrent en scène.

• Lorsque la forme verbale en -*ant* est précédée de la préposition *en*, c'est un **gérondif**.
Le gérondif précise les circonstances de l'action et fonctionne comme un adverbe. Il est **invariable**.
En souriant aux spectateurs, les chanteurs entrent en scène.

Participe présent et adjectif verbal

Le participe présent peut se transformer en adjectif lui aussi terminé par -*ant*. Il s'agit de l'adjectif verbal. Cet adjectif s'accorde avec le nom (ou le pronom) auquel il se rapporte. Il peut être épithète ou attribut.
Les spectateurs ont face à eux des chanteurs **souriants**.

conjugaison

⚠ Remarques

1 Dans certains cas, il est difficile de distinguer le participe présent de l'adjectif verbal. Il faut alors remplacer le nom masculin par un nom féminin ; à l'oral, on entend la différence.

Souriant aux spectateurs, les <u>chanteuses</u> entrent en scène. → participe présent
Les spectateurs ont face à eux des <u>chanteuses</u> **souriantes**. → adjectif verbal

2 L'expression *soi-disant* est toujours invariable.

3 Certains adjectifs verbaux sont employés comme noms.
Seuls les **descendants** mâles régnaient.

4 Il ne faut pas confondre les participes présents et les adjectifs verbaux en -*ant* avec les adverbes terminés par -*ant* ou -*ent*.
Auparavant, ces chanteuses étaient souvent éblouissantes.

Orthographe des participes présents et adjectifs verbaux

participes présents	adjectifs verbaux	participes présents	adjectifs verbaux
provoquant	provocant	excellant	excellent
convainquant	convaincant	négligeant	négligent
fatiguant	fatigant	adhérant	adhérent
naviguant	navigant	influant	influent
suffoquant	suffocant	précédant	précédent
vaquant	vacant	convergeant	convergent
intriguant	intrigant	différant	différent
communiquant	communicant	équivalant	équivalent

143

EXERCICE P. 167

EU – EUT – EÛT ? FUT – FÛT ?

Il faut savoir distinguer les formes homophones du verbe *avoir* : *eu – eut – eût* ainsi que les formes homophones du verbe *être* : *fut – fût.*

eu – eut – eût ?

- Le participe passé du verbe *avoir*.
Damien a **eu** vingt ans.
- La 3e personne du singulier du verbe *avoir* au passé simple.
Quand Damien **eut** vingt ans, il partit à l'aventure au Brésil.
- La 3e personne du singulier du verbe *avoir* au passé 2e forme du conditionnel ou à l'imparfait du subjonctif.
Le Brésil, Damien ne l'**eût** pas visité s'il n'avait pas eu vingt ans.
Bien qu'il n'**eût** pas vingt ans, Damien était parti à l'aventure au Brésil.

fut – fût ?

- La 3e personne du singulier du verbe *être* au passé simple de l'indicatif.
Quand Damien **fut** âgé de vingt ans, il partit à l'aventure au Brésil.
- La 3e personne du singulier du verbe *être* au passé 2e forme du conditionnel ou à l'imparfait du subjonctif.
Damien ne **fût** pas parti au Brésil s'il n'avait pas eu vingt ans.
Bien qu'il ne **fût** pas âgé de vingt ans, Damien était parti à l'aventure au Brésil.

Comment éviter toute confusion ?

Pour différencier ces formes verbales homophones, il faut se rapporter au sens de l'action. On peut également essayer de changer le temps du verbe.

eu – eut – eût
Si l'on peut remplacer par :
– un autre participe passé, il s'agit du participe passé *eu* ;
Damien a **eu** (**fêté**) ses vingt ans.
– un temps de l'indicatif *(aura – avait)*, il s'agit du passé simple *eut* ;
Quand Damien **eut** (**aura**) vingt ans, il partit (partira) à l'aventure au Brésil.
– le passé 1re forme du conditionnel *(aurait)*, il s'agit du conditionnel *eût* ;
Le Brésil, Damien ne l'**eût** (l'**aurait**) pas visité s'il n'avait pas eu vingt ans.
– le présent du subjonctif *(ait)*, il s'agit de l'imparfait du subjonctif *eût.*
Bien qu'il n'**eût** (n'**ait**) pas vingt ans, Damien était parti (est parti) à l'aventure.

fut – fût
Si l'on peut remplacer par :
– un temps de l'indicatif *(sera – était)*, il s'agit du passé simple *fut* ;
Quand Damien **fut** (**sera**) âgé de vingt ans, il partit (partira) à l'aventure.
– le passé 1re forme du conditionnel *(serait)*, il s'agit du conditionnel *fût* ;
Damien ne **fût** (**serait**) pas parti au Brésil s'il n'avait pas eu vingt ans.
– le présent du subjonctif *(soit)*, il s'agit de l'imparfait du subjonctif *eût.*
Bien qu'il ne **fût** (**soit**) pas âgé de vingt ans, Damien était (est) parti à l'aventure.

        EXERCICE P. 167

EXERCICES ET CORRIGÉS

Exercices et corrigés

LEÇON 1 – À la fin de chaque phrase, placez un point ou un point d'interrogation.

Le mulet est le croisement d'un cheval et d'une ânesse ... – À quel étage M. Blain habite-t-il ... – La consommation de pétrole dans le monde est en constante augmentation ... – À Lyon, beaucoup de traboules de la Croix-Rousse sont inaccessibles aux touristes ... – Le bâtiment est-il bien isolé ... – Ce film est encensé par tous les critiques ... – La station d'épuration des eaux usées fonctionne-t-elle ... – Combien coûte ce lecteur de DVD ... – Pour Noël, les commerçants ont fait un effort pour décorer leurs vitrines ... – Dans ce parc d'attractions, le cap des trois millions de visiteurs sera-t-il atteint ... – Qui a posé le premier le pied sur la Lune ... – Les élections n'ont pas dégagé de majorité ... – Où trouve-t-on les gousses de vanille les plus parfumées ...

LEÇON 2 – Placez correctement la virgule oubliée dans chaque phrase.

Après un vol mouvementé l'avion s'est posé sans difficulté. – Pierre-Antoine est un grand lecteur il dévore quatre romans par semaine. – Assise devant son téléviseur Ursula se contente d'un simple plateau-repas. – Avant d'être élu président de la République d'Afrique du Sud Nelson Mandela fut emprisonné de longues années. – Pour ne pas se blesser ce soudeur porte des lunettes protectrices. – Atteindre le centre de la Terre cela reste une utopie. – Déçu par la qualité de ce journal tu n'as pas renouvelé ton abonnement. – Pour rejoindre le point de départ du rallye il faut emprunter ce raccourci. – Devant l'obstacle il arrive que les meilleurs chevaux se dérobent. – Adepte du yoga Claire peut rester des heures dans la position du lotus.

LEÇON 3 – Placez une virgule ou un point-virgule aux emplacements indiqués.

Dans cette école * la semaine scolaire ne dure que quatre jours. – Le parking est complet * la file d'attente s'allonge. – Marcel Pagnol a vécu une enfance heureuse * il l'a racontée dans *La Gloire de mon père*. – Comme il fait froid * la récolte d'abricots sera tardive. – La fête de la musique bat son plein * les virtuoses amateurs s'en donnent à cœur joie. – Le cours du cuivre est au plus haut * les spéculateurs en profitent. – En servant l'apéritif * Florian a renversé le contenu d'un verre sur le tapis.

LEÇON 4 – Placez correctement les deux-points dans ces phrases.

Il n'y a qu'une seule explication à ce mystère un revenant se cache dans le château. – Je ne resterai pas longtemps dans cette pièce l'odeur des lilas m'incommode. – Le proverbe est formel « La parole est d'argent mais le silence est d'or. » – Voilà une offre exceptionnelle trois CD pour le prix d'un ! – Cette maison est à vendre les acheteurs potentiels la visitent. – L'eau de la piscine est à 18° pas question de se baigner aujourd'hui. – L'expression « au jour d'aujourd'hui » est incorrecte c'est un double pléonasme puisque, étymologiquement, « aujourd'hui » en est déjà un !

LEÇON 5 – Placez dans ces phrases les majuscules et les virgules qui conviennent.

le mont everest dans l'himalaya est appelé le toit du monde par les alpinistes. – de nombreux tableaux de courbet un des peintres les plus renommés du XIXe siècle sont exposés au musée d'orsay. – françois Ier qui le fit bâtir ne séjourna que peu de temps au château de chambord. – la fusée ariane une réalisation européenne exemplaire emportera une sonde qui se posera sur la planète mars. – l'expédition commandée par jean bouquin a atteint les côtes de la terre adélie.

LEÇON 6 – Placez l'article indéfini *(un – une)* qui convient devant ces noms.

incendie	tissu	cargaison	fanfare	individu
tragédie	vertu	diapason	barbare	entrevue
stratège	tomme	estafilade	guitare	fourrure
sortilège	tome	croisade	cigare	faux

orme	géode	peau	paroi	taux
arôme	épisode	veau	renvoi	guérison
idiome	exode	ciseau	emploi	hérisson
ivoire	moto	arrêt	choix	ancre
échappatoire	loto	forêt	croix	cancre

LEÇON 7 – Écrivez ces noms au féminin.

un gardien	un baron	un muet	un cadet	un sot
un champion	un musicien	un lion	un patron	un chien
un pharmacien	un comédien	un espion	un collégien	un mécanicien
un moniteur	un électeur	un correcteur	un voyageur	un éditeur
un masseur	un chanteur	un médiateur	un tricheur	un spectateur
un skieur	un lecteur	un séducteur	un inspecteur	un rédacteur
un interlocuteur	un danseur	un voleur	un plongeur	un empereur

LEÇON 8 – Écrivez ces noms au pluriel.

un tableau	un canal	un quintal	un arceau	un éventail
un gâteau	un arsenal	un local	un fléau	un caillou
un essieu	un capital	un rorqual	un vœu	un écrou
un aveu	un gavial	un tribunal	un sou	un matou
un attirail	un chenal	un métal	un bisou	un pou
un gouvernail	un narval	un bal	un bijou	un cadeau

LEÇON 9 – Écrivez correctement les noms en gras.

Lorsqu'ils partent en expédition, les **Inuit** bâtissent des **igloo**. – Le chanteur auditionne plusieurs **trio** de guitaristes pour choisir ceux qui l'accompagneront. – Très pieuse, cette personne récite des dizaines d'**Ave** en égrenant son chapelet. – Les **Mazué** ont passé la soirée chez leurs amis ; la maîtresse de maison avait préparé un plat de **spaghetti**. – Dans les années 1970, les **hippy** manifestaient contre l'engagement des **Américain** au Vietnam. – Ces **tennisman** disputent leurs **match** en trois **set** gagnants. – Les **requiem** accompagnent les enterrements d'hommes illustres. – L'admission dans certaines écoles est soumise à des **quota**.

LEÇON 10 – Écrivez ces noms composés au pluriel.

un amour-propre	un rond-point	un haut-fond
une grande-duchesse	un chasse-neige	un sans-abri
un fusil-mitrailleur	un semi-remorque	un chou-fleur
un lave-vaisselle	un papier-filtre	un libre-service
un marteau-piqueur	un hors-la-loi	un après-ski
un serre-tête	un balai-brosse	un bric-à-brac

LEÇON 11 – Employez ces adjectifs avec un nom masculin, puis un nom féminin.

flatteur	musical	régulier	sec	fréquent
fou	nouveau	attentif	nombreux	étroit
confus	ambitieux	quotidien	évocateur	ras

LEÇON 12 – Écrivez correctement ces adjectifs en gras.

des lits **jumeau**	des comptes **rond**	des mêlées **confus**
de **fraîche** soirées	des salades **grec**	des palais **épiscopal**
des notes **aigu**	des combats **naval**	des esprits **jaloux**
des repas **familial**	des abris **protecteur**	des matins **calme**
des quartiers **central**	des amis **loyal**	des édifices **monumental**
des faits **réel**	des gouffres **profond**	des jardins **privatif**

exercices : énoncés

LEÇON 13 – Remplacez les infinitifs en gras par leur participe passé que vous accorderez.

Une casquette à visière de cuir, **rabattre**, cachait en partie son visage **brûler** par le soleil et par le hâle. Sa chemise de grosse toile jaune, **rattacher** au col par une petite ancre d'argent, laissait voir sa poitrine velue. Il avait une cravate **tordre**, un pantalon de coutil bleu, **user** et **râper**, blanc à un genou, **trouer** à l'autre, une vieille blouse grise en haillons **rapiécer** d'un morceau de drap vert, à la main un énorme bâton noueux, les pieds sans bas dans des souliers **ferrer**, la tête **tondre** et la barbe longue.

Victor Hugo, *Les Misérables*.

LEÇON 14 – Accordez les adjectifs qualificatifs et les participes passés en gras ; vous préciserez leur fonction : épithète ou attribut.

La musicienne est **exigeant** pour elle-même ; elle reste **concentré** des heures **entier** à travailler les morceaux les plus **difficile**. – Les expéditions **spatial** sont désormais **habituel** ; les charges **transporté** sont de plus en plus **important**. – Depuis quelques années, les langues **étranger** sont **étudié** dès l'école **primaire**. – Une **violent** tempête **inattendu** a ruiné cette région **côtier**. – Géraldine est **perdu** parmi les ruelles **sombre** et **étroit** de cette ville **moyen-âgeux**. – De **téméraire** trapézistes exécutent des figures **compliqué** devant les spectateurs **émerveillé**. – Les figurants **amateur** sont **attentif** aux conseils **avisé** du metteur en scène.

LEÇON 15 – Accordez les adjectifs qualificatifs et les participes passés en gras.

Annoté, **raturé** et même **taché**, ces copies sont **illisible**. – **Prêt** à tout abandonner pour partir à l'aventure, Damien rêve de s'engager dans la marine **marchand**. – **Prioritaire** de par leur handicap, ces personnes accèdent aux **premier** rangs. – **Paradisiaque**, ces îlots sont un refuge pour les **vrai** amateurs d'une nature **préservé** de toute pollution. – **Rare**, donc **précieux**, ces statuettes valent une somme **important**. – Ces ouvriers, désormais **syndiqué**, ont demandé à rencontrer leur employeur.

LEÇON 16 – Accordez les adjectifs qualificatifs et les participes passés en gras.

L'été, Fatima porte un chemisier et un pantalon **léger**. – Cette excursion et ce projet de voyage paraissent totalement **irréel**. – À quatre heures et **demi**, nous partirons pour Béziers. – Ces tourterelles sont à **demi mort** de froid. – Cette planche fait deux centimètres et **demi** d'épaisseur. – Ces garnements ont fait toutes les sottises **possible** et **imaginable**. – Johnny fait le moins de mouvements **possible**.

LEÇON 17 – Accordez les adjectifs qualificatifs en gras.

les grenouilles **vert** – une serviette **châtain foncé** – les joues **cramoisi** – des capes **écarlate** – des robes **rose** – les rideaux couleur **rose** – des bas couleur **chair** – les poils **marron** – des tuniques **pourpre** – des épis **bleu violet** – des fanions **orange**.

LEÇON 18 – Écrivez ces nombres en lettres et faites-les suivre d'un nom de votre choix.

23	46	55	77	108	500
1 368	2 400 000	85	500 000	372	17 000

LEÇON 19 – Écrivez correctement les mots en gras.

De **chaque** tribune, de **chaque** rangée de fauteuils, des cris d'encouragement s'élevaient pour soutenir l'équipe de France. – Vous ne trouverez **nul** part un aussi joli panorama. – Les enquêteurs en sont persuadés, il n'y a **aucun** doute, cette piste est la bonne. – Il n'y a pas **divers** solutions pour se rendre sur cette île ; il faut prendre un bateau. – Dans ce pays, on trouve des sources en **maint** endroits. – Vous travaillez avec une **tel** ardeur que vous ne tarderez pas à achever la besogne.

LEÇON 20 – Écrivez les noms en gras au pluriel et faites les accords nécessaires.

Vous admirez un **tableau** bien éclairé. – Cette **figue** est bien trop sèche ; elle est immangeable. – Un violent **vent** du nord balaie l'immense **plaine**. – L'**arbre** du **jardin** public perd ses feuilles. – Cette **photographie**, prise au téléobjectif, permet d'apprécier le moindre **détail** des monuments. – Avec une telle **calculatrice**, l'**opération** la plus compliquée est un **jeu** d'enfant. – La **grue** du **chantier** voisin soulève une **charge** de plus de dix tonnes : quelle **performance** exceptionnelle !

LEÇON 21 – Encadrez les sujets, soulignez le mot qui commande l'accord, puis écrivez les verbes en gras au présent de l'indicatif.

Nous **écouter** des musiques de films ; l'une d'elles nous **plaire** particulièrement. – Les avions de chasse **décoller** dans un bruit épouvantable. – Se chauffer au bois **s'avérer** parfois très économique. – La tour du Bois du Verne **compter** cinquante logements ; celle des Églantines n'**abriter** que des bureaux. – Les issues de secours **faciliter** l'évacuation du public. – Les émanations de gaz toxiques **indisposer** les personnes souffrant des bronches. – Quelques clous de girofle **donner** du goût à ce civet. – Mes grands-parents **habiter** à Perpignan ; où les tiens **résider**-ils ?

LEÇON 22 – Écrivez les verbes en gras au présent de l'indicatif.

Brice, tu lui **reprocher** toujours ses retards et tu **avoir** raison. – Comme Leïla **faire** preuve d'une farouche volonté, tu l'**encourager** à persévérer. – Cette région **pouvoir** paraître inhospitalière à ceux qui ne la **connaître** pas. – M. London **éprouver** une reconnaissance sans borne envers les maîtres nageurs qui l'**avoir** sauvé d'une noyade certaine. – Les clients qui ne **souhaiter** pas attendre aux caisses ne **devoir** pas acheter plus de dix articles. – On ne **devoir** pas s'appuyer sur cette rampe, elle **être** trop fragile et on ne **savoir** jamais ce qui **pouvoir** arriver. – Ton père, de qui tu **tenir** ta haute stature, **dominer** encore toutes les personnes de son âge.

LEÇON 23 – Écrivez les verbes en gras au présent de l'indicatif.

À l'entrée du musée **s'aligner** des centaines de visiteurs. – Les olives que **broyer** la meule du moulin à huile **provenir** des meilleures oliveraies. – Que **devenir** les marais où **nicher** les hérons ? – Quand Johnny **entrer** en scène, une foule d'admirateurs lui **réserver** une ovation sans pareille. – Beaucoup de gens **parler** du monstre du Loch Ness, mais peu **être** capables de le décrire avec précision. – Il **stationner** plus de deux cents voitures sur ce parking. – Une cinquantaine de mécaniciens **composer** l'environnement d'une écurie de Formule 1.

LEÇON 24 – Écrivez les verbes en gras au présent de l'indicatif.

Sortir un plat du congélateur et le placer dans le four micro-ondes ne **prendre** que quelques minutes. – Le nickel, aussi bien que le cuivre, **procurer** aux pays exportateurs des revenus non négligeables. – Des compliments ou des reproches, rien ne me **surprendre** de ta part. – Ni la Suisse ni l'Autriche ne **posséder** d'ouvertures maritimes. – Tes amis et toi **faire** une pause sur l'aire d'autoroute. – Florian et Émilie **porter** les chandails que **tricoter** leur tante. – Mes cousines et moi **attendre** avec impatience le mois de mai ; c'**être** celui de nos anniversaires !

LEÇON 25 – Écrivez les verbes en gras au présent de l'indicatif.

Les noix, Boris les **casser** avec ses dents ; c'est d'une imprudence folle. – Les lions **se jeter** sur la malheureuse gazelle et la **dévorer**. – Lorsque les contribuables **payer** leurs impôts, le percepteur leur **délivrer** un reçu. – Les opérateurs ne **savoir** plus où donner de la tête ; tout le monde leur **demander** des renseignements. – Ces jeunes mariés **vouloir** ouvrir un compte ; le banquier leur **fixer** un rendez-vous. – Les annonces publicitaires des quotidiens, personne ne les **lire** d'un bout à l'autre. – Les gymnastes **exécuter** des sauts si parfaits que le jury leur **attribuer** la note maximale.

LEÇON 26 – Complétez chaque phrase avec une forme conjuguée homonyme du nom entre parenthèses ; vous préciserez l'infinitif du verbe.

(le vin) Pour plonger de ce promontoire, tu ... ton appréhension en fermant les yeux. – (la forêt) À la recherche d'eau, le sourcier ... le sol. – (le flageolet) Au moindre bruit, les jambes de M. Loubet ... . – (le soufre) M. Rivet ... d'un début de bronchite. – (un cornet) Perdu dans la brume, le patron du chalutier ... sans relâche. – (le prix) Bien que très affectée, Priscillia ... un air détaché. – (la plaie) Avec son petit chapeau rose, Virginie ... à tout le monde. – (une taie) Les convives parlent tous en même temps, seule Sylvie se ... . – (le fond) Les petits ruisseaux ... les grandes rivières. – (l'essai) Tu ... un pantalon, mais il est bien trop court pour toi.

LEÇON 27 – Accordez les participes passés des verbes en gras.

Nous serons **attendre** par nos amis à la descente du train. – Les arbres étaient **dépouiller**, les rivières étaient **geler**, la terre était **durcir** : c'était vraiment l'hiver. – Il se fait tard ; les passants sont **presser** de rentrer chez eux. – Que sont **devenir** les voitures qui disputaient le rallye de Monte-Carlo en 1950 ? – Ces enveloppes seront **décacheter** à la machine. – Les nageurs imprudents avaient sous-estimé la puissance des vagues ; ils furent **soulever**, **entraîner**, puis **rouler** jusqu'au rivage. – Les enfants ne furent pas **intéresser** par ce jeu aux règles bien trop **compliquer**. – Avec la canicule, toutes les portes étaient **fermer** et les persiennes **clore**.

LEÇON 28 – Copiez ces phrases et n'encadrez que les COD.

Les films comiques plaisent aux petits comme aux grands. – Nul ne prévoyait des réactions aussi spontanées de la part de Maxime. – Le troupeau de chèvres de M. Armand ne manque pas de fourrage. – Des châteaux forts dominent la vallée de l'Ariège. – Ce disque me plaît, mais je préfère de beaucoup celui-ci. – Les Islandais se baignent dans les sources d'eau chaude. – Cette personne a conservé une excellente mémoire. – Vous avez agité le flacon avant de l'ouvrir. – Les passagers attendent que les horaires s'affichent. – Le chevreuil surgit du fourré. – Le mont Blanc, que vous ne distinguez qu'avec peine, flotte dans le brouillard. – Tu ne triches jamais au jeu.

LEÇON 29 – Copiez ces phrases et encadrez les COI.

Les deux chefs d'entreprise parlent d'affaires les concernant. – On se souvient toujours des événements heureux de son existence. – L'araignée diffère de la mouche ; elle a huit pattes et non six. – Ses recherches, le savant les communique à toute la communauté scientifique. – Fumer nuit à ceux qui n'y ont pas encore renoncé. – Nelly répond immédiatement au SMS qu'elle reçoit. – Les concurrents dopés seront privés de compétitions officielles pendant deux ans. – Le diplomate fait part de sa mission à ses supérieurs. – Certains abandonnent leur chien, mais Fanny pense au sien. – Est-ce que vous croyez aux revenants ? – De quoi vous mêlez-vous ?

LEÇON 30 – Accordez, si nécessaire, les participes passés des verbes en gras.

Les boucles d'oreilles que vous m'avez **offrir** me plaisent beaucoup. – L'assurance que Clément a **souscrire** couvre les dégâts des eaux. – J'espère que la date tu l'as bien **inscrire** sur le chèque, ainsi que le montant. – La sonde spatiale a **émettre** des signaux depuis le sol de Mars que la base de Cap Canaveral a **capter**. – Nathalie a **commettre** une maladresse et a **renverser** la salade de fruits. – Leur réputation, ces maîtres verriers l'ont **asseoir** sur un amour du travail bien fait. – Cette toile monumentale, Picasso l'a **peindre** en quelques jours ; c'est du moins ce que l'histoire raconte. – La récompense que tu m'avais **promettre**, je l'ai **attendre** longtemps mais je n'ai pas été **décevoir**. – Combien de paniers de cerises avons-nous **cueillir** ?

LEÇON 31 – Écrivez correctement les participes passés des verbes en gras.

Ces garnements capricieux, nous les avons **voir** trépigner, pleurer, menacer ; heureusement leurs parents n'ont pas **céder**. – Le pompiste voulait regonfler les pneus de ma voiture ; je l'ai **laisser** faire. – Ses vacances furent si idylliques que Victoria ne les a pas **voir** passer. – La fusée que chacun a **voir** décoller emportait un satellite de télécommunication pakistanais. – La date de péremption de ces surgelés est **dépasser**, Omar n'a pas **oser** les consommer. – La tranchée que le terrassier avait **espérer** combler en quelques minutes se révéla plus profonde que **prévoir**. – Nos droits, nous les avons **faire** valoir auprès des autorités.

LEÇON 32 – Écrivez correctement les participes passés des verbes en gras.

Timothée classe les timbres dans son album ; il échangera ceux qu'il en aura **retirer**. – Lorsque Mme Davy est **aller** visiter la Pologne, la description qu'elle en a **faire** à ses neveux les a **ravir**. – M. Monet a **rendre** mille services à ses voisins. Ceux-ci ne lui en ont jamais **rendre**. – Tu collectionnes les histoires drôles pour distraire tes amis et tu en as déjà **remplir** un plein carnet. – Il paraît qu'il y a des lynx en liberté dans le Jura, mais je n'en ai jamais **rencontrer**. – M. Bourget a **ramasser** des chanterelles et il en a **préparer** un bon plat. – Ces spaghettis sont excellents, mais Apolline les eût **préférer** moins salés. – Le peu de mots que l'homme a **prononcer** n'a pas **permettre** de déterminer sa nationalité. – Je ne connais pas les pays que vous avez **visiter**.

LEÇON 33 – Accordez correctement les participes passés des verbes en gras.

L'avocat et son client se sont **donner** rendez-vous devant le Palais de Justice. – La Joconde, Adrien se l'était **imaginer** beaucoup plus imposante. – Lorsque Marianne et Doris se sont **rencontrer**, elles se sont **sourire**. – Les professeurs se sont **déclarer enchanter** par les résultats de leurs élèves. – Ces jeunes filles se sont **promettre** de retourner en vacances ensemble. – Les cueilleurs de fruits se sont **faire** payer leurs heures supplémentaires. – Les parachutistes se sont **assurer** du bon fonctionnement de leur matériel. – Sa retraite, M. Combe se l'est **constituer** au fil des années. – **Frapper** par une mystérieuse maladie, ces hommes se sont **affaiblir** de jour en jour. – La crème dont tu t'es **enduire** le corps te protègera du soleil.

LEÇON 34 – Complétez ces phrases avec -é (-ée, -és, -ées), -er ou -ez.

La bâche est déroul... pour protég... le court de tennis. – La France doit import... des tonnes de pétrole pour que tous les véhicules puissent roul... et que les logements soient chauff.... – Vous encoll... les murs, puis vous pos... le papier peint. – Pour mang... un yaourt, il faut utilis... une cuillère et non une fourchette. – Les coureurs dop... sont immédiatement exclus de la compétition. – Les visiteurs sont fascin... par la virtuosité de ce peintre. – Rien ne sert de critiqu..., il faut propos... une solution.

LEÇON 35 – Complétez avec le participe passé ou la forme conjuguée au présent de l'indicatif des verbes en gras. Vous justifierez la forme conjuguée en écrivant l'imparfait.

Le hall d'exposition du Salon du Livre **s'agrandir** d'année en année. – Grâce au trampoline, l'acrobate **rebondir** à une hauteur fantastique. – Ce terrain, **conquérir** sur la mer, est transformé en polder. – Ophélie **nourrir** son hamster avec des carottes bien fraîches. – Un bien mal **acquérir** ne profite jamais. – L'augmentation de salaire **promettre** a bien été versée. – Le message, **transmettre** par Internet, **parvenir** à des centaines de destinataires en un clic de souris. – Lorsque je me souviens de cette histoire, j'en **rire** encore. – Cette mauvaise nouvelle **refroidir** quelque peu l'atmosphère. – Tu as **lire** la question avec attention et tu as **savoir** répondre.

LEÇON 36 – Complétez avec est, et, ai, aie, ait ou aient.

Pour t'engager dans ces gorges sur ton canoë, il ... préférable que tu ... un gilet de sauvetage ... un casque protecteur. – Il n'... pas exclu que j'... la possibilité de me faire embaucher. – Il ... de règle que les handicapés ... des places réservées. – Mireille n'... pas étonnée que Caroline n'... pas supporté le climat tropical ... qu'elle ... pris le premier avion pour rentrer. – Il n'... pas concevable que l'organisation de cette manifestation ... connu de telles défaillances. – Les ostréiculteurs regrettent que la vente des huîtres ... été interdite. – Le bibliothécaire ... un homme fort obligeant ; il a tenu à ce que j'... accès à tous les ouvrages ... que je puisse les consulter.

LEÇON 37 – Complétez ces phrases avec *tout, toute, tous, toutes*.

Comme il a plu, les bancs sont ... mouillés. – ... les autoroutes sont saturées ; ... les vacanciers sont ... partis en même temps. – Le voyage fut agréable, mais ... a une fin. – Cet homme est, à ... égards, de bon conseil. – Mehdi préfère le rap à ... autre musique. – À ... les lieux qu'il a visités, M. Jardin préfère la douceur de sa Bourgogne natale. – Pourquoi Delphine téléphone-t-elle ... en conduisant ? Elle prend ... les risques. – Ce n'est pas ... à fait ce que tu croyais ; il faudra encore marcher trois heures ! – En juin, les pensionnaires de ce foyer vont ... partir en voyage. – Ce jeune homme, c'est ... le portrait de son père. – ... les légumes cuits à l'eau sont pauvres en calories, mais riches en vitamines. – ... les marins ont eu un jour le mal de mer. – Ces médicaments sont ... nouveaux et les médecins ne les prescrivent pas ... .

LEÇON 38 – Complétez ces phrases avec *même* ou *mêmes*.

Les castors bâtissent eux-... des barrages qui perturbent le cours des rivières. – ... lorsque les platanes semblent sains, ils peuvent abriter des champignons parasites. – Ces jeunes bénévoles ont nettoyé le square du quartier, ils ont ... repeint les bancs publics. – Dans le regard de cet homme, on retrouve toute l'expression de la bonté, ... ses yeux respirent la bienveillance. – Toutes les réformes, ... les plus urgentes, ne pourront être effectuées dans l'immédiat. – En Thaïlande, les élèves des écoles secondaires portent les ... vêtements. – En Alsace, ... les plus petits balcons sont fleuris tout au long de l'année. – Certains disent que la publicité se nourrit d'elle-... .

LEÇON 39 – Complétez ces phrases avec *quel(s), quelle(s)* ou *qu'elle(s)*.

... ennui ! Pourtant c'est un film ... m'avait conseillé de voir. – Les icônes du tableau de bord, il faut ... soient déplacées. – À ... heure le bureau de poste ouvre-t-il ? – Oriane, je ne savais pas ... avait une sœur jumelle. – Nous ignorions ... étaient leurs intentions à notre égard. – Maria est très curieuse, elle fait des recherches sur tout ce ... ne connaît pas. – ... est la saison des moissons ? – ... temps ! On ne mettrait pas un chat dehors. – Il faut voir avec ... maestria Nelly fait sauter les crêpes. – Mme Ferrand a rédigé la réclamation ... adresse au concepteur de ce robot ménager. – Le plombier remplace les conduites d'eau parce ... sont percées. – ... performance que de pouvoir se rendre de Paris à Lyon en moins de deux heures !

LEÇON 40 – Complétez ces phrases avec *ce, c', se, s'* ou *ceux*.

... téléphérique n'est pas fait pour ... qui ont le vertige. – La Galerie des Glaces est ... qu'il y a de plus magnifique à Versailles. – Nous nous retrouvons avec ... que le hasard avait déjà placés devant nous. – Les deux délégations de diplomates ... quittent sans avoir conclu un accord. – Pour ... faire entendre, le dirigeant syndical utilise ... porte-voix. – Dans ... gouffre ... trouvent des stalagmites de taille imposante. – ... guichet est réservé pour ... dont le passeport comporte un visa de tourisme. – À la vue de ... serpent, Léa ... enfuit, ... qui fit bien rire son père. – Michel me montre ... qu'il fabrique : une maquette de bateau.

LEÇON 41 – Complétez ces phrases avec *s'est, c'est* ou *ses, ces*.

... véhicules sont équipés d'un GPS ; ... un dispositif qui permet de s'orienter plus facilement. – Chaque vendredi soir, à la sortie des bureaux, ... la bousculade habituelle ; chacun va retrouver sa famille ou ... amis. – Le chercheur ... malheureusement trompé dans ... calculs ; il devra reprendre ... expériences. – Ce canal est poissonneux ; ... pourquoi, chaque dimanche, on voit des centaines de pêcheurs sur ... berges. – Lucas ... découvert une nouvelle occupation ; écrire ... souvenirs d'écolier. – ... étonnant, ... plantes ont poussé sans engrais ! – ... nectarines sont trop mûres ; ... déjà la fin de l'été. – En voulant retourner ... saucisses, Paulin ... brûlé la main. – Jennifer a changé ... boucles d'oreilles ; ... plus discret, affirme son mari. – Hélène ... équipée d'un nouveau modem pour mieux recevoir ... messages.

LEÇON 42 – Complétez ces phrases avec *ont, on* ou *on n'*.

... a toujours du plaisir à bavarder avec ceux qui ... les mêmes goûts que nous. – ... entend la sirène du bateau qu'... aperçoit pas encore. – ... arrivera avant la nuit si ... est pas retardé. – Au refuge, tout sera fourni, ... emportera donc ni draps ni couvertures. – Les ingénieurs ... étudié la possibilité d'implanter une usine de cosmétiques dans la région. – Lorsqu'... achète un produit au plus bas prix, ... est pas certain de sa qualité. – Par économie, ... allume qu'un lampadaire sur deux. – Si ... voulait tout savoir sur les guerres de Religion, ... en finirait pas de consulter des dizaines d'ouvrages. – Sur les quais, les grues ... soulevé les conteneurs et les ... placés dans la cale du cargo. – Ces musiciens amateurs ... enregistré leur premier disque et ... leur prédit un grand avenir, s'ils ... le souci de toujours soigner leur orchestration.

LEÇON 43 – Complétez ces phrases avec *soi, soit* ou *sois*.

Lorsqu'il pleut à verse, il vaut mieux rentrer chez ... . – On n'est jamais si bien servi que par ...-même. – Dans ce magasin, on peut examiner ...-même tous les articles. – Quand on vous confie un secret, il faut le garder pour ... . – Joël Rattoni sera sélectionné ... comme arrière, ... comme demi de mêlée. – Bien qu'il ... un peu clair, j'achèterai ce pantalon. – Un mètre cube d'eau, c'est 1 000 dm³, ... 1 000 litres. – Les ingénieurs regrettent que le satellite ne ... pas placé sur la bonne orbite. – Je continuerai à courir jusqu'à ce que je ... épuisée. – Tu es le seul qui ... capable de m'aider à couper les branches de cet arbre. – ... tu es « gémeaux », ... tu es « capricorne », mais quel que ... ton signe astrologique ton horoscope te promet une semaine agréable.

LEÇON 44 – Complétez ces phrases avec *si, s'y, ni* ou *n'y*.

Le manteau de la cheminée du salon est ... haut qu'un homme ... tient aisément debout. – Le bruit de fond est gênant, mais peu à peu on ... habitue. – Le tracteur s'engage dans un chemin défoncé par les pluies et ... embourbe. – Pourquoi le tigre est-il un animal ... cruel ? – Lorsque Émeline a un travail à faire, elle ... met avec ardeur. – ... le douanier réclame les passeports, vous devrez les lui remettre. – Il ... a eu ... joueur blessé ... arrêt de jeu ; il ... aura donc pas de temps additionnel. – Comme il ... a ... panneaux indicateurs ... feux tricolores, les automobilistes sont désemparés. – Dans les grandes villes de Colombie de nombreux enfants n'ont ... famille ... domicile, ils vivent dans la rue.

LEÇON 45 – Complétez ces phrases avec *sans, s'en, sent, sens* ou *c'en*.

... est fait, la famille Flandre n'ira pas en Espagne cette année, mais elle ... remettra, elle ira au bord du lac d'Annecy. – ... une réaction d'orgueil des joueurs en deuxième mi-temps, ... sera fini des chances de l'équipe de France. – Caroline mange des spaghettis à ... barbouiller le menton. – Les spectateurs ... vont à regret, tant le concert fut une réussite. – Je ... que la chaleur va persister encore quelques heures. – Valérien a acheté un VTT ... garde-boue. – ... paix et ... justice, il n'y a pas de vie sociale possible. – M. Guichard est capable de trouver la racine carrée d'un nombre ... utiliser de calculatrice ; comment fait-il ? – Lucien ... défend, mais c'est un amateur de chocolat noir, il ne passe pas une journée ... croquer un carré. – M. Hua a arrêté de fumer ; il ... porte mieux et constate qu'on peut vivre ... cigarettes.

LEÇON 46 – Complétez avec *quelque(s), quel(s) que* ou *quelle(s) que*.

... soient les émissions qu'ils regardent, les enfants sont attentifs. – Ce candidat sera sans doute tombé dans ... piège tendu par l'examinateur. – Il n'y avait pas dans son attitude ... affectation ; tout était naturel en lui. – ... alpinistes, bien imprudents, n'ont pas respecté les consignes de sécurité. – ... soit l'heure du départ de l'avion, vous aurez le temps de prendre votre petit-déjeuner. – Nous avons perçu ... animosité dans votre attitude. – ... soit l'endroit où tu te trouves, tu es rarement satisfaite ; c'est désespérant. – Défaits à la dernière minute, les basketteurs français ont ... regrets. – Ce trajet en autobus ne vous coûtera que ... euros. – ... soit l'état du terrain, la partie débutera à quinze heures.

LEÇON 47 – Complétez ces phrases avec *la, l'a, l'as, là* ou *sa, ça, çà*.

Arnaud se mit en colère et, ...-dessus, il prit la porte et s'en alla. – ... où il y a de ... gêne, il n'y a pas de plaisir. – Ce médicament, tu ... avalé d'un trait : alors ..., tu nous étonnes ! – Bien que ... vedette arbore une robe fort décolletée, personne ne ... remarquée ! – En cherchant bien, nous avons pu trouver ... et ... quelques champignons. – ... fait deux mois qu'il n'a pas plu sur cette région ; comment les scientifiques expliquent-ils ... ? – Une histoire pareille, ... ne s'invente pas ! – Gabriel est satisfait, ... formation professionnelle lui a permis de trouver rapidement un emploi. – Le comportement violent de ce sportif a entaché ... réputation.

LEÇON 48 – Complétez ces phrases avec *près*, *prêt* ou *prêts*.

Le starter donne le départ d'une voix forte : « À vos marques, ..., partez ! » – Les négociateurs argentins ne sont pas ... à faire des concessions. – À la bibliothèque municipale, le ... de livres est gratuit. – Certaines banques consentent des ... avantageux aux étudiants. – Les gendarmes suivent ce trafic de stupéfiants de très ... ; ils sont ... à intervenir dès que l'occasion se présentera. – « Nous sommes ... pour l'atterrissage », annonce le commandant de bord aux passagers. – À deux minutes ..., nous manquions la benne du téléphérique. – Le code de la route est formel, il ne faut pas suivre les véhicules qui vous précèdent de trop ... .

LEÇON 49 – Complétez ces phrases avec *peut, peux* ou *peu*.

Cette berline ne ... pas démarrer car il n'y a que ... d'essence dans le réservoir. – Tu ... toujours t'inscrire à un jeu télévisé, mais tu as ... de chance d'être sélectionnée, tu es encore un ... jeune. – Il se ... que, un jour, le Gulf Stream ne vienne plus réchauffer l'ouest de l'Europe. – Versez ... à ... le lait sur la farine avant d'ajouter un tout petit ... de liqueur de fleur d'oranger. – ...-tu écrire un ... mieux ? Je ne ... pas te lire. – J'ai ... de temps et je ne ... pas attendre. – L'eau est ... profonde, tu ... te baigner sans crainte, mais tu ne ... pas plonger.

LEÇON 50 – Complétez ces phrases avec *quand, quant, qu'en / ou, où*.

On m'a fait cadeau d'un cendrier mais je ne sais ... faire car je ne fume jamais ! – ... on n'a pas de point de repère, on se dirige au hasard. – On ne trouve des pizzas de cette qualité ... Italie. – Tous les techniciens sont réunis autour du metteur en scène, ... à l'actrice principale, on l'attend encore sur le plateau. – Laurette ne se baigne jamais ... l'eau n'atteint pas 25°. – En vacances, il faut toujours emporter deux ... trois boîtes de médicaments, on ne sait jamais ! – Savez-vous ... se trouve le lac Baïkal ? – M. Berthet perce un trou là ... il veut accrocher un tableau. – Est-ce la trace d'un serval ... d'un guépard ? – Dans l'état ... se trouve cette voiture, il n'est pas normal qu'elle roule encore.

LEÇON 51 – Complétez ces phrases avec *quoique* ou *quoi que*.

Cette salle est fort bien aménagée ... avec moins de luxe que la précédente. – ... vous plantiez dans ce terrain, rien ne poussera. – L'attente au péage n'est pas si longue ...'il y ait nombre de véhicules. – ... M. Marmier entreprenne, il réussit toujours. – ... parfaitement outillé, Gérard ne peut démonter la vidange de la machine à laver. – ...'il soit un peu fatigué, Barthélemy poursuit sa route. – ...'elle espère trouver sous le sapin le jour de Noël, Dolorès sera contente.

LEÇON 52 – Écrivez les noms en gras au pluriel et faites les accords nécessaires.

Avez-vous déjà rencontré un **homme** parlant le chinois et le japonais ? – Perçant le dallage, le **plombier** prépare le passage de ses tuyaux. – Nous avons reçu un **message** alarmant de nos amis martiniquais ; un cyclone s'approcherait des côtes. – Observant l'éclipse totale de Lune, l'**astronome** est enthousiasmé. – Affamé et terrifiant, le **lion** s'est jeté sur sa proie. – Le **bénéfice** de ce mois est encourageant ; l'usine va embaucher des ouvriers. – Cet **enfant** imprudent s'est brûlé en jouant avec des allumettes. – En l'invitant à cette fête, vous avez fait plaisir à votre **ami**.

LEÇON 53 – Complétez ces mots avec des accents aigus, graves ou circonflexes.

un interet	un pieton	un chene	un ancetre	vehiculer
un eveque	la grele	l'aeroport	la treve	l'extremite
parallele	le gresil	la fenetre	la deesse	la tete
reciter	la planete	l'arene	inquieter	teter
rever	enqueter	preter	honnete	pedaler

LEÇON 54 – Copiez ces phrases en plaçant correctement les traits d'union.

Lire des romans de contre espionnage, c'est le passe temps favori de M. Lenoir. – Le contre la montre arrivera à Aix les Bains. – Participerez vous à la prochaine campagne électorale ou vous abstiendrez vous ? – Renseigne toi sur les qualités exigées pour exercer le métier d'aide soignante. – Aucun des vingt cinq élèves de cette classe n'a obtenu une note au dessus de la moyenne. – C'est en mille neuf cent quatre vingt dix huit que Mme Barbier est allée en Extrême Orient. – C'est à cette époque là que les habitants de la vallée de l'Ubaye sont partis à l'aventure au Mexique.

LEÇON 55 – Écrivez ces phrases en toutes lettres en remplaçant les abréviations, les sigles et les symboles par leur signification d'origine.

Les adhérents de la **CGT** participent à une **manif** pour revendiquer une augmentation du **SMIC**, défendre la **Sécu** et transformer tous les emplois en **CDD** en emplois en **CDI**. – Orane enregistre des **CD** pour se faire une **compil** de **45 min** de musique **électro**. – Profitant de la **RTT**, les employés de cette **Cie** quittent leur travail à **15 h**. – Il faudra changer les **pneus** de cette **auto** et remplir le réservoir avec **60 L** de **super**. – **3 €** ! Le prix de ce **déca** est trop élevé même si la **TVA** à **17 %** est incluse. – Les **écolos** ont fauché un champ de **3 ha** de maïs **OGM**.

LEÇON 56 – Complétez les mots dans lesquels on entend les sons [s] et [z].

Les hommes politiques doivent faire preuve de di...ernement lorsqu'ils prennent une dé...i...ion. – Les adole...ents ...ont une des ...ibles privilégiées des publi...itaires. – Dans les régimes peu démocratiques, ...ertains référendums ...e tran...forment en plébi...ites. – Dans le noir, il faut avan...er avec beaucoup de précau...ions. – Si l'a...en...eur est inutili...able, nous emprunterons l'e...calier. – Dimanche, tous les ...itoyens fran...ais ...ont appelés à voter. – La di...cu...ion est vive, chacun pen...e avoir rai...on. – ...ertaines lo...ions capillaires favori...ent la pou...e des cheveux. – La péniche ...e pré...ente à l'entrée de l'éclu...e.

LEÇON 57 – Complétez les mots dans lesquels on entend le son [k].

Les visiteurs admirent les anti...ités gre...es du musée du Louvre. – Le ...atholicisme et le protestantisme sont des religions ...rétiennes. – Le verdi...t du ...ronomètre est impitoyable : Laurent n'est que ...atrième de l'étape ...ontre-la-montre. – À leur mort, les pharaons égyptiens étaient placés dans des sar...ophages richement dé...orés. – Ce judo...a tchè...e est devenu champion olympi...e. – Comment les ar...éologues trouvent-ils des vestiges au milieu de ces ...aos de blo...s et de rochers ? – Le ...lorure de sodium est le nom scientifi...e du sel de ...uisine. – La Nouvelle-...alédonie est un important exportateur de ni...el. – Vi...toria présente le jeu de l'élasti...e à sa grand-mère qui la regarde étonnée ...ar, à son épo...e, ce jeu n'existait pas dans les é...oles.

LEÇON 58 – Complétez les mots dans lesquels on entend le son [ã].

L'installation de votre t...te sur l'...placem... prévu ne doit pas se faire aux dép... des autres c...peurs. – Cet artis... p...se ...baucher un appr...ti dans quelques jours. – Ce charlat... prét...d fabriquer un carbur... avec de simples bottes de paille ! – Lorsque le présid... est abs..., c'est son assist... qui dirige les débats. – La t...te d'Alex...dre pr...d de t... de lire son journal chaque matin. – Ce dépli... met l'acc... sur l'intérêt des collectes de s... . – Muni d'un scaph...dre autonome, Gabriel plonge à la recherche d'...phores. – Lorsqu'on se trouve au c...tre d'une ville, il faut faire très att...tion car cet ...droit est d...gereux. – L'...quête dilig...tée par le commissaire a conduit à l'arrestation d'un brig... qui h...tait les ...virons du quartier. – Cette ...cienne ...tenne ne permet plus de réceptionner les différ...tes chaînes étr...gères.

LEÇON 59 – Complétez les mots dans lesquels on entend le son [ɛ̃].

Cert...s l...guistes se passionnent pour les langues rares d'Amérique du Sud. – On dit que le ch...panzé est un s...ge doté d'une ...telligence bi... supérieure à celle de ses congénères. – Ce message est ...portant ; lisez-le dès m...tenant. – Cette eau est l...pide, vous pouvez la boire sans cr...te. – À la veille de l'exam..., pour v...cre son angoisse, Sylv... regarde l'épisode d'un feuilleton télévisé. – Le parr... de ton cous... revi...t du Bén... où il a travaillé pendant v...gt mois. – Il y a longtemps qu'on ne moud plus de gr... dans ce moul... à vent. – Les Jeux ol...piques auront lieu à Londres en 2012. – Cet artiste p...t des paysages magnifiques ; dem..., il sera célèbre.

LEÇON 60 – Copiez ces phrases en complétant les mots avec f, ff ou ph.

Le dau...in est un mammi...ère aquatique intelligent et très a...ectueux. – À la sur...ace de cet étang, on admire de magni...iques nénu...ars. – Avant d'a...irmer quelque chose, il ...aut ré...léchir longuement. – A...in d'avoir les meilleures places, les spectateurs s'engou...rent dans le couloir. – Le patineur a e...ectué un saut ...antastique ; son exhibition ...ut par...aite. – Le chau...eur doit régler ses ...ares dans les plus bre...s délais. – Pour e...rayer tes amis, tu te déguises en ...antôme avec de vieux chi...ons. – Dans le nombre trente-neu..., combien y a-t-il de chi...res ? – En ...rançais, l'al...abet compte vingt-six lettres. – Le jour de l'Épi...anie, on tire les rois. – Dans cette ...rase, il y a un adjecti... démonstrati... . – Ouvrez les ...enêtres, car on étou...e ici. – Nous pro...itons d'une redi...usion de ce ...euilleton pour l'enregistrer.

LEÇON 61 – Écrivez les verbes correspondant à ces noms.

l'outil	le relais	le gril	l'éveil	l'essai
le balai	l'onde	la monnaie	l'emploi	le cri
la rouille	le détail	le fusil	le sourcil	la paie

LEÇON 62 – Complétez ces mots dans lesquels on entend les sons [g] et [ʒ].

Quel est le coura...eux chevalier qui vaincra le dra...on ? – Dans un rectan...le, la lon...eur est plus lon...e que la lar...eur. – Arthur a une an...ine ; il a mal à la ...or...e et il a de la fièvre. – Pour mai...rir, ces ...eunes personnes suivent un ré...ime sans pain ni ...raisse. – Avant la construction de la di...e, les inondations rava...aient les cultures. – En man...ant, ...eor...ina s'est mordu la lan...e. – Les ba...a...es de Mar...erite sont restés dans la soute de l'avion. – Lorsque ...e re...arde le fond de la vallée, ...'ai le verti...e. – On char...e une car...aison de ca...ots de lé...umes verts dans ce camion. – Les wa...ons de marchandises seront déchargés en ...are de Di...on.

LEÇON 63 – Dans les mots en gras, on entend le son [ø] ; complétez-les.

La **l...cémie** est une terrible maladie que l'on guérit **h...r...sement** assez souvent. – Les fleurs de l'**...calyptus** sont particulièrement odorantes. – Une **m...te** de paparazzis poursuit l'actrice pour obtenir l'exclusivité d'une photo. – Les musulmans **j...nent** pendant le ramadan. – Le démineur a **n...tralisé** un engin explosif datant de la Première Guerre mondiale. – Karine a terminé **n...vième** lors de la finale de ce concours de chant. – Le **n...tron** est une particule élémentaire des noyaux atomiques. – La manifestation pacifique a tourné à l'**ém...te**. – Le **f...hn** est le nom d'un vent du sud-ouest chaud et sec. – Le métier de **m...nier** a beaucoup évolué depuis que les moulins ont été mécanisés. – Le chauffeur gonfle les **pn...** de son camion. – Les clients font la **qu...** devant les caisses.

LEÇON 64 – Complétez ces mots dans lesquels on entend le son [5].

un r...geur	une b...be	c...bler	une b...bonnière	un d...pteur	s...ptueux
un t...beau	une tr...pe	la b...té	le f...dateur	p...dre	prof...d
s...bre	un s...ge	une ...bre	un gr...dement	un bourge...	r...pre
un dém...	un prén...	le c...tinent	n...breux	c...sistant	le ray...

LEÇON 65 – Complétez ces phrases avec un homonyme du mot entre parenthèses.

(la pâte) Pour obtenir un sucre, le chien donne la ... à son maître. – (la cane) La jambe plâtrée, Virginie se déplace avec une ... . – (la bête) Les côtes de ... sont assaisonnées avec un peu de persil et d'ail. – (la balade) « La ... des Pendus » est un poème de François Villon. – (le balai) Le « Lac des Cygnes » est peut-être le ... le plus dansé au monde. – (la cour) La chasse à ... est bien cruelle pour le gibier. – (un atèle) Le palefrenier ... le trotteur à son sulky. – (la cote) Au Moyen Âge, les chevaliers portaient des ... de mailles. – (taire) La ... de ce jardin est très fertile. –

(pallier) Mon voisin de ... est très souvent absent. – (il sert) Les tomates cultivées sous ... sont moins parfumées que celles venant à maturité au soleil.

LEÇON 66 – Écrivez le contraire des adjectifs suivants en utilisant des préfixes.

lisible	mature	différent	réversible	logique	mobile
réfléchi	soluble	matériel	observable	régulier	licite
légitime	lettré	moral	défini	rationnel	mortel
responsable	partial	correct	réaliste	révocable	usité
buvable	utile	réel	maculé	populaire	avoué

LEÇON 67 – Complétez ces noms terminés par [waʀ] ou [œʀ].

L'audit... est attentif car l'exposé du professeur est intéressant. – Ce chanteur possède un répert... étendu. – La chasse est interdite sur tout le territ... de cette commune. – Au sortir de l'eau, la nageuse enfile un peign... de bain bleu. – On est toujours heureux quand on a fait son dev... . – À la vente aux enchères, ce tableau de val... a trouvé un riche acquér... . – Tu as commis une err..., reprends tous les calculs. – Le supermarché ferme ses portes à vingt h... . – La s... de Gaétan est en pl... ; son petit chat a disparu. – Le trapp... dispose un l... pour attirer les renards. – Il n'y a pas péril en la dem..., prends ton temps. – Tu bois à contrec... ce sirop bien amer. – Le direct... de l'usine a des collaborat... qui le secondent parfaitement.

LEÇON 68 – Complétez ces noms terminés par le son [o].

La nourrice pousse le land... du bébé. – Au Mali, les sauterelles sont un véritable flé... pour les cultures. – Les spéléologues progressent dans un étroit boy... . – Grégory a fait un accr... à son blouson. – Dès qu'on le touche, l'escarg... rentre dans sa coquille. – Steve n'a pas de chance, son tir s'est écrasé sur le pot... . – Le ros... plie mais ne rompt pas, c'est du moins ce qu'écrivait La Fontaine. – Coluche disait que l'artich... est le légume du pauvre parce que lorsque vous l'avez mangé, votre assiette est plus garnie qu'au début du repas. – Une des spécialités des sorcières est sans conteste la poudre de crap... . – Le caca... est la principale ressource agricole de la Côte d'Ivoire. – Ce chien montre les cr... .

LEÇON 69 – Écrivez les noms terminés par le son [ɛ] correspondant à ces verbes.

Ex. : jouer → le jouet

fouetter	relayer	riveter	refléter	siffler	balayer
essayer	payer	arrêter	souhaiter	pagayer	remblayer
décéder	engraisser	rabaisser	progresser	faire	piqueter

LEÇON 70 – Complétez ces noms avec -é, -ée ou -er.

L'intelligence du chimpanz... étonne les spécialistes. – À l'École des Sorci..., la spécialit... de Rogue, ce sont les potions. – L'ann... civile débute le 1ᵉʳ janvi... ; l'ann... scolaire le 1ᵉʳ septembre. – La chauss... enneigée sera dégagée dans la matin... . – Avec trois pellet... de gravi..., le cantonni... a comblé le foss... . – L'entr... du chanti... est réservée aux seuls ouvri... . – Avec une pinc... de sel, ce velout... de champignons sera délicieux. – Soutenu par ses équipi..., le demi de mêl... effectue une perc... . – Marco n'a fait qu'une bouch... de cette tranche de pât... . – D'une enjamb..., Kévin franchit la tranch... .

LEÇON 71 – Complétez ces noms terminés par les sons [i] ou [y].

Les éditeurs vendent désormais des encyclopéd... consultables à l'aide d'un ordinateur. – Le maçon utilise un tam... pour passer le sable. – De quel pays la roup... est-elle la monnaie ? – Victime d'une avar..., ce navire regagne le port. – Il est peu probable que chacun de nous ait un véritable sos... . – Ce suspect est innocenté, car il a un solide alib... . – Le r... est l'aliment de base de nombreux pays. – Geronimo était le chef de la trib... apache des Chiricahuas. – La Pologne a payé un lourd trib... en vies humaines lors de la Seconde Guerre mondiale. – Solène habite au numéro 64 de la r... Garibaldi. – Samia trempe ses pieds dans un petit r... qui serpente dans la prairie. – Le Chablis est un cr... renommé de la région Bourgogne. – Le Rhône est en cr... ; les digues tiendront-elles ? – Le photographe est à l'aff..., mais les rhinocéros se font rares. – Les employés ont beaucoup de difficulté pour contrôler le fl... des clients attirés par les soldes. – La lait... est la plus commune des salades.

LEÇON 72 – Complétez ces noms terminés par les sons [u] ou [wa].

la r...	un verr...	un t...	un burn...	un rendez-v...	un ép...
un garde-b...	un tab...	le saind...	un avant-g...	un marab...	le dég...
un ég...	le m...	le l...	une lampr...	un casse-n...	à mi-v...
un détr...	le désarr...	un avant-t...	l'env...	un passe-dr...	un ch...
un porte-v...	le dr...	l'...	un siam...	un sans-empl...	un bourge...

LEÇON 73 – Complétez ces noms terminés par le son [l].

[al]	un b...	une st...	un ch...	un déd...	le h...
	une cig...	un pét...	un r...	une fili...	un sign...
[ɛl] ou [il]	un app...	une ru...	une sem...	la mo...	une bi...
	un mod...	la gr...	un as...	les sourc...	un vaudev...
[ol], [ɔl] ou [ul]	une cons...	le p... Sud	le rossign...	une gir...	le protoc...
	la pil...	le rec...	le cum...	un somnamb...	la basc...

LEÇON 74 – Complétez ces noms terminés par le son [ʀ].

[aʀ]	un foul...	un av...	une b...	un dép...
	un b...	un calam...	un ch...	un j...
[ɛʀ]	un émiss...	un rep...	une mol...	l'env...
	le conc...	un c...-volant	l'estu...	le fauss...
[iʀ] ou [oʀ]	un emp...	un mart...	un mirad...	un rec...
	une amph...	le déc...	le folkl...	un app...
	un quatu...	le dél...	l'aur...	le conf...
[yʀ]	le merc...	le fut...	une avent...	un m...

LEÇON 75 – Complétez ces phrases avec un nom en -ance, -anse, -ence ou -ense.

Le réservoir d'ess... est renforcé pour ne pas s'enflammer en cas de choc violent. – Quand on fait son devoir, on a la consci... tranquille. – Cette chute est la conséqu... de votre imprud.... – Vous avez la ch... d'habiter dans une résid... de grand confort. – L'ambul... fait dilig... pour arriver sur les lieux de l'accident : il y a urg... . – Une conféré... se tient sous la présid... du ministre des Fin... . – M. Verdun a pris une assur... contre les nuis... sonores. – La sé... de voy... se déroule dans une ambi... de recueillement. – Le petit voilier s'est réfugié dans une ... bien protégée.

LEÇON 76 – Complétez ces mots avec une lettre muette.

le secour...	le compa...	du taba...	un buvar...	un artichau...
un écla...	du lila...	une perdri...	du siro...	un réchau...
un repa...	un étan...	du vergla...	du caoutchou...	un crapau...
un rally...	la souri...	un talu...	le velour...	le camboui...
le cervela...	le nœu...	un foular...	un radi...	le syndica...

LEÇON 77 – Si nécessaire, complétez ces mots avec un h.

une ...oreille	...urler	...ausser	un ...ôpital
un ...oraire	...aleter	...austère	...éberger
une ...onte	...arpenter	une ...élite	un ...aristocrate
un ...angar	une ...armonie	un ...anchois	...ideux
...agard	une ...anguille	une ...amende	une ...ypothèse

LEÇON 78 – Si nécessaire, complétez ces mots avec des lettres muettes.

Surpris par la pluie, le pêcheur s'abrite sous une ca...ute au bord de l'étang. – La tra...ison de Ganelon a provoqué la mort de Roland. – Je crois que le com...te est exa...t . – Le com...te de Chambord revendiqua, en vain, le trône de France. – Cette pièce de t...éâtre est désopilante ; le public est ent...ousiasmé. – Les policiers ont appré...endé un suspe...t. – Einstein a élaboré une t...éorie co...érente de la relativité. – Le r...ume des foins est une allergie. – De nombreuses sci...ries sont installées près de la forêt vo...gienne. – Avec le feu d'art...ifice, la fête se termine en apot...éose. – L'industrie a besoin de tec...niciens. – Les vitraux de la cat...édrale de Chartres sont splendides.

LEÇON 79 – Complétez ces mots avec *x, ex, cc* ou *exc*.

un ...édent	...humer	une ...ursion	va...iner	la su...ession
...ubérant	un ...amen	...empter	a...éder	l'...eption
into...iquer	l'a...élérateur	le parado...e	la fi...ation	l'asphy...ie
l'o...iput	l'...pulsion	l'...il	la co...inelle	a...éder

LEÇON 80 – À l'aide d'un préfixe, écrivez le contraire de ces mots.

opportun	exprimable	accordé	armer	moral	occupé
hospitalier	légal	orienté	habillé	hydraté	logique
attendu	palpable	flexible	serrer	honorer	habité

LEÇON 81 – Complétez ces phrases avec l'homonyme qui convient.

(cou – coup – coût) Quel est le ... de cette réparation ? – (lice – lys – lisse) Le ... est une fleur très odorante. – (vos – veau – vaut) Que ... cette horloge ancienne ? – (étang – étend – étant) Les roseaux envahissent l'... de Sargon. – (prix – pris – prie) Frida a ... le temps de réfléchir. – (maire – mer – mère) Où se trouve la ... des Sargasses ? – (reine – rêne – renne) Le cavalier tient fermement les ... . – (teint – thym – tain) M. Delarue a des cheveux blancs, mais il les ... en noir. – (reperds – repaire – repère) Le bateau pirate a regagné son ... dans une île de la mer des Caraïbes. – (sensé – censé) Voici une réponse ... .

LEÇON 82 – Écrivez ces noms composés au pluriel. Aidez-vous d'un dictionnaire.

un pull-over	un boy-scout	un music-hall	un pipe-line
un camping-car	un tee-shirt	un blue-jean	un chewing-gum
un hot-dog	un fox-terrier	un hit-parade	un self-service
un night-club	un fast-food	un best-seller	un drop-goal

LEÇON 83 – Complétez ces phrases avec les mots proposés.

effraction / infraction – aveuglement / aveuglément – réflexion / réfection – indignation / indigestion – dénouement / dénuement – astrologue / astronome

Ces malheureux sont dans le plus complet ... . – Le ... de ce roman m'a quelque peu déçu. – Cet ... prédit l'avenir de ceux qui veulent bien le croire. – L'... observe une comète à l'aide d'un puissant télescope. – C'est faire preuve d'... que de continuer à croire aux revenants. – Disciplinés, vous suivez ... les instructions. – Si vous mangez quatre parts de tarte, gare à l'... ! – La maltraitance des animaux ne peut soulever que l'... . – Ce véhicule stationne sur un passage protégé ; il est en ... . – Le cambrioleur a pénétré par ... dans l'appartement. – La ... de la façade a embelli cet immeuble. – Vous avez pris votre décision après mûre ... .

LEÇON 84 – À l'aide d'un mot de la même famille, justifiez les lettres en gras.

Ex. : l'acrobatie → l'acrobate

partiel	contraire	l'écorce	la diplomatie	insulaire
la main	le respect	opportun	la démocratie	le rein
populaire	le minerai	serein	la baignade	vain

LEÇON 85 – Remplacez les prépositions en gras par celles qui conviennent.

Comme il souffre d'une molaire, M. Storet se rend **au** dentiste. – Vous pouvez entrer, la clé est **après** la serrure. – Le couvreur appuie son échelle **après** le mur. – Les cow-boys devaient savoir monter **au** cheval en toutes circonstances. – Le maire inaugurera le gymnase samedi prochain ; M. Paillet l'a lu **sur** le journal. – Les journalistes se sont assis **dans** les chaises mises **durant** leur disposition. – Depuis qu'il travaille dans une agence de publicité, M. Mariotte habite **sur** Paris. – Deux fois **le** mois, un grand marché aux bestiaux se tient sur la place de Louhans. – Étourdi, Gabriel a oublié l'adresse **à** son cousin. – Martha se coiffe **de** son peigne. – **Selon** son service militaire, M. Guiter a beaucoup voyagé ; il était dans la marine.

LEÇON 86 – Transformez ces propositions juxtaposées en propositions coordonnées.

Tous les véhicules sont à bord du ferry-boat ; les marins larguent les amarres. – Pierrick a bien reçu les messages sur son ordinateur : il ne peut pas les ouvrir. – Karen a tenu son pari : il a plongé du haut de la falaise. – Les députés siègent depuis le début de l'après-midi, ils devraient avoir terminé l'examen de cette loi en fin de soirée. – César bat les cartes ; Marc les distribue. – Sarah m'a envoyé un SMS : elle est bien arrivée. – Le terrain est impraticable, le match a été annulé. – Deux hommes ont été soupçonnés de vol ; ils sont innocents.

LEÇON 87 – Complétez ces phrases avec le pronom relatif qui convient.

Mila songe à la soirée à ... Marie l'a invitée. – Les tisanes ... tu me vantes les vertus n'ont aucun effet sur moi. – Les personnes ... ne perçoivent plus de salaire depuis des mois touchent le RMI. – Le Vietnam est le pays ... Nadine aimerait passer ses vacances. – Les délégués ... les employés ont désignés rencontreront le directeur. – Le parking dans ... nous avons garé notre voiture est gardé. – Les arbres sur ..., enfants, nous grimpions ont été abattus. – Les abeilles ... butinent les fleurs participent à la pollinisation. – Les factures ... le comptable fait état devront être réglées.

LEÇON 88 – Mettez le verbe de la proposition subordonnée au présent de l'indicatif ou au présent du subjonctif.

Ces parents font des sacrifices pour que leur fille **entreprendre** des études de médecine. – Bien que le skieur **connaître** les risques d'avalanche, il s'est engagé dans une zone dangereuse. – Pouvez-vous nous communiquer votre numéro de client afin que nous **pouvoir** enregistrer votre commande ? – Toutes les fois que nous **franchir** un col, nous jouissons d'un panorama exceptionnel. – Après que le cyclone **avoir** ravagé la Nouvelle-Orléans, les plans de reconstruction se sont succédé. – Ce commerçant affirme qu'il **atteindre** régulièrement ses objectifs de vente.

LEÇON 89 – Complétez ces phrases avec les adverbes qui conviennent.

Personne n'est d'acc... ; il faudra rediscuter. – Laurette a m... aux dents ; elle se rendra chez le dentiste. – Il y a tr... de bruit ; je ne resterai pas dav... dans cette salle. – Il n'est pas facile de jouer du piano deb... ! – Le parasol est ass... bien fixé ; il ne s'envolera pas. – Dés..., les pays développés devront économiser l'énergie. – À pe... écloses, ces roses se sont fanées. – Le château du Louvre est mai... transformé en musée. – Au Sahara, il ne pleut pas bea... .

LEÇON 90 – Remplacez les mots en gras par un adverbe de manière en *-ment*.

La lumière s'est éteinte **de façon brusque**. – Ce magazine de mode paraît **tous les mois**. – Farida a présenté **avec clarté** la situation au directeur. – Les empereurs chinois vivaient **dans le luxe** de la Cité interdite. – Il faut toujours traverser **avec prudence** sur les passages protégés. – Les arboriculteurs produisent des cerises **en abondance**. – L'actrice a jeté **avec négligence** une cape de soie sur ses épaules. – La caravane a **de manière mystérieuse** disparu derrière les dunes.

LEÇON 91 – Copiez ces phrases en supprimant les répétitions en gras.

Pascal utilise son ordinateur, mais Rémi constate que **son ordinateur** est en panne. – La sortie de la rue Mozart est fermée, nous utiliserons **la sortie** de la rue Pasteur. – J'écris mon adresse sur le formulaire, mais il n'y a plus de place pour que tu y inscrives aussi **ton adresse**. – Rangez vos vêtements ; nous plierons **nos vêtements**. – L'autobus de 16 heures vient de passer et je l'ai manqué ; je prendrai **l'autobus** de 17 heures. – Les feux tricolores de ce carrefour sont éteints, mais **les feux tricolores** du boulevard Mermoz fonctionnent. – Aujourd'hui, la chaussée est recouverte de neige mais **que la chaussée soit recouverte de neige** n'arrive pas souvent.

LEÇON 92 – Transformez ces phrases à la voix passive. Respectez les temps.

Les convives ont apprécié le repas. – Gutenberg a inventé l'imprimerie. – Blandine nous a invités à déjeuner. – Le contrôleur a vérifié les billets. – Le demi de mêlée transforme l'essai. – Ian Fleming a découvert la pénicilline. – Une réglementation stricte fixe les prix. – Le plombier soudait les tuyaux. – La Lune éclipsait peu à peu le Soleil. – La loi interdit la contrefaçon de vêtements de luxe. – La réaction du fauve surprend le dompteur. – Le daltonien confondra ces couleurs. – La compagnie des eaux envoie périodiquement les relevés de consommation à ses abonnés. – Dans le métro, des milliers de personnes lisent les journaux.

LEÇON 93 – Mettez ces phrases à la forme négative en utilisant ces locutions.

ne ... pas – ne ... rien – ne ... plus – ne ... jamais – ne ... guère – ne ... que – ne ... ni ... ni – ne ... point – personne ne – aucun ... ne

Tout le monde réagit aux propos de cet homme politique. – Quelques-uns des bateaux appareilleront dans la soirée. – Les musiciens reprennent le dernier mouvement de la symphonie. – Ces prédictions convainquent ceux qui ont une confiance illimitée en leur horoscope. – La machine à vapeur a survécu à l'apparition de l'électricité et du moteur à explosion. – Contrairement à tous les usages, le vendeur garantit le remplacement des pièces et la main-d'œuvre. – Malgré un régime draconien, ces personnes maigrissent. – Ce nouvel outil sert à tout. – Comme la piste est en réfection, les avions atterrissent à Marignane. – Martin s'endort toujours sans avoir lu un article de son journal ou un chapitre de roman.

LEÇON 94 – Écrivez les verbes en gras au présent de l'indicatif.

Il lui **venir** des étourdissements comme s'il avait été ivre ; il devra consulter un médecin. – Il me **prendre** parfois l'envie de m'isoler pour lire ou rêver. – Il **convenir** que les cyclistes empruntent les couloirs qui leur sont réservés. – Il **être** des propos qu'il **valoir** mieux ne jamais prononcer. – Ce matin, il **geler** à pierre fendre. – Il **faire** bon vivre dans cette région au climat tempéré. – Tous les matins, il **sortir** plus de cinquante autobus de ce dépôt. – À l'issue des débats, il **revenir** aux jurés de prononcer leur verdict. – Il se **pouvoir** que les archives de cette entreprise aient été détruites. – Il **courir** des rumeurs sur une prochaine démission du ministre des Transports.

LEÇON 95 – Cherchez le sens de ces expressions et complétez comme il convient.

couper l'herbe sous le pied – un homme de paille – être à cheval sur les principes – bâtir des châteaux en Espagne – le pot aux roses – sans merci – prendre la mouche – être comme chien et chat – veiller au grain

Ces deux garçons se disputent souvent ; ils ... . – M. Maillard rêve qu'il a touché le gros lot ; il ... . – Pour sa toilette, Mme Avet est très exigeante ; elle ... . – Dorothée s'énerve pour un rien ; elle ... . – Ces deux boxeurs veulent gagner à tout prix ; ils disputent un combat ... . – Cet escroc cherche ... pour signer les chèques. – Alexandre a mis à jour un secret bien gardé ; il a découvert ... . – Le maître d'hôtel donne ses ordres aux serveurs et il ... . – En dévoilant le futur mariage de cette célèbre actrice, ce journaliste ... de ses concurrents.

LEÇON 96 – Des erreurs se sont glissées dans ces phrases ; corrigez-les.

Ce jeune blanc-bec est insolent **vis-à-vis des** personnes plus âgées. – Quentin affirme n'importe quoi ; il parle **de trop**. – Le coursier est sorti, mais il reviendra **de suite**. – Ce jongleur rattrape les huit balles sans difficulté ; je suis **stupéfié**. – Pour le mariage de sa fille, ce riche industriel a fait des dépenses **somptuaires**. – Si les vents lui sont favorables, ce navigateur **risque de gagner** la course transatlantique. – Julien en a assez d'avoir les oreilles **rabattues** par les mêmes histoires. – Le livre **de qui** vous parlez est en tête des ventes de cette semaine. – La rue de Rivoli est une rue **passagère** car les commerces y sont nombreux.

LEÇON 97 – Indiquez le groupe auquel appartient chacun de ces verbes à l'infinitif.

traduire – subir – trébucher – pleuvoir – barbouiller – aboutir – plaire – annuler – resplendir – apparaître – atterrir – triompher – intervenir – réfléchir – souligner – approfondir – préconiser – gesticuler – garantir – parcourir – avertir – entendre – enfreindre – espionner

LEÇON 98 – Indiquez le temps (passé – présent – futur) des verbes.

Les pompiers ont éteint l'incendie. – J'avais mordu à pleines dents dans ma pomme. – Vous écoutez un nouveau CD. – Ce mage prédira l'avenir de la jeune fille. – Les autruches pondent des œufs énormes. – Le tapis en mousse amortira la chute du perchiste. – Ces comédiens enchantèrent les spectateurs. – Nous avons envoyé un signal de détresse. – Le médecin vaccine les jeunes enfants.

LEÇON 99 – Écrivez les verbes en gras au présent de l'indicatif.

Désormais, les ordinateurs **être** d'un usage courant. – Ce dessinateur **avoir** de l'or dans les doigts. – Nous **chercher** la rue Pasteur. – Tu **tourner** les talons dès la fin de la discussion. – Vous me **couper** une tranche de gigot. – Je **laver** mes vêtements. – Ces jeunes garçons **fréquenter** la salle de musculation. – Ces baigneurs n'**échapper** pas à la vigilance du maître nageur. – Avant d'acheter, le client **comparer** les prix des différentes marchandises. – Nous **rentrer** d'une longue promenade.

LEÇON 100 – Écrivez les verbes en gras au présent de l'indicatif.

Les vendeurs nous **garantir** la qualité de ces appareils. – Une panne d'électricité **interrompre** la séance. – Comme tu **prendre** ton parapluie, j'en **déduire** que le ciel s'**assombrir**. – Pourquoi **vivre**-vous au jour le jour ? – Nous **admettre** un nouveau joueur dans notre équipe. – Ces hommes généreux **combattre** sans relâche les injustices. – Tu **sentir** la bonne odeur du chocolat chaud. – Ces deux pays **conclure** un traité de paix. – Le cosmonaute **revêtir** un scaphandre spécial. – Je **confondre** ces deux itinéraires. – Au bruit de sa gamelle, le chiot **accourir**. – Tu **subir** tous les cahots de la route. – Le soleil **luire**.

LEÇON 101 – Écrivez les verbes en gras au présent de l'indicatif.

Vous **fuir** les personnes trop bavardes. – Pour progresser dans ce souterrain, Joris **vaincre** sa peur. – Nous nous **asseoir** à la terrasse d'un restaurant. – Les marins **maudire** les vents contraires. – En t'entraînant, tu **acquérir** une forme extraordinaire. – Les génies ne **mourir** jamais ; ils **survivre** dans la mémoire des hommes. – Ces meubles anciens **valoir** probablement une petite fortune. – Je ne **devoir** pas m'inquiéter. – Vous vous **satisfaire** d'une place dans la tribune latérale. – La température **se maintenir** au-dessus de zéro. – En vue de la représentation, nous **apprendre** nos rôles par cœur. – Avant de poser l'affiche, j'**enduire** le mur de colle. – Quelques brins de cerfeuil **suffire** pour donner du goût à la salade.

LEÇON 102 – Écrivez les verbes en gras à l'imparfait de l'indicatif.

L'éleveur ne **nourrir** ses volailles qu'avec des grains de maïs. – Tu **éblouir** tes amis par tes connaissances musicales. – J'**enfouir** les bulbes de tulipes. – Avant chaque course, vous vous **concentrer** longuement. – Cette personne **intervenir** sans cesse, même si le présentateur ne lui **donner** pas la parole. – Quand tu **vivre** en banlieue, tu **mettre** une heure pour te rendre sur ton lieu de travail. – J'**éviter** d'emprunter ce sentier boueux. – Après les pluies, les rivières **envahir** les champs. – Chaque fois qu'il **jouer** au loto, M. Blanc **perdre**. – Les Égyptiens **bâtir** de gigantesques mausolées.

LEÇON 103 – Écrivez les verbes en gras à l'imparfait de l'indicatif.

Autrefois, on **résoudre** les problèmes sans l'aide d'une calculatrice. – Tu **décrire** les détails de l'incident. – Avant 1948, seuls les gens riches **élire** les députés. – Avec ces médicaments, nous **proscrire** toute consommation d'alcool. – L'analyse **contredire** l'hypothèse initiale. – Les précepteurs **instruire** les enfants. – Vous **redire** toujours la même histoire, telle que vous l'**avoir** entendue. – Au Moyen Âge, les paysans **maudire** le passage des soldats. – Dès son enfance, on **prédire** un brillant avenir à Mozart. – Les médecins de Molière lui **prescrire** des saignées. – Aucune émotion ne **transparaître** sur le visage du juge.

LEÇON 104 – Écrivez les verbes en gras au futur simple.

Cet été, vous **louer** un chalet dans les Pyrénées. – Encore un petit effort et tu **accentuer** ton avance. – Tant que je ne l'**avoir** pas vu, je **continuer** à douter de l'existence de Batman. – L'assurance **allouer** une indemnité aux personnes sinistrées. – Nous **plier** les tentes au petit matin. – Les derniers ours blancs **se réfugier** sur la banquise. – Avant d'acheter ce terrain, vous **négocier** longuement le prix. – En cas d'absence, l'adjoint **suppléer** le maire pour célébrer le mariage. – J'espère que cette honnête proposition vous **agréer**. – Nous **unir** nos efforts pour nettoyer le garage. – Tu **recueillir** un oiseau tombé du nid.

LEÇON 105 – Réécrivez ces phrases en transformant le futur proche en futur simple.

Tu **ne vas pas confondre** ces deux numéros de téléphone. – Je **vais m'asseoir** au fond de la salle. – Ce jeune couple **va acquérir** un appartement dans le quartier de la Buire. – Il y a une fuite ; nous **allons prévenir** le plombier. – Mon cousin Farid **va s'inscrire** à la faculté de sciences. – Vous **allez prendre** une perceuse pour fixer les tringles des rideaux. – Dans la navette spatiale, les cosmonautes **vont vivre** une expérience exceptionnelle. – Cette imprimante **va reproduire** le courrier en plusieurs exemplaires. – Si tu viens trop tôt, tu **vas me surprendre** encore au lit.

LEÇON 106 – Écrivez les verbes en gras au passé simple.

L'accusé **proclamer** son innocence. – Tu **sauter** sur le cheval d'arçon. – J'**achever** mon travail dans les délais. – Nous **dévorer** ces tranches de gigot. – Vous nous **proposer** de vous accompagner. – Les employés **désigner** leurs délégués. – Tu **agrafer** les feuillets. – À l'issue de la partie, nous **totaliser** cinquante-deux points. – Surpris par une racine, vous **trébucher**. – Tu **consolider** le mur avec un étai. – Roméo **aimer** Juliette en dépit de l'hostilité de leurs parents. – Le prince charmant **réveiller** Blanche-Neige. – Tu **quitter** ton domicile à seize heures.

LEÇON 107 – Les verbes en gras sont au futur simple ; écrivez-les au passé simple.

Je **ferai** une copie de ce logiciel afin de le sauvegarder. – Lorsque tu **apprendras** la bonne nouvelle, tu **t'assoiras** pour reprendre tes esprits. – La récolte de colza **pâtira** d'un printemps trop sec. – Après une brève accalmie, les prix du pétrole **repartiront** à la hausse. – Je ne **mettrai** que quelques minutes pour changer la roue arrière de ma voiture. – Face à la menace d'inondation, les riverains **entreprendront** le renforcement de la digue. – Devant les pitreries du clown, le public **rira** aux éclats. – Cet éboulement imprévisible nous **contraindra** à un long détour. – Avant de sortir, j'**éteindrai** toutes les lumières. – Pour calmer mon anxiété, je **prendrai** un léger calmant.

LEÇON 108 – Les verbes en gras sont au présent de l'indicatif ; écrivez-les au passé simple.

Les vulcanologues **préviennent** la population de l'imminence d'une éruption. – Arrêté pour excès de vitesse, le chauffard **comparaît** devant le tribunal. – Les sauveteurs **secourent** les victimes du tremblement de terre. – Je **dois** changer le câble de l'accélérateur. – Tu **relis** le compte rendu de la finale de la Coupe de France. – Des barrières **contiennent** les curieux loin du lieu de l'accident. – Ce disque **promeut** le chanteur de rap au sommet du hit-parade. – Les meilleures places **échoient** à ceux qui **ont** le courage de faire la queue. – La sagesse **prévaut** et les protagonistes de cette querelle **finissent** par s'entendre. – Nous **venons** à votre rencontre.

LEÇON 109 – Écrivez les verbes en gras au présent de l'indicatif.

Je **balayais** le sol du garage. – Tu **furetais** partout à la recherche de tes clés. – Nous **empaquetions** les cadeaux de Noël avec des rubans dorés. – La frêle embarcation **louvoyait** entre les récifs à la recherche d'un abri. – Tu **amoncelais** des dizaines de documents sans aucune valeur. – La vaisselle d'argent **flamboyait** à la lueur des bougies. – Vous **vous apitoyiez** sur le sort des poulets élevés en batterie. – Mme Sarda **congelait** des barquettes de sauce tomate. – Le vendeur **interpellait** les rares passants.

LEÇON 110 – Écrivez les verbes en gras au présent de l'indicatif.

En ce lundi, nous **vaquer** à nos occupations habituelles. – Vous **devancer** notre intention en allumant les spots. – Nous **partager** avec beaucoup de personnes une passion pour la musique. – La piqûre est douloureuse ; nous **grimacer**. – La vue du requin blanc **glacer** le sang des plongeurs. – Nous **envisager** de nous installer à Bobigny. – Je **pratiquer** l'escrime à la salle de sport de mon quartier. – Nous **naviguer** à bord d'un catamaran. – Comme le TGV est complet, nous **voyager** assis sur des strapontins. – Tu m'**intriguer** en ne dévoilant pas tes intentions. – Le service d'ordre **endiguer** le flot des spectateurs.

LEÇON 111 – Écrivez les verbes en gras au futur simple de l'indicatif.

Vous **pénétrer** dans la salle du palais de Justice. – Nous **créer** un site Internet pour raconter nos aventures. – Cette femme **léguer** toute sa fortune à des associations d'enfants handicapés. – Les ravisseurs **libérer** leur prisonnier contre une rançon. – J'**opérer** un demi-tour et je **relever** la visière de mon casque. – Tu **gérer** cette affaire avec compétence. – Cet achat inconsidéré **grever** votre budget. – Les jurés **différer** leur décision jusqu'à demain. – La montgolfière **s'élever** dans le ciel clair. – Le prix de cette moto n'**excéder** pas huit mille euros. – J'**intercéder** en votre faveur.

LEÇON 112 – Les verbes en gras sont au passé simple ; écrivez-les au passé composé.

Christophe Colomb **partit** vers l'ouest pour atteindre les Indes, mais il **arriva** en Amérique. – Le pharmacien **prévint** le patient ; ce médicament pouvait avoir des effets secondaires. – Par tes pitreries, tu **divertis** tes amis. – À la vue des dégâts, tu **téléphonas** à ton assureur. – La station spatiale **émit** un faible signal et **disparut** derrière une masse nuageuse. – Les portes **coulissèrent** dans un bruit d'enfer. – On dit que l'ennui **naquit** un jour de l'uniformité. – Je **refusai** de porter ces vêtements bien trop voyants. – Nous **restâmes** devant le portail, mais il ne **s'ouvrit** pas. – Vous **vous installâtes** sur le canapé et **vous prîtes** un magazine.

LEÇON 113 – Écrivez les verbes soulignés à l'imparfait de l'indicatif et ceux en gras au plus-que-parfait de l'indicatif.

Comme le printemps est de retour, les jardiniers **ont sorti** leur matériel et ils **ont commencé** à bêcher. – Les fauves dévorent les gazelles qu'ils **ont poursuivies** à travers la savane. – J'imprime les documents que j'**ai complétés** hier soir. – Vous **avez laissé** votre voiture chez le garagiste parce qu'elle refuse de démarrer. – La pintade que le cuisinier **a préparée** fait l'unanimité : elle est savoureuse. – Nous **sommes parvenues** à destination et nous récupérons nos valises à l'aéroport.

LEÇON 114 – Écrivez les verbes en gras au passé antérieur ou au futur antérieur, selon le sens.

Quand j'**retenir** mon billet par Internet, je pourrai me rendre à la gare. – Lorsque tu **maîtriser** les gestes élémentaires du potier, tu réalisas quelques belles pièces. – Dès que l'ingénieur **perfectionner** son prototype, il essaya de le vendre à une grande entreprise. – Lorsque le soleil **réchauffer** la terre, les plantes vivaces refleuriront. – Sitôt que les mannequins **se maquiller**, ils enfilèrent de somptueuses toilettes. – Quand je **se hisser** sur le toit du hangar, je pus remplacer les tuiles cassées. – Aussitôt que la nuit **tomber** sur le parc de la Vanoise, les chamois apparaîtront.

LEÇON 115 – Écrivez les verbes soulignés à l'imparfait et les verbes en gras au présent du conditionnel.

Si tu <u>utiliser</u> cette tondeuse, tu **porter** des lunettes de protection. – Si l'historien <u>consulter</u> ces documents inédits, il **rédiger** la biographie originale de Jules Ferry. – Si j'<u>être</u> face à un fauve dangereux, je ne **bouger** pas en attendant le garde-chasse. – Le comédien **briser** sa carrière, s'il <u>refuser</u> ce rôle. – Si un malfaiteur <u>se glisser</u> dans le centre commercial, l'alarme **retentir**. – Nous **supporter** la température polaire, si nous <u>porter</u> des chaussettes de laine. – L'arbitre **interrompre** la partie, si le brouillard <u>s'épaissir</u>. – Si vous <u>vouloir</u> conserver ces légumes, vous les **placer** au réfrigérateur.

LEÇON 116 – Écrivez les verbes en gras au présent du conditionnel.

Pourquoi **jeter**-vous cet appareil ? – Si ce blouson était à ma taille, je l'**acheter**. – Si nous le commandions, nous **recevoir** ce mixeur dans les dix jours. – Les habitants **voir**-ils d'un bon œil l'installation d'une usine métallurgique ? – Si tu voulais enfoncer un clou, tu **employer** un marteau ! – En cas de besoin, le conducteur **régler** ses phares. – Qu'**advenir**-il si la planète se réchauffait ? – Si M. Combe roulait trop vite, il **encourir** une forte amende. – Avant de lancer le moteur, il **falloir** mettre de l'essence dans le réservoir !

LEÇON 117 – Écrivez les verbes en gras au futur simple ou au présent du conditionnel.

Si je verrouillais les portes, je ne **craindre** pas une intrusion inopinée. – Si je trouve un studio et des musiciens, j'**enregistrer** un disque. – Si je lisais plus souvent, je **connaître** mieux ce sujet. – Si je bois un café bien serré, je ne m'**endormir** pas. – Si je voyageais fréquemment, je **prendre** une carte demi-tarif. – Si les poules avaient des dents, elles **être** peut-être carnivores. – Si le chasseur à réaction perd de l'altitude, le pilote **s'éjecter**. – Si mon ami Michel se rend au golf, je l'**accompagner**.

LEÇON 118 – Écrivez les verbes soulignés au plus-que-parfait de l'indicatif et les verbes en gras au passé 1re forme du conditionnel.

Si j'en <u>avoir</u> l'occasion, j'**effectuer** quelques tours au volant d'un kart. – Si tu <u>réfléchir</u> un peu, tu ne **répondre** pas à la légère. – S'il ne <u>faire</u> pas une faute, ce cheval **devancer** ses concurrents. – Si mes parents <u>rester</u> en Afrique, je **naître** à l'étranger. – Nous **reporter** notre départ, si les circonstances l'<u>exiger</u>. – Si le plombier <u>intervenir</u> plus tôt, la fuite d'eau n'**avoir** pas de conséquences. – Si le modèle ne <u>bouger</u> pas, le peintre **saisir** son expression avec finesse. – Si les riverains <u>débroussailler</u> leur terrain, le feu ne **se propager** pas. – Si Barbara ne <u>teindre</u> pas ses cheveux, nous l'**reconnaître**. – Si les barrières <u>être</u> mieux fixées, le bétail ne **s'échapper** pas.

LEÇON 119 – Écrivez ces phrases à la voix passive.

On fermait les fenêtres. – On améliorera les performances. – On a châtié les coupables. – On photocopie un document. – On multipliait les expériences. – On piétina la pelouse. – On fabrique des vêtements dans cette usine. – On acclamera les joueurs à la sortie du terrain. – Dimanche prochain, on organise une manifestation. – On a scruté le ciel à la recherche d'étoiles nouvelles. – On compléta le questionnaire. – On prévoit des perturbations dans les transports.

LEÇON 120 – Écrivez les verbes en gras au présent du subjonctif.

Il arrive que l'on **cueillir** des violettes dès le mois de février. – Il faut que j'**appuyer** sur la touche ✦ pour obtenir le service des réclamations. – Il me tarde que l'avion **atterrir** car j'ai mal au cœur. – Ses parents sont d'avis que Victoria **poursuivre** son apprentissage. – Quelle que **être** l'amplitude de la marée, les chalutiers sortiront en mer. – Il convient que Joris **peler** sa pomme avant de la manger. – Rien ne s'oppose à ce que vous **utiliser** une tronçonneuse. – Nos amis nous écrivent pour que nous **partager** la location d'un chalet. – Il est rare que le portier **sourire** !

LEÇON 121 – Écrivez les verbes en gras au présent du subjonctif.

Il est rare qu'un arbre fruitier, bien greffé, **mourir**. – Je m'étonne que tu ne **savoir** pas faire fonctionner cette machine à laver. – Il est vital que le caravanier **boire** une gorgée d'eau avant de continuer. – Où que j'**aller**, j'emporte toujours un vêtement de rechange. – Il est dommage que ce spectacle ne **tenir** pas toutes ses promesses. – Le maire est d'accord pour que M. Porta **construire** un pavillon dans ce lotissement. – La distance empêche que Valérie **rejoindre** le groupe qui la précède. – En cette circonstance, il n'est pas certain que la même cause **produire** le même effet.

LEÇON 122 – Écrivez les verbes en gras au présent de l'indicatif ou au présent du subjonctif.

Il faut que le cosmonaute **revêtir** une combinaison spéciale pour sortir dans l'espace. – Dans la mesure où le condamné **se pourvoir** en appel, la sentence est suspendue. – Il faut que le service de la voirie **pourvoir** au déneigement des trottoirs. – Nul ne souhaite que la lave **se répandre** sur les flancs habités de ce volcan. – Il est surprenant que l'on **extraire** du pétrole de cette région antarctique. – Tu n'oublies pas que ton train **repartir** à onze heures. – L'expert affirme que cette collection de cartes postales **valoir** une petite fortune. – Au premier coup de fusil, le lièvre **s'enfuir**. – Il n'est pas étonnant que la gazelle **s'enfuir** à la vue de la lionne.

LEÇON 123 – Écrivez les verbes en gras à l'imparfait du subjonctif.

Il conviendrait que Théo **faire** tamponner son passeport. – Samuel était le seul qui **réussir** à chasser les papillons de la forêt. – Il serait fâcheux que le touriste **s'égarer** dans les ruelles de la vieille ville. – Avant qu'il **composer** son code confidentiel, il faudrait que Farid **introduire** sa carte bancaire dans le distributeur. – Ce mélomane aimerait que ses amis **partager** sa passion pour la musique baroque. – Il n'y avait que Maria qui **lire** aussi bien l'espagnol. – Il faudrait que ce boxeur **éviter** mieux les coups de son adversaire.

LEÇON 124 – Écrivez les verbes en gras au passé simple ou à l'imparfait du subjonctif.

Il marchait avec tant de précaution qu'on ne l'**entendre** pas entrer dans la salle. – Nous étions très étonnées que la neige **tomber** à si basse altitude. – Lors de son séjour en Mongolie, Mme Testa **découvrir** l'existence des yourtes. – La sentinelle gardait le dépôt de munitions sans que l'on **deviner** sa présence. – Comme la fête avait duré une partie de la nuit, Charles **dormir** jusqu'à midi. – Tu ignorais qu'un tel costume **pouvoir** être porté par un personnage aussi excentrique. – L'éclusier refusa que la péniche **quitter** le bassin avant la fermeture complète des vannes.

LEÇON 125 – Écrivez les verbes en gras au passé du subjonctif.

Tu veux que j'**repeindre** la porte du garage avant ce soir. – Pour démarrer, il faut que tu **desserrer** le frein à main. – Avant que nous **réaliser** ce qui se passait, la fusée avait déjà disparu. – Bien que l'incendie **se propager** rapidement, il n'y eut aucun blessé. – Nous étions heureux que vous **pouvoir** répondre à notre invitation. – J'ai eu peur qu'il **se tromper** dans les proportions de la recette. – Il vaudrait mieux que l'espion ne **percer** pas le secret de fabrication de cet appareil. – Attends que la colle **sécher** pour réutiliser ce vase. – Que je **aller** au bout de la jetée, cela ne fait aucun doute.

LEÇON 126 – Conjuguez les verbes de ces expressions au présent de l'impératif.

éviter les obstacles	**prédire** l'avenir	ne pas **parler** trop fort
réclamer son dû	ne pas **tricher** au jeu	ne pas **claquer** la porte

LEÇON 127 – Écrivez les verbes en gras au présent de l'indicatif ou au présent de l'impératif.

Renforcer les charnières de ton armoire et les portes se fermeront facilement. – **Confirmer** ta réservation dans les plus brefs délais. – Pour sauvegarder tes documents, **enregistrer**-les sous Word puis **copier**-les sur ta clé USB. – Ne **fumer** pas dans les lieux publics, la loi l'**interdire** et cela **nuire** à ta santé. – **S'assurer** que la profondeur est suffisante avant de plonger dans ce torrent. – Tu **envisager** de changer de domicile ; **examiner** bien les avantages et les inconvénients de ta décision.

LEÇON 128 – Remplacez les mots ou expressions en gras par leur contraire.

L'entrée du musée des santons de Provence était **gratuite**. – Les moteurs de ces tracteurs sont **silencieux**. – Mme Leblanc achète des langoustes **mortes**. – Les chiens s'approchent de leur maître **sans remuer** la queue. – **Sans bien chercher**, nous sommes tombés sur de magnifiques girolles. – L'électricien place des câbles **conducteurs** dans les gaines appropriées. – **Sans multiplier** les recherches, l'enquêteur tomba enfin sur une piste. – Nous regardons une émission **ennuyeuse**.

LEÇON 129 – Complétez ces phrases avec *eu, eut, eût, fut* ou *fût*.

Dès qu'elle ... accouché, Mme Garcia choisit le prénom de sa fille : Audrey. – L'électricien tenait à ce que le courant ... coupé avant son intervention. – M. Pujol a ... l'assurance que les dégâts seraient intégralement remboursés. – Il ... fallu plus de détermination au marathonien pour qu'il ... en mesure de terminer dans les premiers. – Il serait inexact de dire que ce trajet ... plus court que celui-ci. – Philippe a ... la prudence de suivre les balises placées le long du sentier ; il ne s'est pas perdu. – Bien qu'on ... au mois de juin, il a neigé sur le plateau de Langres. – Lorsque l'alerte ... donnée, le bateau des sauveteurs prit immédiatement la mer.

CORRIGÉS DES EXERCICES

1 ▶ Le mulet [...] d'une ânesse. – À quel étage [...] habite-t-il ? – La consommation [...] augmentation. – [...] beaucoup de traboules [...] sont inaccessibles aux touristes. – Le bâtiment est-il bien isolé ? – Ce film est encensé par tous les critiques. – La station d'épuration [...] fonctionne-t-elle ? – Combien coûte ce lecteur [...] ? – [...] les commerçants ont fait un effort [...] vitrines. – [...] le cap [...] sera-t-il atteint ? – Qui a posé le premier le pied sur la Lune ? – Les élections n'ont pas dégagé de majorité. – Où trouve-t-on les gousses [...] ?

2 ▶ Après un vol mouvementé, l'avion s'est posé [...]. – Pierre-Antoine est un grand lecteur, il dévore [...]. – Assise devant son téléviseur, Ursula se contente [...]. – Avant d'être élu président de la République d'Afrique du Sud, Nelson Mandela fut emprisonné [...]. – Pour ne pas se blesser, ce soudeur porte des lunettes protectrices. – Atteindre le centre de la Terre, cela reste une utopie. – Déçu par la qualité de ce journal, tu n'as pas renouvelé ton abonnement. – Pour rejoindre le point de départ du rallye, il faut emprunter ce raccourci. – Devant l'obstacle, il arrive que les meilleurs chevaux se dérobent. – Adepte du yoga, Claire peut rester [...].

3 ▶ Dans cette école, la semaine scolaire [...]. – Le parking est complet ; la file d'attente [...]. – Marcel Pagnol a vécu une enfance heureuse ; il l'a racontée [...]. – Comme il fait froid, la récolte [...]. – La fête de la musique bat son plein ; les virtuoses [...]. – Le cours du cuivre est au plus haut ; les spéculateurs [...]. – En servant l'apéritif, Florian a renversé [...].

4 ▶ Il n'y a qu'une seule explication à ce mystère : un revenant se cache dans le château. – Je ne resterai pas longtemps dans cette pièce : l'odeur des lilas m'incommode. – Le proverbe est formel : « La parole est d'argent mais le silence est d'or. » – Voilà une offre exceptionnelle : trois CD pour le prix d'un ! – Cette maison est à vendre : les acheteurs potentiels la visitent. – L'eau de la piscine est à 18° : pas question de se baigner aujourd'hui. – L'expression « au jour d'aujourd'hui » est incorrecte : c'est un double pléonasme [...] !

5 ▶ Le mont Everest, dans l'Himalaya, est appelé le toit du monde par les alpinistes. – De nombreux tableaux de Courbet, un des peintres les plus renommés du xixe siècle, sont exposés au musée d'Orsay. – François Ier, qui le fit bâtir, ne séjourna que peu de temps au château de Chambord. – La fusée Ariane, une réalisation européenne exemplaire, emportera une sonde qui se posera sur la planète Mars. – L'expédition, commandée par Jean Bouquin, a atteint les côtes de la terre Adélie.

6 ▶ un incendie – un tissu – une cargaison – une fanfare – un individu – une tragédie – une vertu – un diapason – un barbare – une entrevue – un stratège – une tomme – une estafilade – une guitare – une fourrure – un sortilège – un tome – une croisade – un cigare – un (une) faux – un orme – une géode – une peau – une paroi – un taux – un arôme – un épisode – un veau – un renvoi – une guérison – un idiome – un exode – un ciseau – un emploi – un hérisson – un ivoire – une moto – un arrêt – un choix – une ancre – une échappatoire – un loto – une forêt – une croix – un cancre

7 ▶ une gardienne – une baronne – une muette – une cadette – une sotte – une championne – une musicienne – une lionne – une patronne – une chienne – une pharmacienne – une comédienne – une espionne – une collégienne – une mécanicienne – une monitrice – une électrice – une correctrice – une voyageuse – une éditrice – une masseuse – une chanteuse – une médiatrice – une tricheuse – une spectatrice – une skieuse – une lectrice – une séductrice – une inspectrice – une rédactrice – une interlocutrice – une danseuse – une voleuse – une plongeuse – une impératrice

8 ▶ des tableaux – des canaux – des quintaux – des arceaux – des éventails – des gâteaux – des arsenaux – des locaux – des fléaux – des cailloux – des essieux – des capitaux – des rorquals – des vœux – des écrous – des aveux – des gavials – des tribunaux – des sous –

des matous – des attirails – des chenaux – des métaux – des bisous – des poux – des gouvernails – des narvals – des bals – des bijoux – des cadeaux

9 ▌ [...] les **Inuits** bâtissent des **igloos**. – [...] plusieurs **trios** [...]. – [...] des dizaines d'Ave [...]. – Les **Mazué** ont passé la soirée [...] un plat de **spaghettis**. – [...] les **hippys (hippies)** manifestaient [...]. – Ces **tennismans (tennismen)** disputent leurs **matchs** en trois **sets** gagnants. – Les **requiem** accompagnent [...]. – [...] des **quotas**.

10 ▌ des **amours-propres** – des **ronds-points** – des **hauts-fonds** – des **grandes-duchesses** – des **chasse-neige** – des **sans-abri** – des **fusils-mitrailleurs** – des **semi-remorques** – des **choux-fleurs** – des **lave-vaisselle** – des **papiers-filtres** – des **libres-services** – des **marteaux-piqueurs** – des **hors-la-loi** – des **après-ski** – des **serre-tête** – des **balais-brosses** – des **bric-à-brac**

11 ▌ un propos flatteur ; une réputation **flatteuse** – un thème musical ; une soirée **musicale** – un battement régulier ; une cadence **régulière** – un sol sec ; une terre **sèche** – un passage fréquent ; une relation **fréquente** – un geste fou ; une course **folle** – un jour nouveau ; une journée **nouvelle** – un guetteur attentif ; une sentinelle **attentive** – un public nombreux ; une foule **nombreuse** – un sentier étroit ; une ruelle **étroite** – un texte confus ; une diction **confuse** – un homme ambitieux ; une femme **ambitieuse** – un journal quotidien ; une émission **quotidienne** – un tableau évocateur ; une photographie **évocatrice** – un gazon ras ; une pelouse **rase**

12 ▌ des lits **jumeaux** – des comptes **ronds** – des mêlées **confuses** – de **fraîches** soirées – des salades **grecques** – des palais **épiscopaux** – des notes **aiguës** – des combats **navals** – des esprits **jaloux** – des repas **familiaux** – des abris **protecteurs** – des matins **calmes** – des quartiers **centraux** – des amis **loyaux** – des édifices **monumentaux** – des faits **réels** – des gouffres **profonds** – des jardins **privatifs**

13 ▌ Une casquette à visière de cuir, **rabattue**, cachait [...] son visage **brûlé** [...]. Sa chemise [...], **rattachée** au col [...]. Il avait une cravate **tordue**, un pantalon [...], **usé** et **râpé**, blanc à un genou, **troué** à l'autre, une vieille blouse [...] **rapiécée** [...], les pieds sans bas dans des souliers **ferrés**, la tête **tondue** et la barbe longue.

14 ▌ La musicienne est **exigeante** *(A)* [...] ; elle reste **concentrée** *(A)* des heures **entières** *(E)* [...] les morceaux les plus **difficiles** *(E)*. – Les expéditions **spatiales** *(E)* sont désormais **habituelles** *(A)* ; les charges **transportées** *(E)* sont [...] **importantes** *(A)*. – [...] les langues **étrangères** *(E)* sont **étudiées** *(A)* [...]. – Une **violente** *(E)* tempête **inattendue** *(E)* [...] cette région **côtière** *(E)*. – Géraldine est **perdue** *(A)* [...] les ruelles **sombres** *(E)* et **étroites** *(E)* de cette ville **moyenâgeuse** *(E)*. – De **téméraires** *(E)* trapézistes [...] des figures **compliquées** *(E)* [...] les spectateurs **émerveillés** *(E)*. – Les figurants **amateurs** *(E)* sont **attentifs** *(A)* aux conseils **avisés** *(E)* [...].

15 ▌ **Annotées**, **raturées** et même **tachées**, ces copies sont **illisibles**. – **Prêt** [...], Damien [...] la marine **marchande**. – **Prioritaires** [...], ces personnes accèdent aux **premiers** rangs. – **Paradisiaques**, ces îlots [...] les **vrais** amateurs d'une nature **préservée** [...]. – **Rares**, donc **précieuses**, ces statuettes [...] une somme **importante**. – Ces ouvriers, [...] **syndiqués**, [...].

16 ▌ [...] un chemisier et un pantalon **légers**. – Cette excursion et ce projet de voyage [...] **irréels**. – À quatre heures et **demie** [...]. – Ces tourterelles sont à **demi mortes** [...]. – [...] deux centimètres et **demi** [...]. – [...]toutes les sottises **possibles** et **imaginables**. – [...] le moins de mouvements **possible**.

17 ▌ les grenouilles **vertes** – une serviette **châtain foncé** – les joues **cramoisies** – des capes **écarlates** – des robes **roses** – les rideaux couleur **rose** – des bas couleur **chair** – les poils **marron** – des tuniques **pourpres** – des épis **bleu violet** – des fanions **orange**.

18 ▶ vingt-trois degrés – quarante-six jours – cinquante-cinq concurrents – soixante-dix-sept ans – cent huit pages – cinq cents euros – mille trois cent soixante-huit numéros – deux millions quatre cent mille touristes – quatre-vingt-cinq marches – cinq cent mille signes – trois cent soixante-douze élèves – dix-sept mille habitants.

19 ▶ De **chaque** tribune, de **chaque** rangée [...]. – [...] **nulle** part [...]. – [...] il n'y a **aucun** doute [...]. – [...] **diverses** solutions [...]. – [...] en **maints** endroits. – [...] une **telle** ardeur [...].

20 ▶ [...] **des tableaux** bien **éclairés**. – **Ces figues** sont bien trop **sèches** ; elles sont **immangeables**. – De **violents vents** [...] balaient les **immenses plaines**. – Les **arbres** des jardins publics perdent **leurs** feuilles. – **Ces photographies**, prises [...], permettent d'apprécier **les moindres détails** [...]. – Avec de **telles calculatrices**, les **opérations** les plus **compliquées** sont des **jeux** d'enfants. – Les **grues** des chantiers voisins soulèvent des **charges** [...] : quelles **performances exceptionnelles** !

21 ▶ Nous écoutons [...] ; l'une d'elles nous **plaît** [...]. – Les avions de chasse **décollent** [...]. – Se chauffer au bois **s'avère** [...]. – La tour du Bois du Verne **compte** [...] ; celle des Églantines n'**abrite** [...]. – Les issues de secours **facilitent** [...]. – Les émanations de gaz toxiques **indisposent** [...]. – Quelques clous de girofle **donnent** [...]. – Mes grands-parents **habitent** [...] ; où les tiens **résident**-ils ?

22 ▶ Brice, tu lui **reproches** [...] tu **as** raison. – [...] Leïla **fait** preuve [...], tu l'**encourages** [...]. – Cette région **peut** paraître [...] à ceux qui ne la **connaissent** pas. – M. London **éprouve** [...] qui l'**ont** sauvé [...]. – Les clients qui ne **souhaitent** pas [...] ne **doivent** pas [...]. – On ne **doit** pas [...], elle **est** trop fragile et on ne **sait** jamais ce qui **peut** arriver. – Ton père, de qui tu **tiens** [...], **domine** [...].

23 ▶ [...] **s'alignent** des centaines de visiteurs. – Les olives que **broie** la meule [...] **proviennent** [...]. – Que **deviennent** les marais où **nichent** les hérons ? – [...] Johnny **entre** en scène, une foule d'admirateurs lui **réserve(nt)** [...]. – Beaucoup de gens **parlent** [...], mais peu **sont** [...]. – Il **stationne** [...]. – Une cinquantaine de mécaniciens **compose(nt)** [...].

24 ▶ Sortir un plat du congélateur et le placer dans le four micro-ondes ne **prend** que [...]. – Le nickel, aussi bien que le cuivre, **procurent** [...]. – [...] rien ne me **surprend** de ta part. – Ni la Suisse ni l'Autriche ne **possèdent** [...]. – Tes amis et toi **faites** une pause [...]. – Florian et Émilie **portent** [...] que **tricote** leur tante. – Mes cousines et moi **attendons** [...] c'est celui [...] !

25 ▶ Les noix, Boris les **casse** [...]. – Les lions se **jettent** [...] **dévorent**. – [...] les contribuables **paient** [...], le percepteur leur **délivre** [...]. – Les opérateurs ne **savent** plus [...] tout le monde leur **demande** [...]. – Ces jeunes mariés **veulent** [...] ; le banquier leur **fixe** [...]. – [...] personne ne les **lit** [...]. – Les gymnastes **exécutent** [...] le jury leur **attribue** [...].

26 ▶ [...] tu **vaincs** (*vaincre*) ton appréhension [...]. – [...] le sourcier **forait** (*forer*) le sol. – [...] les jambes [...] **flageolaient** (*flageoler*). – M. Rivet **souffre** (*souffrir*) [...]. – [...] le patron du chalutier **cornait** (*corner*) [...]. – [...] Priscillia **prit** (*prendre*) [...]. – [...] Virginie **plaît** (*plaire*) [...]. – [...] seule Sylvie se **tait** (*taire*). – Les petits ruisseaux **font** (*faire*) [...]. – Tu **essaies** (*essayer*) un pantalon [...].

27 ▶ Nous serons **attendu(e)s** [...]. – Les arbres étaient **dépouillés**, les rivières étaient **gelées**, la terre était **durcie** [...]. – [...] les passants sont **pressés** [...]. – Que sont **devenues** les voitures [...] ? – Ces enveloppes seront **décachetées** [...]. – [...] ils furent **soulevés**, **entraînés**, puis **roulés** [...]. – Les enfants ne furent pas **intéressés** par ce jeu aux règles [...] **compliquées**. – [...] toutes les portes étaient **fermées** et les persiennes **closes**.

28 ▌ COD : des réactions aussi spontanées – la vallée de l'Ariège – celui-ci – une excellente mémoire – le flacon – que les horaires s'affichent – que (mis pour *mont Blanc*)

29 ▌ COI : d'affaires les concernant – des événements heureux de son existence – de la mouche – à toute la communauté scientifique – à ceux qui n'y ont pas encore renoncé – au SMS qu'elle reçoit – de compétitions officielles – de sa mission / à ses supérieurs – au sien – aux revenants – De quoi

30 ▌ Les boucles d'oreilles que vous m'avez **offertes** […]. – L'assurance que Clément a **souscrite** […]. – […] la date tu l'as bien **inscrite** […]. – La sonde spatiale a **émis** des signaux […] que la base […] a **captés**. – Nathalie a **commis** […] et a **renversé** […]. – Leur réputation, ces maîtres verriers l'ont **assise** […]. – Cette toile monumentale, Picasso l'a **peinte** […]. – La récompense que tu m'avais **promise**, je l'ai **attendue** […] je n'ai pas été **déçu(e)**. – Combien de paniers […] avons-nous **cueillis** ?

31 ▌ […] nous les avons **vus** trépigner, pleurer, menacer […] leurs parents n'ont pas **cédé**. – […] je l'ai **laissé** faire. – […] Victoria ne les a pas **vues** passer. – La fusée que chacun a **vue** décoller […]. – La date […] est **dépassée**, Omar n'a pas **osé** […]. – La tranchée que le terrassier avait **espéré** combler […] se révéla plus profonde que **prévu**. – Nos droits, nous les avons **fait** valoir […].

32 ▌ […] ceux qu'il en aura **retirés**. – […] Mme Davy est **allée** visiter la Pologne, la description qu'elle en a **faite** à ses neveux les a **ravis**. – M. Monet a **rendu** […]. Ceux-ci ne lui en ont jamais **rendu**. – […] tu en as déjà **rempli** […]. – […] je n'en ai jamais **rencontré**. – M. Bourget **a ramassé** des chanterelles et il en **a préparé** […]. – […] Apolline les eût **préférés** […]. – Le peu de mots que l'homme a **prononcé** n'a pas **permis** […]. – Je ne connais pas les pays que vous avez **visités**.

33 ▌ L'avocat et son client se sont **donné** rendez-vous […]. – La Joconde, Adrien se l'était **imaginée** […]. – Lorsque Marianne et Doris se sont **rencontrées**, elles se sont **souri**. – Les professeurs se sont **déclarés** enchantés […]. – Ces jeunes filles se sont **promis** […]. – Les cueilleurs de fruits se sont **fait** payer […]. – Les parachutistes se sont **assurés** […]. – Sa retraite, M. Combe se l'est **constituée** […]. – **Frappés** par une mystérieuse maladie, ces hommes se sont **affaiblis** […]. – La crème dont tu t'es **enduit** […].

34 ▌ La bâche est **déroulée** pour **protéger** […]. – La France doit **importer** […] tous les véhicules puissent **rouler** et que les logements soient **chauffés**. – Vous **encollez** […] vous **posez** […]. – Pour **manger** un yaourt, il faut **utiliser** […]. – Les coureurs **dopés** […]. – Les visiteurs sont **fascinés** […]. – Rien ne sert de **critiquer**, il faut **proposer** […].

35 ▌ Le hall d'exposition […] **s'agrandit** (*s'agrandissait*) […]. – […] l'acrobate **rebondit** (*rebondissait*) […]. – Ce terrain, **conquis** sur la mer […]. – Ophélie **nourrit** (*nourrissait*) […]. – Un bien mal **acquis** […]. – L'augmentation de salaire **promise** […]. – Le message, **transmis** […], **parvient** (*parvenait*) […]. – […] j'en **ris** (*riais*) […]. – Cette mauvaise nouvelle **refroidit** (*refroidissait*) […]. – Tu as **lu** la question […] tu as **su** […].

36 ▌ […] il **est** préférable que tu **aies** un gilet […] et un casque […]. – Il n'**est** pas exclu que j'**aie** […]. – Il **est** de règle que les handicapés **aient** […]. – Mireille n'**est** pas étonnée que Caroline n'**ait** pas […] et qu'elle **ait** […]. – Il n'**est** pas concevable que l'organisation de cette manifestation **ait** connu […]. – Les ostréiculteurs regrettent que la vente […] **ait** été […]. – Le bibliothécaire **est** […] il a tenu à ce que j'**aie** accès […] et que je puisse […].

37 ▌ […] **tout** (**tous**) mouillés. – **Toutes** les autoroutes […] **tous** les vacanciers sont **tous** partis […]. – […] **tout** a une fin. – […] à **tous** égards […]. – […] **tout** autre musique. – À **tous** les lieux […]. – […] **tout** en conduisant […] **tous** les risques. – […] **tout** à fait

[…] ! – […] les pensionnaires […] vont **tous** […]. – […] c'est **tout** le portrait […]. – **Tous** les légumes […]. – **Tous** les marins […]. – […] **tout (tous)** nouveaux […] / **tous**.

38 ▶ Les castors bâtissent eux-**mêmes** […]. – **Même** lorsque les platanes […]. – […] ils ont **même** repeint […]. – […] **même** ses yeux […]. – Toutes les réformes, **même** les plus […]. – […] les **mêmes** vêtements. – […] **même** les plus petits balcons […]. – […] se nourrit d'elle-**même**.

39 ▶ **Quel** ennui ! […] c'est un film **qu'elle** m'avait conseillé […]. – […] il faut **qu'elles** soient déplacées. – À **quelle** heure […] ? – […] je ne savais pas **qu'elle** avait […]. – Nous ignorions **quelles** étaient leurs intentions […]. – […] elle fait des recherches sur tout ce **qu'elle** ne connaît pas. – **Quelle** est la saison […] ? – **Quel** temps ! […]. – Il faut voir avec **quelle** maestria […]. – […] la réclamation **qu'elle** adresse […]. – […] parce **qu'elles** sont percées. – **Quelle** performance […] !

40 ▶ Ce téléphérique […] pour **ceux** […]. – […] **ce** qu'il y a […]. – […] **ceux** que le hasard […]. – Les deux délégations […] **se** quittent […]. – Pour **se** faire entendre, […] **ce** porte-voix. – Dans **ce** gouffre **se** trouvent des stalagmites […]. – **Ce** guichet […] pour **ceux** […]. – […] **ce** serpent, Léa **s'**enfuit, **ce** qui fit bien rire […]. – […] **ce** qu'il fabrique […].

41 ▶ **Ces** véhicules […] **c'est** un dispositif […]. – […] **c'est** la bousculade […] **ses** amis. – Le chercheur **s'est** […] trompé dans **ses** calculs […] **ses** expériences. – […] **c'est** pourquoi […] **ses** berges. – Lucas **s'est** découvert […] **ses** souvenirs […]. – C'est étonnant, **ces** plantes […] ! – **Ces** nectarines […] **c'est** déjà la fin de l'été. – […] **ces** saucisses, Paulin **s'est** brûlé […]. – […] **ses** boucles […] **c'est** plus discret […]. – Hélène **s'est** équipée […] **ses** messages.

42 ▶ On a […] ceux qui **ont** […]. – **On** entend […] **qu'on** n'aperçoit pas […]. – **On** arrivera […] si **on** n'est pas […]. – […] **on** n'emportera […] – Les ingénieurs **ont** étudié […]. – Lorsqu'**on** achète […] **on** n'est pas certain […]. – […] **on** n'allume qu'un lampadaire […]. – Si **on** voulait […] **on** n'en finirait pas […]. – […] les grues **ont** soulevé […] les **ont** placés […]. – Ces musiciens […] **ont** enregistré […] **on** leur prédit […] s'ils **ont** le souci […].

43 ▶ […] chez **soi**. – […] **soi**-même. – […] **soi**-même […]. – […] pour **soi**. – […] **soit** comme arrière, **soit** comme demi de mêlée. – Bien qu'il **soit** […]. – […] **soit** 1 000 litres. – […] le satellite ne **soit** pas […]. – […] je **sois** épuisée. – […] le seul qui **soit** […]. – **Soit** tu es […], **soit** tu es […] quel que **soit** ton signe […].

44 ▶ […] si haut qu'un homme **s'y** tient […]. – […] on **s'y** habitue. – Le tracteur […] **s'y** embourbe. – […] un animal **si** cruel ? – […] elle **s'y** met […]. – Si le douanier […]. – Il **n'y** a eu **ni** joueur blessé **ni** arrêt […] il **n'y** aura […]. – Comme il **n'y** a **ni** panneaux indicateurs **ni** feux tricolores […]. – […] **ni** famille **ni** domicile […].

45 ▶ **C'en** est fait […] mais elle **s'en** remettra […]. – **Sans** une réaction […], **c'en** sera fini […]. – […] à **s'en** barbouiller […]. – Les spectateurs **s'en** vont […]. – Je **sens** […]. – […] un VTT **sans** garde-boue. – **Sans** paix et **sans** justice […]. – […] **sans** utiliser de calculatrice […] ? – Lucien **s'en** défend […] **sans** croquer […]. – […] il **s'en** porte mieux […] **sans** cigarettes.

46 ▶ **Quelles que** soient les émissions […]. – […] **quelque** piège […]. – […] **quelque** affectation […]. – **Quelques** alpinistes […]. – **Quelle que** soit l'heure du départ […]. – […] **quelque** animosité […]. – **Quel que** soit l'endroit […]. – […] **quelques** regrets. – […] **quelques** euros. – **Quel que** soit l'état […].

47 ▶ […] **là**-dessus […]. – **Là** où il y a de **la** gêne […]. – […] tu **l'**as avalé […] **là**, tu nous étonnes ! – […] **la** vedette […] personne ne **l'**a remarquée ! – […] **çà** et **là** […]. – **Ça** fait […] comment […] expliquent-ils **ça** ? – […] **ça** ne s'invente pas ! – […] **sa** formation […]. – […] **sa** réputation.

173

48 ▶ [...] « À vos marques, **prêts**, partez ! » – [...] pas **prêts** à [...]. – [...] le **prêt** de livres [...]. – [...] des **prêts** [...]. – [...] de très **près** ; ils sont **prêts** à [...]. – [...] **prêts** pour [...]. – À deux minutes **près** [...]. – [...] de trop **près**.

49 ▶ Cette berline ne **peut** pas [...] **peu** d'essence [...]. – Tu **peux** [...] tu as **peu** de chance [...], tu es encore un **peu** jeune. – Il se **peut** que [...]. – [...] **peu** à **peu** [...] un tout petit **peu** de liqueur [...]. – **Peux**-tu écrire un **peu** mieux ? Je ne **peux** pas te lire. – J'ai **peu** de temps et je ne **peux** pas [...]. – [...]. – L'eau est **peu** [...], tu **peux** [...] tu ne **peux** pas [...].

50 ▶ [...] je ne sais **qu'en** faire [...] ! – **Quand** on n'a pas [...]. – [...] **qu'en** Italie. – [...] **quant** à l'actrice [...]. – [...] **quand** l'eau [...]. – [...] deux **ou** trois [...] ! – [...] **où** se trouve [...] ? – [...] là **où** il veut [...]. – [...] d'un serval **ou** d'un guépard ? – Dans l'état **où** [...].

51 ▶ [...] **quoique** avec moins [...]. – **Quoi que** vous plantiez [...]. – [...] **quoiqu'il** y ait [...]. – **Quoi que** M. Marmier [...]. – **Quoique** [...] outillé, [...]. – **Quoiqu'il** soit [...]. – **Quoi qu'**elle espère [...].

52 ▶ [...] **des hommes parlant** le chinois et le japonais ? – **Perçant** le dallage, **les plombiers préparent** [...] **leurs** tuyaux. – [...] **des messages alarmants** [...]. – **Observant** l'éclipse [...] **les astronomes sont enthousiasmés. – Affamés et terrifiants, les lions se sont jetés** sur **leur** proie. – **Les bénéfices de ce mois sont encourageants** [...]. – **Ces enfants imprudents se sont brûlés en jouant** [...]. – En **les invitant** [...], vous avez fait plaisir à **vos amis.**

53 ▶ un intérêt – un piéton – un chêne – un ancêtre – véhiculer – un évêque – la grêle – l'aéroport – la trêve – l'extrémité – parallèle – le grésil – la fenêtre – la déesse – la tête – réciter – la planète – l'arène – inquiéter – téter – rêver – enquêter – prêter – honnête – pédaler

54 ▶ [...] contre-espionnage, [...] passe-temps [...]. – Le contre-la-montre [...] Aix-les-Bains. – Participerez-vous [...] vous abstiendrez-vous ? – Renseigne-toi [...] d'aide-soignante. – [...] vingt-cinq [...] au-dessus [...]. – C'est en mille neuf cent quatre-vingt-dix-huit [...] en Extrême-Orient. – C'est à cette époque-là [...].

55 ▶ confédération générale du travail, manifestation, salaire minimum interprofessionnel de croissance, sécurité sociale, contrats à durée déterminée, contrats à durée indéterminée – compacts disques, compilation, quarante-cinq minutes, électronique – réduction du temps de travail, compagnie, quinze heures – pneumatiques, automobile, soixante litres, super-carburant – Trois euros, décaféiné, taxe à la valeur ajoutée, dix-sept pour cent – écologistes, trois hectares, organismes génétiquement modifiés

56 ▶ [...] de discernement [...] une décision. – Les adolescents sont [...] des cibles [...] des publicitaires. – [...] certains référendums [...] se transforment en plébiscites. – [...] il faut avancer avec [...] précautions. – Si l'ascenseur [...] l'escalier. – [...] les citoyens français sont [...]. – La discussion [...] chacun pense avoir raison. – Certaines lotions [...] favorisent la pousse [...]. – La péniche se présente [...] l'écluse.

57 ▶ [...] les antiquités grecques [...]. – Le catholicisme [...] chrétiennes. – Le verdict du chronomètre [...] **quatrième** [...] contre-la-montre. – [...] des sarcophages [...] décorés. – Ce judoka tchèque [...] olympique. – [...] les archéologues [...] ces chaos de blocs [...] ? – Le chlorure [...] scientifique [...] cuisine. – La Nouvelle-Calédonie [...] de nickel. – Victoria [...] l'élastique [...] car, à son époque, [...] les écoles.

58 ▶ [...] votre tente sur l'emplacement [...] aux dépens des autres campeurs. – Cet artisan pense embaucher un apprenti [...]. – Ce charlatan prétend [...] un carburant [...] ! – [...] le président est absent, c'est son assistant [...]. – La tante d'Alexandre prend le temps [...]. – Ce dépliant met l'accent [...] de sang. – Muni d'un scaphandre [...] d'amphores. –

[…] au centre […] attention car cet endroit est dangereux. – L'enquête diligentée […] d'un brigand qui hantait les environs […]. – Cette ancienne antenne […] les différentes chaînes étrangères.

59 ▷ Certains linguistes […]. – […] le chimpanzé est un singe doté d'une intelligence bien supérieure […]. – […] important ; […] maintenant. – […] limpide, […] sans crainte. – […] l'examen, pour vaincre […], Sylvain […]. – Le parrain de ton cousin revient du Bénin […] vingt mois. – […] de grains dans ce moulin […]. – Les Jeux olympiques […]. – […] peint […] demain, il sera célèbre.

60 ▷ Le dauphin est un mammifère […] affectueux. – À la surface […] magnifiques nénuphars. – Avant d'affirmer […] il faut réfléchir […]. – Afin […], les spectateurs s'engouffrent […]. – […] a effectué un saut fantastique ; […] fut parfaite. – Le chauffeur […] ses phares […] brefs délais. – Pour effrayer […] en fantôme avec de vieux chiffons. – […] trente-neuf, […] de chiffres ? – En français, l'alphabet […]. – […] l'Épiphanie, […]. – Dans cette phrase, […] adjectif démonstratif. – […] les fenêtres, […] on étouffe ici. – Nous profitons d'une rediffusion de ce feuilleton […].

61 ▷ outiller – relayer – griller – éveiller – essayer – balayer – ondoyer – monnayer – employer – crier – rouiller – détailler – fusiller – sourciller – payer

62 ▷ […] le courageux […] le dragon ? – […] rectangle, la longueur est plus longue que la largeur. – […] une angine […] la gorge […]. – Pour maigrir, ces jeunes […] un régime sans pain ni graisse. – […] la digue, […] ravageaient […]. – En mangeant, Georgina […] la langue. – Les bagages de Marguerite […]. – Lorsque je regarde […], j'ai le vertige. – On charge une cargaison de cageots de légumes […]. – Les wagons […] en gare de Dijon.

63 ▷ La leucémie […] heureusement […]. – […] l'eucalyptus […]. – Une meute […]. – Les musulmans jeûnent […]. – Le démineur a neutralisé […]. – […] neuvième […]. – Le neutron […]. – […] à l'émeute. – Le fœhn […]. – […] de meunier […]. – […] les pneus […]. – […] la queue […].

64 ▷ un rongeur – une bombe – combler – une bonbonnière – un dompteur – somptueux – un tombeau – une trompe – la bonté – le fondateur – pondre – profond – sombre – un songe – une ombre – un grondement – un bourgeon – rompre – un démon – un prénom – le continent – nombreux – consistant – le rayon

65 ▷ […] la patte […]. – […] une cane. – Les côtes de bettes […]. – « La Ballade des Pendus » […]. – […] le ballet […]. – La chasse à courre […]. – Le palefrenier attelle […]. – […] des cottes de mailles. – La terre […]. – Mon voisin de palier […]. – […] sous serre(s) […].

66 ▷ illisible – immature – indifférent – irréversible – illogique – immobile – irréfléchi – insoluble – immatériel – inobservable – irrégulier – illicite – illégitime – illettré – immoral – indéfini – irrationnel – immortel – irresponsable – impartial – incorrect – irréaliste – irrévocable – inusité – imbuvable – inutile – irréel – immaculé – impopulaire – inavoué

67 ▷ L'auditoire […]. – […] un répertoire […]. – […] le territoire […]. – […] un peignoir […]. – […] son devoir. – […] de valeur […] acquéreur. – […] une erreur […]. – […] à vingt heures. – La sœur […] en pleurs […]. – Le trappeur […] un leurre […]. – […] la demeure […]. – […] à contrecœur […]. – Le directeur […] des collaborateurs […].

68 ▷ […] le landau du bébé. – […] un véritable fléau […]. – […] un étroit boyau. – […] un accroc […]. – […] l'escargot […]. – […] le poteau. – Le roseau […]. – […] l'artichaut […]. – […] la poudre de crapaud. – Le cacao […]. – […] les crocs.

69 ▶ un fouet – un relais – un rivet – un reflet – un sifflet – un balai – un essai – la paie – l'arrêt – le souhait – la pagaie – le remblai – le décès – l'engrais – le rabais – le progrès – le fait – le piquet

70 ▶ [...] chimpanzé [...]. – [...] des Sorciers, la spécialité [...]. – L'année [...] le 1er janvier ; l'année [...]. – La chaussée [...] la matinée. – [...] pelletées de gravier, le cantonnier [...] le fossé. – L'entrée du chantier [...] ouvriers. – Avec une pincée [...], ce velouté [...]. – [...] ses équipiers, [...] de mêlée [...] une percée. – [...] une bouchée [...] de pâté. – D'une enjambée, [...] la tranchée.

71 ▶ [...] des encyclopédies [...]. – [...] un tamis [...]. – [...] la roupie [...] ? – [...] une avarie [...]. – [...] un véritable sosie. – [...] un solide alibi. – Le riz [...]. – [...] la tribu [...]. – [...] un lourd tribut [...]. – [...] la rue [...]. – [...] un petit ru [...]. – [...] un cru [...]. – [...] en crue [...] ? – [...] à l'affût [...]. – [...] le flux des clients [...]. – La laitue [...].

72 ▶ la roue – un verrou – un tout – un burnous – un rendez-vous – un époux – un garde-boue – un tabou – le saindoux – un avant-goût – un marabout – le dégoût – un égout – le mou – le loup – une lamproie – un casse-noix – à mi-voix – un détroit – le désarroi – un avant-toit – l'envoi – un passe-droit – un choix – un porte-voix – le droit – l'oie – un siamois – un sans-emploi – un bourgeois

73 ▶ un bal – une stalle – un châle – un dédale – le hall – une cigale – un pétale – un râle – une filiale – un signal – un appel – une ruelle – une semelle – la moelle – une bielle – un modèle – la grêle – un asile – les sourcils – un vaudeville – une console – le pôle Sud – le rossignol – une girolle – le protocole – la pilule – le recul – le cumul – un somnambule – la bascule

74 ▶ un foulard – un avare – une barre – un départ – un bar – un calamar – un char – un jars – un émissaire – un repère ou un repaire – une molaire – l'envers – le concert – un cerf-volant – l'estuaire – le faussaire – un empire – le martyre ou le martyr – un mirador – un record – une amphore – le décor – le folklore – un apport – un quatuor – le délire – l'aurore – le confort – le mercure – le futur – une aventure – un mur

75 ▶ Le réservoir d'essence [...]. – [...] la conscience [...]. – [...] la conséquence de votre imprudence. – [...] la chance [...] une résidence [...]. – L'ambulance fait diligence [...] il y a urgence. – Une conférence [...] la présidence du ministre des Finances. – [...] une assurance contre les nuisances [...]. – La séance de voyance [...] une ambiance [...]. – [...] une anse [...].

76 ▶ le secours – le compas – du tabac – un buvard – un artichaut – un éclat – du lilas – une perdrix – du sirop – un réchaud – un repas – un étang – du verglas – du caoutchouc – un crapaud – un rallye – la souris – un talus – le velours – le cambouis – le cervelas – le nœud – un foulard – un radis – le syndicat

77 ▶ une oreille – hurler – hausser – un hôpital – un horaire – haleter – austère – héberger – une honte – arpenter – une élite – un aristocrate – un hangar – une harmonie – un anchois – hideux – hagard – une anguille – une amende – une hypothèse

78 ▶ [...] une cahute [...]. – La trahison [...]. – [...] le compte est exact. – Le comte [...]. – [...] théâtre [...] enthousiasmé. – [...] appréhendé un suspect. – [...] une théorie cohérente [...]. – Le rhume [...]. – [...] scieries [...] la forêt vosgienne. – Avec le feu d'artifice [...] apothéose. – [...] de techniciens. – [...] la cathédrale [...].

79 ▶ un excédent – exhumer – une excursion – vacciner – la succession – exubérant – un examen – exempter – accéder – l'exception – intoxiquer – l'accélérateur – le paradoxe – la fixation – l'asphyxie – l'occiput – l'expulsion – l'exil – la coccinelle – accéder

80 ▶ inopportun – inexprimable – désaccordé – désarmer – immoral – inoccupé – inhospitalier – illégal – désorienté – déshabillé – déshydraté – illogique – inattendu – impalpable – inflexible – desserrer – déshonorer – inhabité

81 ▶ coût – lys – vaut – étang – pris – mer – rênes – teint – repaire – sensée

82 ▶ des pull-overs – des boy-scouts – des music-halls – des pipe-lines – des camping-cars – des tee-shirts – des blue-jeans – des chewing-gums – des hot-dogs – des fox-terriers – des hit-parades – des self-services – des night-clubs – des fast-foods – des best-sellers – des drop-goals

83 ▶ […] le plus complet **dénuement**. – Le **dénouement** […]. – Cet **astrologue** […]. – L'**astronome** […]. – […] preuve d'**aveuglement** […]. – […] **aveuglément** […]. – […] gare à l'**indigestion** ! – […] l'**indignation**. – […] en **infraction**. – […] par **effraction** […]. – La **réfection** […]. – […] après mûre **réflexion**.

84 ▶ partie – contrarié – écorché – un diplomate – l'insularité – manuel – respecter – l'opportunité – un démocrate – rénal – la popularité – minéral – la sérénité – balnéaire – la vanité

85 ▶ […] **chez** le dentiste. – […] **dans** la serrure. – […] **contre** le mur. – […] **à** cheval […]. – […] **dans** le journal. – […] assis **sur** les chaises […] **à** leur disposition. – […] **à** Paris. – […] **par** mois […]. – […] **de** son cousin. – […] se coiffe **avec** […]. – **Durant** son service […].

86 ▶ Tous les véhicules sont à bord […] **et** les marins larguent […]. – Pierrick a bien reçu les messages […], **mais** il ne peut pas […]. – Karen a tenu son pari, **en effet** il a plongé […]. – Les députés siègent […], **aussi** devraient-ils avoir terminé […]. – César bat les cartes, **puis** Marc les distribue. – Sarah m'a envoyé un SMS, **donc** elle est bien arrivée. – Le terrain est impraticable, **donc** le match a été annulé. – Deux hommes ont été soupçonnés de vol, **pourtant** ils sont innocents.

87 ▶ […] la soirée à **laquelle** […]. – Les tisanes **dont** […]. – Les personnes **qui** […]. – Le Vietnam est le pays **où** […]. – Les délégués **que** […]. – Le parking dans **lequel** […]. – Les arbres sur **lesquels** […]. – Les abeilles **qui** […]. – Les factures **dont** […].

88 ▶ […] pour que leur fille **entreprenne** […]. – Bien que le skieur **connaisse** […]. – […] afin que nous **puissions** […] ? – Toutes les fois que nous **franchissons** un col, […]. – Après que le cyclone **a** ravagé […]. – Ce commerçant affirme qu'il **atteindra** […].

89 ▶ Personne n'est **d'accord** […]. – Laurette a **mal** […]. – Il y a **trop** […] je ne resterai pas **davantage** […]. – […] jouer du piano **debout** ! – Le parasol est **assez** bien fixé […]. – **Désormais**, les pays […]. – **À peine** écloses […]. – […] **maintenant** transformé […]. – […] pas **beaucoup**.

90 ▶ brusquement – hebdomadairement – clairement – luxueusement – prudemment – abondamment – négligemment – mystérieusement

91 ▶ […] **le sien** est en panne. – […] **celle** de la rue Pasteur. – […] pour que tu y inscrives aussi **la tienne**. – […] nous plierons **les nôtres**. – […] **celui** de 17 heures. – […] **ceux** du boulevard Mermoz fonctionnent. – […] **cela** n'arrive pas souvent.

92 ▶ Le repas a été apprécié par les convives. – L'imprimerie a été inventée par Gutenberg. – Nous avons été invités à déjeuner par Blandine. – Les billets ont été vérifiés par le contrôleur. – L'essai est transformé par le demi de mêlée. – La pénicilline a été découverte par Ian Fleming. – Les prix sont fixés par une réglementation stricte. – Les tuyaux étaient soudés par le plombier. – Le Soleil était peu à peu éclipsé par la Lune. – La contrefaçon des vêtements de luxe est interdite par la loi. – Le dompteur est surpris par la réaction du fauve. – Ces couleurs seront confondues par le daltonien. – Les relevés de consommation sont périodiquement envoyés à ses abonnés par la compagnie des eaux. – Dans le métro, les journaux sont lus par des milliers de personnes.

93 ▶ **Personne ne** réagit aux propos […]. – **Aucun** bateau n'appareillera […]. – Les musiciens **ne** reprennent **pas** le dernier mouvement […]. – Ces prédictions **ne** convainquent **que** ceux qui ont une confiance illimitée […]. – La machine à vapeur **n'**a **point** survécu […]. – […] le vendeur **ne** garantit **ni** le remplacement des pièces **ni** la main-d'œuvre. – […] ces personnes **ne** maigrissent **guère**. – Ce nouvel outil **ne** sert à **rien**. – […] les avions **n'**atterrissent **plus** à Marignane. – Martin **ne** s'endort **jamais** sans avoir lu un article […].

94 ▶ Il lui **vient** […]. – Il me **prend** […]. – Il **convient** […]. – Il **est** des propos qu'il **vaut** mieux ne jamais prononcer. – […] il **gèle** […]. – Il **fait** […]. – […] il **sort** […]. – […] il **revient** […]. – Il se **peut** […]. – Il **court** […].

95 ▶ […] ils **sont comme chien et chat**. – […] il **bâtit des châteaux en Espagne**. – […] elle **est à cheval sur les principes**. – […] elle **prend la mouche**. – […] un combat **sans merci**. – Cet escroc cherche **un homme de paille** […]. – […] il a découvert **le pot aux roses**. – […] il **veille au grain**. – […] ce journaliste **coupe l'herbe sous le pied** de ses concurrents.

96 ▶ Ce jeune […] est insolent **envers (à l'égard)** des personnes […]. – […] il parle **trop**. – […] il reviendra **tout de suite**. – […] je suis **stupéfait(e)**. – […] des dépenses **somptueuses**. – […] ce navigateur **a des chances de gagner** la course […]. – Julien en a assez d'avoir les oreilles **rebattues** […]. – Le livre **dont** vous parlez […]. – […] une rue **passante** […].

97 ▶ **1ᵉʳ groupe** : trébucher – barbouiller – annuler – triompher – souligner – préconiser – gesticuler – espionner / **2ᵉ groupe** : subir – aboutir – resplendir – atterrir – réfléchir – approfondir – garantir – avertir / **3ᵉ groupe** : traduire – pleuvoir – plaire – apparaître – intervenir – parcourir – entendre – enfreindre

98 ▶ ont éteint (passé) – avais mordu (passé) – écoutez (présent) – prédira (futur) – pondent (présent) – amortira (futur) – enchantèrent (passé) – avons envoyé (passé) – vaccine (présent)

99 ▶ […] les ordinateurs **sont** […]. – Ce dessinateur **a** […]. – Nous **cherchons** […]. – Tu **tournes** […]. – Vous me **coupez** […]. – Je **lave** […]. – Ces jeunes garçons **fréquentent** […]. – Ces baigneurs n'**échappent** pas […]. – […] le client **compare** […]. – Nous **rentrons** […].

100 ▶ Les vendeurs nous **garantissent** […]. – Une panne d'électricité **interrompt** […]. – […] tu **prends** […] j'en **déduis** que le ciel s'assombrit. – […] **vivez**-vous […] ? – Nous **admettons** […]. – Ces hommes généreux **combattent** […]. – Tu **sens** […]. – Ces deux pays **concluent** […]. – Le cosmonaute **revêt** […]. – Je **confonds** […]. – […] le chiot **accourt**. – Tu **subis** […]. – Le soleil **luit**.

101 ▶ Vous **fuyez** […]. – […] Joris **vainc** […]. – Nous nous **asseyons (assoyons)** […]. – Les marins **maudissent** […]. – […] tu **acquiers** […]. – Les génies ne **meurent** jamais […] ils **survivent** […]. – Ces meubles anciens **valent** […]. – Je ne **dois** pas […]. – Vous vous **satisfaites** […]. – La température se **maintient** […]. – […] nous **apprenons** […]. – […] j'**enduis** […]. – Quelques brins […] **suffisent** […].

102 ▶ L'éleveur ne **nourrissait** […]. – Tu **éblouissais** […]. – J'**enfouissais** […]. – […] vous vous **concentriez** […]. – Cette personne **intervenait** […] le présentateur ne lui **donnait** pas […]. – […] tu **vivais** […] tu **mettais** […]. – J'**évitais** […]. – […] les rivières **envahissaient** […]. – […] il **jouait** […] M. Blanc **perdait**. – Les Égyptiens **bâtissaient** […].

178

103 ▶ [...] on **résolvait** [...]. – Tu **décrivais** [...]. – [...] seuls les gens riches **élisaient** [...]. – [...] nous **proscrivions** [...]. – L'analyse [...] **contredisait** [...]. – Les précepteurs **instruisaient** [...]. – Vous **redisiez** [...] vous l'**aviez** entendue. – [...] les paysans **maudissaient** [...]. – [...] on **prédisait** [...]. – Les médecins de Molière lui **prescrivaient** [...]. – Aucune émotion ne **transparaissait** [...].

104 ▶ [...] vous **louerez** [...]. – [...] tu **accentueras** [...]. – Tant que je ne l'**aurai** pas vu, je **continuerai** [...]. – L'assurance **allouera** [...]. – Nous **plierons** [...]. – Les derniers ours blancs **se réfugieront** [...]. – [...] vous **négocierez** [...]. – [...] l'adjoint **suppléera** [...]. – [...] cette honnête proposition vous **agréera**. – Nous **unirons** [...]. – Tu **recueilleras** [...].

105 ▶ Tu ne **confondras** pas [...]. – Je m'**assoirai** (assiérai) [...]. – Ce jeune couple **acquerra** [...]. – [...] nous **préviendrons** [...]. – Mon cousin Farid s'**inscrira** [...]. – Vous **prendrez** [...]. – [...] les cosmonautes **vivront** [...]. – Cette imprimante **reproduira** [...]. – [...] tu me **surprendras** [...].

106 ▶ L'accusé **proclama** [...]. – [...] tu **sautas** [...]. – J'**achevai** [...]. – Nous **dévorâmes** [...]. – Vous nous **proposâtes** [...]. – Les employés **désignèrent** [...]. – Tu **agrafas** [...]. – [...] nous **totalisâmes** [...]. – [...] vous **trébuchâtes**. – Tu **consolidas** [...]. – Roméo **aima** [...]. – Le prince charmant **réveilla** [...]. – Tu **quittas** [...].

107 ▶ Je **fis** [...]. – [...] tu **appris** [...] tu t'**assis** [...]. – La récolte de colza **pâtit** [...]. – [...] les prix du pétrole **repartirent** [...]. – Je ne **mis** [...]. – [...] les riverains **entreprirent** [...]. – [...] le public **rit** [...]. – Cet éboulement [...] **contraignit** [...]. – [...] j'**éteignis** [...]. – [...] je **pris** [...].

108 ▶ Les vulcanologues **prévinrent** [...]. – [...] le chauffard **comparut** [...]. – Les sauveteurs **secoururent** [...]. – Je **dus** [...]. – Tu **relus** [...]. – Des barrières **continrent** [...]. – Ce disque **promut** [...]. – Les meilleures places **échurent** à ceux qui **eurent** [...]. – La sagesse **prévalut** et les protagonistes [...] **finirent** [...]. – Nous **vînmes** [...].

109 ▶ Je **balaie** [...]. – Tu **furètes** [...]. – Nous **empaquetons** [...]. – La frêle embarcation **louvoie** [...]. – Tu **amoncelles** [...]. – La vaisselle d'argent **flamboie** [...]. – Vous vous **apitoyez** [...]. – Mme Sarda **congèle** [...]. – Le vendeur **interpelle** [...].

110 ▶ [...] nous **vaquons** [...]. – Vous **devancez** [...]. – Nous **partageons** [...]. – [...] nous **grimaçons**. – La vue du requin blanc **glace** [...]. – Nous **envisageons** [...]. – Je **pratique** [...]. – Nous **naviguons** [...]. – [...] nous **voyageons** [...]. – Tu m'**intrigues** [...]. – Le service d'ordre **endigue** [...].

111 ▶ Vous **pénétrerez** [...]. – Nous **créerons** [...]. – Cette femme **lèguera** [...]. – Les ravisseurs **libèreront** [...]. – J'**opèrerai** [...] et je **relèverai** [...]. – Tu **gèreras** [...]. – Cet achat inconsidéré **grèvera** [...]. – Les jurés **différeront** [...]. – La montgolfière s'**élèvera** [...]. – Le prix de cette moto n'**excèdera** [...]. – J'**intercèderai** [...].

112 ▶ Christophe Colomb **est parti** [...] il **est arrivé** [...]. – Le pharmacien **a prévenu** [...]. – [...] tu **as diverti** [...]. – [...] tu **as téléphoné** [...]. – La station spatiale **a émis** [...] et **a disparu** [...]. – Les portes **ont coulissé** [...]. – On dit que l'ennui **est né** [...]. – J'**ai refusé** [...]. – Nous **sommes resté(e)s** [...] il ne s'**est pas ouvert**. – Vous **vous êtes installé(e)s** [...] vous **avez pris** [...].

113 ▶ [...] le printemps **était** de retour, les jardiniers **avaient sorti** [...] ils **avaient commencé** [...]. – Les fauves **dévoraient** [...] qu'ils **avaient poursuivies** [...]. – J'**imprimais** les documents que j'**avais complétés** [...]. – Vous **aviez laissé** [...] parce qu'elle **refusait** [...]. – La pintade que le cuisinier **avait préparée faisait** [...] : elle **était** [...]. – Nous **étions parvenues** [...] et nous **récupérions** [...].

114 ▶ Quand j'**aurai retenu** [...]. – Lorsque tu **eus maîtrisé** [...]. – Dès que l'ingénieur **eut perfectionné** [...]. – Lorsque le soleil **aura réchauffé** [...]. – Sitôt que les mannequins **se furent maquillés** [...]. – Quand je **me fus hissé(e)** [...]. – [...] la nuit **sera tombée** [...].

115 ▶ Si tu **utilisais** [...], tu **porterais** [...]. – Si l'historien **consultait** [...], il **rédigerait** [...]. – Si j'**étais** [...], je ne **bougerais** pas [...]. – Le comédien **briserait** [...], s'il **refusait** [...]. – Si un malfaiteur **se glissait** [...], l'alarme **retentirait**. – Nous **supporterions** [...], si nous **portions** [...]. – L'arbitre **interromprait** [...], si le brouillard **s'épaississait**. – Si vous **vouliez** [...], vous les **placeriez** [...].

116 ▶ Pourquoi **jetteriez**-vous [...] ? – [...] je l'**achèterais** [...]. – [...] nous **recevrions** [...]. – Les habitants du lotissement **verraient**-ils [...] ? – [...] tu **emploierais** [...] ! – [...] le conducteur **règlerait** [...]. – Qu'**adviendrait**-il [...] ? – [...] il **encourrait** [...]. – [...] il **faudrait** [...] !

117 ▶ [...] je ne **craindrais** pas [...]. – [...] j'**enregistrerai** [...]. – [...] je **connaîtrais** [...]. – [...] je ne m'**endormirai** pas. – [...] je **prendrais** [...]. – [...] elles **seraient** [...]. – [...] le pilote **s'éjectera**. – [...] je l'**accompagnerai**.

118 ▶ Si j'en **avais eu** [...], j'**aurais effectué** [...]. – Si tu **avais réfléchi** [...], tu n'**aurais** pas **répondu** [...]. – S'il n'**avait** pas **fait** [...], ce cheval **aurait devancé** [...]. – Si mes parents **étaient restés** [...], je **serais né(e)** [...]. – Nous **aurions reporté** [...], si les circonstances l'**avaient exigé**. – Si le plombier **était intervenu** [...], la fuite d'eau n'**aurait** pas **eu** [...]. – Si le modèle n'**avait** pas **bougé**, le peintre **aurait saisi** [...]. – Si les riverains **avaient débroussaillé** [...], le feu ne **se serait** pas **propagé**. – Si Barbara n'**avait** pas **teint** [...], nous l'**aurions reconnue**. – Si les barrières **avaient été** mieux fixées, le bétail ne **se serait** pas **échappé**.

119 ▶ Les fenêtres **étaient fermées**. – Les performances **seront améliorées**. – Les coupables **ont été châtiés**. – Un document **est photocopié**. – Les expériences **étaient multipliées**. – La pelouse **fut piétinée**. – Des vêtements **sont fabriqués** dans cette usine. – Les joueurs **seront acclamés** à la sortie du terrain. – Dimanche prochain, une manifestation **est organisée**. – Le ciel **a été scruté** à la recherche d'étoiles nouvelles. – Le questionnaire **fut complété**. – Des perturbations **sont prévues** dans les transports.

120 ▶ Il arrive que l'on **cueille** [...]. – Il faut que j'**appuie** [...]. – Il me tarde que l'avion **atterrisse** [...]. – Ses parents sont d'avis que Victoria **poursuive** [...]. – Quelle que **soit** l'amplitude [...]. – Il convient que Joris **pèle** [...]. – Rien ne s'oppose à ce que vous **utilisiez** [...]. – Nos amis nous écrivent pour que nous **partagions** [...]. – Il est rare que le portier **sourie** !

121 ▶ Il est rare qu'un arbre [...] **meure**. – Je m'étonne que tu ne **saches** pas [...]. – Il est vital que le caravanier **boive** [...]. – Où que j'**aille** [...]. – Il est dommage que ce spectacle ne **tienne** pas [...]. – Le maire est d'accord pour que M. Porta **construise** [...]. – La distance empêche que Valérie **rejoigne** le groupe [...]. – [...] il n'est pas certain que la même cause **produise** le même effet.

122 ▶ Il faut que le cosmonaute **revête** [...]. – Dans la mesure où le condamné **se pourvoit** en appel, [...]. – Il faut que le service de la voirie **pourvoie** [...]. – Nul ne souhaite que la lave se **répande** [...]. – Il est surprenant que l'on **extraie** [...]. – Tu n'oublies pas que ton train **repart** [...]. – L'expert affirme que cette collection [...] **vaut** [...]. – [...] le lièvre **s'enfuit**. – Il n'est pas étonnant que la gazelle **s'enfuie** [...].

123 ▶ Il conviendrait que Théo **fît tamponner** [...]. – Samuel était le seul qui **réussît** à chasser [...]. – Il serait fâcheux que le touriste **s'égarât** [...]. – Avant qu'il **composât** son code [...], il faudrait que Farid **introduisît** sa carte [...]. – Ce mélomane aimerait que ses amis **partageassent** sa passion [...]. – Il n'y avait que Maria qui **lût** [...]. – Il faudrait que ce boxeur **évitât** [...].

124 ▶ Il marchait avec tant de précaution qu'on ne l'**entendit** pas [...]. – Nous étions très étonnées que la neige **tombât** [...]. – Lors de son séjour [...], Mme Testa **découvrit** [...]. – La sentinelle gardait le dépôt [...] sans que l'on **devinât** [...]. – Comme la fête avait duré [...], Charles **dormit** [...]. – Tu ignorais qu'un tel costume **pût** être porté [...]. – L'éclusier refusa que la péniche **quittât** le bassin [...].

125 ▶ Tu veux que j'**aie repeint** [...]. – [...] il faut que tu **aies desserré** [...]. – Avant que nous **ayons réalisé** [...]. – Bien que l'incendie **se soit propagé** [...]. – Nous étions heureux que vous **ayez pu** [...]. – J'ai eu peur qu'il **se soit trompé** [...]. – Il vaudrait mieux que l'espion n'**ait** pas **percé** [...]. – Attends que la colle **ait séché** [...]. – Que je **sois allé(e)** [...].

126 ▶ Évite les obstacles, évitons, évitez. – Prédis l'avenir, prédisons, prédisez. – Ne parle pas trop fort, ne parlons pas, ne parlez pas. – Réclame ton dû, réclamons, réclamez. – Ne triche pas au jeu, ne trichons pas, ne trichez pas. – Ne claque pas la porte, ne claquons pas, ne claquez pas.

127 ▶ **Renforce** les charnières [...]. – **Confirme** ta réservation [...]. – Pour sauvegarder tes documents, **enregistre-les** [...] puis **copie-les** [...]. – Ne **fume** pas [...], la loi l'**interdit** et cela **nuit** à ta santé. – **Assure-toi** que la profondeur est suffisante [...]. – Tu **envisages** [...] ; **examine** bien les avantages [...].

128 ▶ L'entrée [...] était **payante**. – Les moteurs [...] **bruyants**. – [...] des langoustes **vivantes**. – Les chiens s'approchent [...] **en remuant** la queue. – **En cherchant** bien [...]. – [...] des câbles **isolants** [...]. – **En multipliant** les recherches [...]. – [...] une émission **intéressante**.

129 ▶ Dès qu'elle **eut** [...]. – L'électricien tenait à ce que le courant **fût** [...]. – M. Pujol a **eu** [...]. – Il **eût** fallu [...] pour qu'il **fût** [...]. – Il serait inexact de dire que ce trajet **fût** [...]. – Philippe a **eu** [...]. – Bien qu'on **fût** [...]. – Lorsque l'alerte **fut** [...].

TABLEAUX DE CONJUGAISON TYPES

Comment trouver
la conjugaison d'un verbe ?

Grâce à l'**index des verbes** et aux **tableaux de conjugaison types**, vous pouvez conjuguer tous les verbes de la langue française.

• Pour cela, il vous suffit de rechercher par ordre alphabétique, dans l'index (pages 269 à 312), le verbe que vous souhaitez conjuguer.

• Le numéro qui figure en face de ce verbe vous donnera le numéro du modèle de conjugaison type. Vous trouverez ce modèle de conjugaison dans les pages qui suivent (pages 186 à 268), les tableaux étant classés par numéro.

• Vous appliquerez au verbe que vous voulez conjuguer les variations du radical et les terminaisons du verbe modèle.

• Les difficultés particulières de chaque conjugaison sont indiquées par les lettres en couleur.

Exemples :

1. Comment s'écrit le verbe *sortir* à la 2ᵉ personne du singulier du présent de l'impératif ?
Sortir a pour numéro de conjugaison **22** (il se conjugue comme *dormir*).
À la 2ᵉ personne du singulier du présent de l'impératif, le verbe modèle s'écrit *dors* ; *sortir* s'écrira donc *sors*.

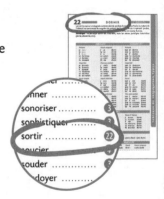

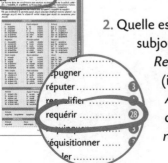

2. Quelle est la 3ᵉ personne du singulier du présent du subjonctif du verbe *requérir* ?
Requérir a pour numéro de conjugaison **28** (il se conjugue comme *acquérir*).
Acquérir fait *qu'il acquière* à la 3ᵉ personne du singulier du présent du subjonctif ; *requérir* fera donc *qu'il requière*.

184

Liste des 83 verbes types

tableaux de conjugaison types

1 ▰▰▰ AVOIR ▰▰▰

Avoir est soit un verbe transitif *(ils ont quatre enfants),* soit un auxiliaire utilisé dans la conjugaison des temps composés *(ils ont donné leur avis* : verbe *donner* au passé composé).
L'auxiliaire *avoir* sert à la conjugaison de la plupart des verbes à la voix active. C'est l'auxiliaire utilisé pour les temps composés de *avoir (j'ai eu)* et de *être (j'ai été).*
Ravoir ne s'utilise qu'à l'infinitif.

INDICATIF   SUBJONCTIF

Présent		Passé composé			Présent		
j'	ai	j'	ai	eu	que	j'	aie
tu	as	tu	as	eu	que	tu	aies
il	a	il	a	eu	qu'	il	ait
ns	avons	ns	avons	eu	que	ns	ayons
vs	avez	vs	avez	eu	que	vs	ayez
ils	ont	ils	ont	eu	qu'	ils	aient

Imparfait		Plus-que parfait			Imparfait		
j'	avais	j'	avais	eu	que	j'	eusse
tu	avais	tu	avais	eu	que	tu	eusses
il	avait	il	avait	eu	qu'	il	eût
ns	avions	ns	avions	eu	que	ns	eussions
vs	aviez	vs	aviez	eu	que	vs	eussiez
ils	avaient	ils	avaient	eu	qu'	ils	eussent

Passé simple		Passé antérieur			Passé			
j'	eus	j'	eus	eu	que	j'	aie	eu
tu	eus	tu	eus	eu	que	tu	aies	eu
il	eut	il	eut	eu	qu'	il	ait	eu
ns	eûmes	ns	eûmes	eu	que	ns	ayons	eu
vs	eûtes	vs	eûtes	eu	que	vs	ayez	eu
ils	eurent	ils	eurent	eu	qu'	ils	aient	eu

Futur simple		Futur antérieur			Plus-que-parfait			
j'	aurai	j'	aurai	eu	que	j'	eusse	eu
tu	auras	tu	auras	eu	que	tu	eusses	eu
il	aura	il	aura	eu	qu'	il	eût	eu
ns	aurons	ns	aurons	eu	que	ns	eussions	eu
vs	aurez	vs	aurez	eu	que	vs	eussiez	eu
ils	auront	ils	auront	eu	qu'	ils	eussent	eu

CONDITIONNEL

Présent		Passé 1re forme			Passé 2e forme		
j'	aurais	j'	aurais	eu	j'	eusse	eu
tu	aurais	tu	aurais	eu	tu	eusses	eu
il	aurait	il	aurait	eu	il	eût	eu
ns	aurions	ns	aurions	eu	ns	eussions	eu
vs	auriez	vs	auriez	eu	vs	eussiez	eu
ils	auraient	ils	auraient	eu	ils	eussent	eu

IMPÉRATIF

Présent			Passé		
aie	ayons	ayez	aie eu	ayons eu	ayez eu

INFINITIF   PARTICIPE

Présent	Passé	Présent	Passé	Passé composé
avoir	avoir eu	ayant	eu, eue	ayant eu

2 ÊTRE

Être est soit un verbe d'état *(ils sont frères),* soit un auxiliaire utilisé dans la conjugaison des temps composés de certains verbes intransitifs *(ils sont arrivés* : verbe *arriver* au passé composé).

L'auxiliaire *être* sert à la conjugaison de quelques verbes à la voix active *(arriver, rester, partir...),* de tous les verbes pronominaux *(ils se sont donné la main)* et de tous les verbes à la voix passive *(ils sont suivis par un inconnu).*

Le participe passé *été* est toujours invariable.

INDICATIF | SUBJONCTIF

Présent		Passé composé			Présent		
je	suis	j'	ai	été	que je	sois	
tu	es	tu	as	été	que tu	sois	
il	est	il	a	été	qu' il	soit	
ns	sommes	ns	avons	été	que ns	soyons	
vs	êtes	vs	avez	été	que vs	soyez	
ils	sont	ils	ont	été	qu' ils	soient	

Imparfait		Plus-que-parfait			Imparfait		
j'	étais	j'	avais	été	que je	fusse	
tu	étais	tu	avais	été	que tu	fusses	
il	était	il	avait	été	qu' il	fût	
ns	étions	ns	avions	été	que ns	fussions	
vs	étiez	vs	aviez	été	que vs	fussiez	
ils	étaient	ils	avaient	été	qu' ils	fussent	

Passé simple		Passé antérieur			Passé		
je	fus	j'	eus	été	que j'	aie	été
tu	fus	tu	eus	été	que tu	aies	été
il	fut	il	eut	été	qu' il	ait	été
ns	fûmes	ns	eûmes	été	que ns	ayons	été
vs	fûtes	vs	eûtes	été	que vs	ayez	été
ils	furent	ils	eurent	été	qu' ils	aient	été

Futur simple		Futur antérieur			Plus-que-parfait		
je	serai	j'	aurai	été	que j'	eusse	été
tu	seras	tu	auras	été	que tu	eusses	été
il	sera	il	aura	été	qu' il	eût	été
ns	serons	ns	aurons	été	que ns	eussions	été
vs	serez	vs	aurez	été	que vs	eussiez	été
ils	seront	ils	auront	été	qu' ils	eussent	été

CONDITIONNEL

Présent		Passé 1re forme			Passé 2e forme		
je	serais	j'	aurais	été	j'	eusse	été
tu	serais	tu	aurais	été	tu	eusses	été
il	serait	il	aurait	été	il	eût	été
ns	serions	ns	aurions	été	ns	eussions	été
vs	seriez	vs	auriez	été	vs	eussiez	été
ils	seraient	ils	auraient	été	ils	eussent	été

IMPÉRATIF

Présent			Passé		
sois	soyons	soyez	aie été	ayons été	ayez été

INFINITIF | PARTICIPE

Présent	Passé	Présent	Passé	Passé composé
être	avoir été	étant	été	ayant été

tableaux de conjugaison types

Tous les verbes du 1ᵉʳ groupe ont les terminaisons du verbe modèle *chanter*.
Le radical *chant-* est utilisé pour tous les temps simples, sauf au futur simple et au présent du conditionnel, temps pour lesquels les formes se construisent sur le radical *chanter-*.
Remarque : la plupart des nouveaux verbes appartiennent au 1ᵉʳ groupe et se conjuguent sur le modèle de *chanter* (Ex. : *zapper, sponsoriser*).

INDICATIF — SUBJONCTIF

Présent	Passé composé		Présent	
je chante	j' ai	chanté	que je chante	
tu chantes	tu as	chanté	que tu chantes	
il chante	il a	chanté	qu' il chante	
ns chantons	ns avons	chanté	que ns chantions	
vs chantez	vs avez	chanté	que vs chantiez	
ils chantent	ils ont	chanté	qu' ils chantent	

Imparfait	Plus-que-parfait		Imparfait	
je chantais	j' avais	chanté	que je chantasse	
tu chantais	tu avais	chanté	que tu chantasses	
il chantait	il avait	chanté	qu' il chantât	
ns chantions	ns avions	chanté	que ns chantassions	
vs chantiez	vs aviez	chanté	que vs chantassiez	
ils chantaient	ils avaient	chanté	qu' ils chantassent	

Passé simple	Passé antérieur		Passé	
je chantai	j' eus	chanté	que j' aie	chanté
tu chantas	tu eus	chanté	que tu aies	chanté
il chanta	il eut	chanté	qu' il ait	chanté
ns chantâmes	ns eûmes	chanté	que ns ayons	chanté
vs chantâtes	vs eûtes	chanté	que vs ayez	chanté
ils chantèrent	ils eurent	chanté	qu' ils aient	chanté

Futur simple	Futur antérieur		Plus-que-parfait	
je chanterai	j' aurai	chanté	que j' eusse	chanté
tu chanteras	tu auras	chanté	que tu eusses	chanté
il chantera	il aura	chanté	qu' il eût	chanté
ns chanterons	ns aurons	chanté	que ns eussions	chanté
vs chanterez	vs aurez	chanté	que vs eussiez	chanté
ils chanteront	ils auront	chanté	qu' ils eussent	chanté

CONDITIONNEL

Présent	Passé 1ʳᵉ forme		Passé 2ᵉ forme	
je chanterais	j' aurais	chanté	j' eusse	chanté
tu chanterais	tu aurais	chanté	tu eusses	chanté
il chanterait	il aurait	chanté	il eût	chanté
ns chanterions	ns aurions	chanté	ns eussions	chanté
vs chanteriez	vs auriez	chanté	vs eussiez	chanté
ils chanteraient	ils auraient	chanté	ils eussent	chanté

IMPÉRATIF

Présent			Passé		
chante	chantons	chantez	aie chanté	ayons chanté	ayez chanté

INFINITIF — PARTICIPE

Présent	Passé	Présent	Passé	Passé composé
chanter	avoir chanté	chantant	chanté, e	ayant chanté

Les verbes en -*ier* sont tout à fait réguliers. Ils s'écrivent avec deux *i* consécutifs aux deux premières personnes du pluriel de l'imparfait de l'indicatif et du présent du subjonctif *(nous criions, vous criiez)* : le premier pour le radical *(cri-)*, le deuxième pour la terminaison *(-ions, -iez)*.

On veillera à ne pas oublier le *e* muet du radical au futur simple et au présent du conditionnel (Ex. : *je lierai,* du verbe *lier,* 1er groupe, à bien distinguer de *je lirai,* du verbe *lire,* 3e groupe).

INDICATIF

Présent	Passé composé		SUBJONCTIF

INDICATIF

Présent
je crie
tu cries
il crie
ns crions
vs criez
ils crient

Passé composé
j' ai crié
tu as crié
il a crié
ns avons crié
vs avez crié
ils ont crié

Imparfait
je criais
tu criais
il criait
ns criions
vs criiez
ils criaient

Plus-que-parfait
j' avais crié
tu avais crié
il avait crié
ns avions crié
vs aviez crié
ils avaient crié

Passé simple
je criai
tu crias
il cria
ns criâmes
vs criâtes
ils crièrent

Passé antérieur
j' eus crié
tu eus crié
il eut crié
ns eûmes crié
vs eûtes crié
ils eurent crié

Futur simple
je crierai
tu crieras
il criera
ns crierons
vs crierez
ils crieront

Futur antérieur
j' aurai crié
tu auras crié
il aura crié
ns aurons crié
vs aurez crié
ils auront crié

SUBJONCTIF

Présent
que je crie
que tu cries
qu' il crie
que ns criions
que vs criiez
qu' ils crient

Imparfait
que je criasse
que tu criasses
qu' il criât
que ns criassions
que vs criassiez
qu' ils criassent

Passé
que j' aie crié
que tu aies crié
qu' il ait crié
que ns ayons crié
que vs ayez crié
qu' ils aient crié

Plus-que-parfait
que j' eusse crié
que tu eusses crié
qu' il eût crié
que ns eussions crié
que vs eussiez crié
qu' ils eussent crié

CONDITIONNEL

Présent
je crierais
tu crierais
il crierait
ns crierions
vs crieriez
ils crieraient

Passé 1re forme
j' aurais crié
tu aurais crié
il aurait crié
ns aurions crié
vs auriez crié
ils auraient crié

Passé 2e forme
j' eusse crié
tu eusses crié
il eût crié
ns eussions crié
vs eussiez crié
ils eussent crié

IMPÉRATIF

Présent
crie   crions   criez

Passé
aie crié   ayons crié   ayez crié

INFINITIF

Présent
crier

Passé
avoir crié

PARTICIPE

Présent
criant

Passé
crié, e

Passé composé
ayant crié

tableaux de conjugaison types

5 CRÉER

Les verbes en *-éer* sont tout à fait réguliers. Ainsi, certaines formes s'écrivent avec le *é* qui termine le radical *(cré-)* immédiatement suivi d'un *e* de la terminaison (Ex. : *je crée, ils créent*).

Le participe passé masculin s'écrit avec deux *é* : *créé* ; le participe féminin avec deux *é* suivis d'un *e* : *créée*.

Béer s'écrit avec un seul *é* au participe passé : *bouche bée*.

INDICATIF

Présent	Passé composé	
je crée	j' ai	créé
tu crées	tu as	créé
il crée	il a	créé
ns créons	ns avons	créé
vs créez	vs avez	créé
ils créent	ils ont	créé

Imparfait	Plus-que-parfait	
je créais	j' avais	créé
tu créais	tu avais	créé
il créait	il avait	créé
ns créions	ns avions	créé
vs créiez	vs aviez	créé
ils créaient	ils avaient	créé

Passé simple	Passé antérieur	
je créai	j' eus	créé
tu créas	tu eus	créé
il créa	il eut	créé
ns créâmes	ns eûmes	créé
vs créâtes	vs eûtes	créé
ils créèrent	ils eurent	créé

Futur simple	Futur antérieur	
je créerai	j' aurai	créé
tu créeras	tu auras	créé
il créera	il aura	créé
ns créerons	ns aurons	créé
vs créerez	vs aurez	créé
ils créeront	ils auront	créé

SUBJONCTIF

Présent	
que je crée	
que tu crées	
qu' il crée	
que ns créions	
que vs créiez	
qu' ils créent	

Imparfait	
que je créasse	
que tu créasses	
qu' il créât	
que ns créassions	
que vs créassiez	
qu' ils créassent	

Passé		
que j' aie	créé	
que tu aies	créé	
qu' il ait	créé	
que ns ayons	créé	
que vs ayez	créé	
qu' ils aient	créé	

Plus-que-parfait		
que j' eusse	créé	
que tu eusses	créé	
qu' il eût	créé	
que ns eussions	créé	
que vs eussiez	créé	
qu' ils eussent	créé	

CONDITIONNEL

Présent	Passé 1re forme		Passé 2e forme	
je créerais	j' aurais	créé	j' eusse	créé
tu créerais	tu aurais	créé	tu eusses	créé
il créerait	il aurait	créé	il eût	créé
ns créerions	ns aurions	créé	ns eussions	créé
vs créeriez	vs auriez	créé	vs eussiez	créé
ils créeraient	ils auraient	créé	ils eussent	créé

IMPÉRATIF

Présent			Passé		
crée	créons	créez	aie créé	ayons créé	ayez créé

INFINITIF

Présent	Passé
créer	avoir créé

PARTICIPE

Présent	Passé	Passé composé
créant	créé, créée	ayant créé

Les verbes en *-cer* sont tout à fait réguliers. Mais pour que le *c* garde le son [s] de l'infinitif, on met une cédille devant le *a* et le *o* des terminaisons (Ex. : *nous plaçons, je plaçais, vous plaçâtes, plaçant*).

INDICATIF

Présent	Passé composé		SUBJONCTIF

Présent · **Passé composé** · **Présent** (SUBJONCTIF)

	Présent		Passé composé		Présent
je	place	j' ai	placé	que je	place
tu	places	tu as	placé	que tu	places
il	place	il a	placé	qu' il	place
ns	plaçons	ns avons	placé	que ns	placions
vs	placez	vs avez	placé	que vs	placiez
ils	placent	ils ont	placé	qu' ils	placent

Imparfait		**Plus-que-parfait**		**Imparfait**	
je	plaçais	j' avais	placé	que je	plaçasse
tu	plaçais	tu avais	placé	que tu	plaçasses
il	plaçait	il avait	placé	qu' il	plaçât
ns	placions	ns avions	placé	que ns	plaçassions
vs	placiez	vs aviez	placé	que vs	plaçassiez
ils	plaçaient	ils avaient	placé	qu' ils	plaçassent

Passé simple		**Passé antérieur**		**Passé**	
je	plaçai	j' eus	placé	que j' aie	placé
tu	plaças	tu eus	placé	que tu aies	placé
il	plaça	il eut	placé	qu' il ait	placé
ns	plaçâmes	ns eûmes	placé	que ns ayons	placé
vs	plaçâtes	vs eûtes	placé	que vs ayez	placé
ils	placèrent	ils eurent	placé	qu' ils aient	placé

Futur simple		**Futur antérieur**		**Plus-que-parfait**	
je	placerai	j' aurai	placé	que j' eusse	placé
tu	placeras	tu auras	placé	que tu eusses	placé
il	placera	il aura	placé	qu' il eût	placé
ns	placerons	ns aurons	placé	que ns eussions	placé
vs	placerez	vs aurez	placé	que vs eussiez	placé
ils	placeront	ils auront	placé	qu' ils eussent	placé

CONDITIONNEL

Présent		**Passé 1re forme**		**Passé 2e forme**	
je	placerais	j' aurais	placé	j' eusse	placé
tu	placerais	tu aurais	placé	tu eusses	placé
il	placerait	il aurait	placé	il eût	placé
ns	placerions	ns aurions	placé	ns eussions	placé
vs	placeriez	vs auriez	placé	vs eussiez	placé
ils	placeraient	ils auraient	placé	ils eussent	placé

IMPÉRATIF

Présent			**Passé**		
place	plaçons	placez	aie placé	ayons placé	ayez placé

INFINITIF · PARTICIPE

Présent	**Passé**	**Présent**	**Passé**	**Passé composé**
placer	avoir placé	plaçant	placé, e	ayant placé

tableaux de conjugaison types

7 ■■■■■■■ MANGER ■ 1er GROUPE

Les verbes en *-ger* sont tout à fait réguliers. Mais pour que le *g* garde le son [ʒ] de l'infinitif, on met un *e* muet devant le *a* et le *o* des terminaisons (Ex. : *nous mangeons, je mangeais, mangeant*).

Remarque : pour les verbes en *-éger*, voir modèle **10**.

INDICATIF			SUBJONCTIF	
Présent	**Passé composé**		**Présent**	
je mange	j' ai	mangé	que je mange	
tu manges	tu as	mangé	que tu manges	
il mange	il a	mangé	qu' il mange	
ns mangeons	ns avons	mangé	que ns mangions	
vs mangez	vs avez	mangé	que vs mangiez	
ils mangent	ils ont	mangé	qu' ils mangent	
Imparfait	**Plus-que-parfait**		**Imparfait**	
je mangeais	j' avais	mangé	que je mangeasse	
tu mangeais	tu avais	mangé	que tu mangeasses	
il mangeait	il avait	mangé	qu' il mangeât	
ns mangions	ns avions	mangé	que ns mangeassions	
vs mangiez	vs aviez	mangé	que vs mangeassiez	
ils mangeaient	ils avaient	mangé	qu' ils mangeassent	
Passé simple	**Passé antérieur**		**Passé**	
je mangeai	j' eus	mangé	que j' aie	mangé
tu mangeas	tu eus	mangé	que tu aies	mangé
il mangea	il eut	mangé	qu' il ait	mangé
ns mangeâmes	ns eûmes	mangé	que ns ayons	mangé
vs mangeâtes	vs eûtes	mangé	que vs ayez	mangé
ils mangèrent	ils eurent	mangé	qu' ils aient	mangé
Futur simple	**Futur antérieur**		**Plus-que-parfait**	
je mangerai	j' aurai	mangé	que j' eusse	mangé
tu mangeras	tu auras	mangé	que tu eusses	mangé
il mangera	il aura	mangé	qu' il eût	mangé
ns mangerons	ns aurons	mangé	que ns eussions	mangé
vs mangerez	vs aurez	mangé	que vs eussiez	mangé
ils mangeront	ils auront	mangé	qu' ils eussent	mangé

CONDITIONNEL				
Présent	**Passé 1re forme**		**Passé 2e forme**	
je mangerais	j' aurais	mangé	j' eusse	mangé
tu mangerais	tu aurais	mangé	tu eusses	mangé
il mangerait	il aurait	mangé	il eût	mangé
ns mangerions	ns aurions	mangé	ns eussions	mangé
vs mangeriez	vs auriez	mangé	vs eussiez	mangé
ils mangeraient	ils auraient	mangé	ils eussent	mangé

IMPÉRATIF		
Présent		**Passé**
mange mangeons mangez		aie mangé ayons mangé ayez mangé

INFINITIF		PARTICIPE		
Présent	**Passé**	**Présent**	**Passé**	**Passé composé**
manger	avoir mangé	mangeant	mangé, e	ayant mangé

Les verbes en -*guer* gardent le *u* qui suit le *g* dans toute la conjugaison, même devant *a* et *o*, car il appartient au radical (Ex. : *nous naviguons, il navigua*).

INDICATIF		SUBJONCTIF

Présent

	Présent		Passé composé			Présent	
je	navigue	j'	ai	navigué	que je	navigue	
tu	navigues	tu	as	navigué	que tu	navigues	
il	navigue	il	a	navigué	qu' il	navigue	
ns	naviguons	ns	avons	navigué	que ns	naviguions	
vs	naviguez	vs	avez	navigué	que vs	naviguiez	
ils	naviguent	ils	ont	navigué	qu' ils	naviguent	

Imparfait / **Plus-que-parfait** / **Imparfait**

je	naviguais	j'	avais	navigué	que je	naviguasse	
tu	naviguais	tu	avais	navigué	que tu	naviguasses	
il	naviguait	il	avait	navigué	qu' il	naviguât	
ns	naviguions	ns	avions	navigué	que ns	naviguassions	
vs	naviguiez	vs	aviez	navigué	que vs	naviguassiez	
ils	naviguaient	ils	avaient	navigué	qu' ils	naviguassent	

Passé simple / **Passé antérieur** / **Passé**

je	naviguai	j'	eus	navigué	que j'	aie	navigué
tu	naviguas	tu	eus	navigué	que tu	aies	navigué
il	navigua	il	eut	navigué	qu' il	ait	navigué
ns	naviguâmes	ns	eûmes	navigué	que ns	ayons	navigué
vs	naviguâtes	vs	eûtes	navigué	que vs	ayez	navigué
ils	naviguèrent	ils	eurent	navigué	qu' ils	aient	navigué

Futur simple / **Futur antérieur** / **Plus-que-parfait**

je	naviguerai	j'	aurai	navigué	que j'	eusse	navigué
tu	navigueras	tu	auras	navigué	que tu	eusses	navigué
il	naviguera	il	aura	navigué	qu' il	eût	navigué
ns	naviguerons	ns	aurons	navigué	que ns	eussions	navigué
vs	naviguerez	vs	aurez	navigué	que vs	eussiez	navigué
ils	navigueront	ils	auront	navigué	qu' ils	eussent	navigué

CONDITIONNEL		

Présent / **Passé 1ʳᵉ forme** / **Passé 2ᵉ forme**

je	naviguerais	j'	aurais	navigué	j'	eusse	navigué
tu	naviguerais	tu	aurais	navigué	tu	eusses	navigué
il	naviguerait	il	aurait	navigué	il	eût	navigué
ns	naviguerions	ns	aurions	navigué	ns	eussions	navigué
vs	navigueriez	vs	auriez	navigué	vs	eussiez	navigué
ils	navigueraient	ils	auraient	navigué	ils	eussent	navigué

IMPÉRATIF	

Présent / **Passé**

navigue	naviguons	naviguez	aie navigué	ayons navigué	ayez navigué

INFINITIF		PARTICIPE		

Présent / **Passé** / **Présent** / **Passé** / **Passé composé**

naviguer	avoir navigué	naviguant	navigué, e	ayant navigué

tableaux de conjugaison types

Les verbes qui ont un *é* en avant-dernière syllabe changent ce *é* fermé [e] en *è* ouvert [ɛ] lorsque la terminaison contient un *e* muet (Ex. : *je cède, ils cèdent*). Mais au futur simple et au présent du conditionnel, le *é* de l'infinitif se maintient à toutes les personnes (Ex. : *je céderai, nous céderions*).

Remarque : par souci de cohérence, les rectifications orthographiques de 1990 préconisent toutefois les graphies en *è* au lieu de *é* à toutes les personnes du futur simple et du conditionnel présent (Ex. : *je cèderai* comme on écrit *je lèverai*).

INDICATIF			SUBJONCTIF	
Présent	**Passé composé**		**Présent**	
je cède	j' ai	cédé	que je cède	
tu cèdes	tu as	cédé	que tu cèdes	
il cède	il a	cédé	qu' il cède	
ns cédons	ns avons	cédé	que ns cédions	
vs cédez	vs avez	cédé	que vs cédiez	
ils cèdent	ils ont	cédé	qu' ils cèdent	
Imparfait	**Plus-que-parfait**		**Imparfait**	
je cédais	j' avais	cédé	que je cédasse	
tu cédais	tu avais	cédé	que tu cédasses	
il cédait	il avait	cédé	qu' il cédât	
ns cédions	ns avions	cédé	que ns cédassions	
vs cédiez	vs aviez	cédé	que vs cédassiez	
ils cédaient	ils avaient	cédé	qu' ils cédassent	
Passé simple	**Passé antérieur**		**Passé**	
je cédai	j' eus	cédé	que j' aie	cédé
tu cédas	tu eus	cédé	que tu aies	cédé
il céda	il eut	cédé	qu' il ait	cédé
ns cédâmes	ns eûmes	cédé	que ns ayons	cédé
vs cédâtes	vs eûtes	cédé	que vs ayez	cédé
ils cédèrent	ils eurent	cédé	qu' ils aient	cédé
Futur simple	**Futur antérieur**		**Plus-que-parfait**	
je céderai (cèderai)	j' aurai	cédé	que j' eusse	cédé
tu céderas (cèderas)	tu auras	cédé	que tu eusses	cédé
il cédera (cèdera)	il aura	cédé	qu' il eût	cédé
ns céderons (cèderons)	ns aurons	cédé	que ns eussions	cédé
vs céderez (cèderez)	vs aurez	cédé	que vs eussiez	cédé
ils céderont (cèderont)	ils auront	cédé	qu' ils eussent	cédé

CONDITIONNEL			
Présent	**Passé 1re forme**		**Passé 2e forme**
je céderais (cèderais)	j' aurais	cédé	j' eusse cédé
tu céderais (cèderais)	tu aurais	cédé	tu eusses cédé
il céderait (cèderait)	il aurait	cédé	il eût cédé
ns céderions (cèderions)	ns aurions	cédé	ns eussions cédé
vs céderiez (cèderiez)	vs auriez	cédé	vs eussiez cédé
ils céderaient (cèderaient)	ils auraient	cédé	ils eussent cédé

IMPÉRATIF			
Présent			**Passé**
cède cédons cédez			aie cédé ayons cédé ayez cédé

INFINITIF		PARTICIPE		
Présent	**Passé**	**Présent**	**Passé**	**Passé composé**
céder	avoir cédé	cédant	cédé, e	ayant cédé

Les verbes en *-éger* se conjuguent comme le verbe *manger* (voir modèle **7**) pour l'alternance *g/ge* et comme le verbe *céder* (voir modèle **9**) pour l'alternance *é/è*.

INDICATIF				SUBJONCTIF	

Présent
j'	assiège	j'	ai assiégé	que j'	assiège
tu	assièges	tu	as assiégé	que tu	assièges
il	assiège	il	a assiégé	qu' il	assiège
ns	assiégeons	ns	avons assiégé	que ns	assiégions
vs	assiégez	vs	avez assiégé	que vs	assiégiez
ils	assiègent	ils	ont assiégé	qu' ils	assiègent

Présent (Passé composé) ... (voir tableau)

Imparfait
j'	assiégeais	j'	avais assiégé	que j'	assiégeasse
tu	assiégeais	tu	avais assiégé	que tu	assiégeasses
il	assiégeait	il	avait assiégé	qu' il	assiégeât
ns	assiégions	ns	avions assiégé	que ns	assiégeassions
vs	assiégiez	vs	aviez assiégé	que vs	assiégeassiez
ils	assiégeaient	ils	avaient assiégé	qu' ils	assiégeassent

Passé simple / **Passé antérieur** / **Passé**
j'	assiégeai	j'	eus assiégé	que j'	aie assiégé
tu	assiégeas	tu	eus assiégé	que tu	aies assiégé
il	assiégea	il	eut assiégé	qu' il	ait assiégé
ns	assiégeâmes	ns	eûmes assiégé	que ns	ayons assiégé
vs	assiégeâtes	vs	eûtes assiégé	que vs	ayez assiégé
ils	assiégèrent	ils	eurent assiégé	qu' ils	aient assiégé

Futur simple / **Futur antérieur** / **Plus-que-parfait**
j'	assiégerai (assiègerai)	j'	aurai assiégé	que j'	eusse assiégé
tu	assiégeras (assiègeras)	tu	auras assiégé	que tu	eusses assiégé
il	assiégera (assiègera)	il	aura assiégé	qu' il	eût assiégé
ns	assiégerons (assiègerons)	ns	aurons assiégé	que ns	eussions assiégé
vs	assiégerez (assiègerez)	vs	aurez assiégé	que vs	eussiez assiégé
ils	assiégeront (assiègeront)	ils	auront assiégé	qu' ils	eussent assiégé

CONDITIONNEL		

Présent / **Passé 1ʳᵉ forme** / **Passé 2ᵉ forme**
j'	assiégerais (assiègerais)	j'	aurais assiégé	j'	eusse assiégé
tu	assiégerais (assiègerais)	tu	aurais assiégé	tu	eusses assiégé
il	assiégerait (assiègerait)	il	aurait assiégé	il	eût assiégé
ns	assiégerions (assiègerions)	ns	aurions assiégé	ns	eussions assiégé
vs	assiégeriez (assiègeriez)	vs	auriez assiégé	vs	eussiez assiégé
ils	assiégeraient (assiègeraient)	ils	auraient assiégé	ils	eussent assiégé

IMPÉRATIF	

Présent / **Passé**
assiège	assiégeons	assiégez
aie assiégé	ayons assiégé	ayez assiégé

INFINITIF		PARTICIPE	

Présent / **Passé**
assiéger — avoir assiégé

Présent / **Passé** / **Passé composé**
assiégeant — assiégé, e — ayant assiégé

tableaux de conjugaison types

Les verbes qui ont un *e* muet dans l'avant-dernière syllabe de l'infinitif changent ce *e* en *è* ouvert [ɛ] lorsque la syllabe qui suit contient un *e* muet (Ex. : *je lève, ils lèvent, nous lèverons*).

INDICATIF

Présent	Passé composé			
je lève	j' ai levé
tu lèves	tu as levé
il lève	il a levé
ns levons	ns avons levé
vs levez	vs avez levé
ils lèvent	ils ont levé

Imparfait	Plus-que-parfait
je levais	j' avais levé
tu levais	tu avais levé
il levait	il avait levé
ns levions	ns avions levé
vs leviez	vs aviez levé
ils levaient	ils avaient levé

Passé simple	Passé antérieur
je levai	j' eus levé
tu levas	tu eus levé
il leva	il eut levé
ns levâmes	ns eûmes levé
vs levâtes	vs eûtes levé
ils levèrent	ils eurent levé

Futur simple	Futur antérieur
je lèverai	j' aurai levé
tu lèveras	tu auras levé
il lèvera	il aura levé
ns lèverons	ns aurons levé
vs lèverez	vs aurez levé
ils lèveront	ils auront levé

SUBJONCTIF

Présent		
que je lève
que tu lèves
qu' il lève
que ns levions
que vs leviez
qu' ils lèvent

Imparfait		
que je levasse
que tu levasses
qu' il levât
que ns levassions
que vs levassiez
qu' ils levassent

Passé		
que j' aie levé
que tu aies levé
qu' il ait levé
que ns ayons levé
que vs ayez levé
qu' ils aient levé

Plus-que-parfait		
que j' eusse levé
que tu eusses levé
qu' il eût levé
que ns eussions levé
que vs eussiez levé
qu' ils eussent levé

CONDITIONNEL

Présent	Passé 1re forme	Passé 2e forme
je lèverais	j' aurais levé	j' eusse levé
tu lèverais	tu aurais levé	tu eusses levé
il lèverait	il aurait levé	il eût levé
ns lèverions	ns aurions levé	ns eussions levé
vs lèveriez	vs auriez levé	vs eussiez levé
ils lèveraient	ils auraient levé	ils eussent levé

IMPÉRATIF

Présent			Passé		
lève	levons	levez	aie levé	ayons levé	ayez levé

INFINITIF

Présent	Passé
lever	avoir levé

PARTICIPE

Présent	Passé	Passé composé
levant	levé, e	ayant levé

La plupart des verbes en *-eler* doublent le *l* devant un *e* muet (Ex. : *j'appelle, vous appellerez, ils appelleraient*).

Remarque : quelques verbes en *-eler* ne doublent pas le *l*, mais prennent un accent grave. Voir modèle **13**.

INDICATIF		SUBJONCTIF
Présent	**Passé composé**	**Présent**
j' appelle	j' ai appelé	que j' appelle
tu appelles	tu as appelé	que tu appelles
il appelle	il a appelé	qu' il appelle
ns appelons	ns avons appelé	que ns appelions
vs appelez	vs avez appelé	que vs appeliez
ils appellent	ils ont appelé	qu' ils appellent
Imparfait	**Plus-que-parfait**	**Imparfait**
j' appelais	j' avais appelé	que j' appelasse
tu appelais	tu avais appelé	que tu appelasses
il appelait	il avait appelé	qu' il appelât
ns appelions	ns avions appelé	que ns appelassions
vs appeliez	vs aviez appelé	que vs appelassiez
ils appelaient	ils avaient appelé	qu' ils appelassent
Passé simple	**Passé antérieur**	**Passé**
j' appelai	j' eus appelé	que j' aie appelé
tu appelas	tu eus appelé	que tu aies appelé
il appela	il eut appelé	qu' il ait appelé
ns appelâmes	ns eûmes appelé	que ns ayons appelé
vs appelâtes	vs eûtes appelé	que vs ayez appelé
ils appelèrent	ils eurent appelé	qu' ils aient appelé
Futur simple	**Futur antérieur**	**Plus-que-parfait**
j' appellerai	j' aurai appelé	que j' eusse appelé
tu appelleras	tu auras appelé	que tu eusses appelé
il appellera	il aura appelé	qu' il eût appelé
ns appellerons	ns aurons appelé	que ns eussions appelé
vs appellerez	vs aurez appelé	que vs eussiez appelé
ils appelleront	ils auront appelé	qu' ils eussent appelé

CONDITIONNEL		
Présent	**Passé 1re forme**	**Passé 2e forme**
j' appellerais	j' aurais appelé	j' eusse appelé
tu appellerais	tu aurais appelé	tu eusses appelé
il appellerait	il aurait appelé	il eût appelé
ns appellerions	ns aurions appelé	ns eussions appelé
vs appelleriez	vs auriez appelé	vs eussiez appelé
ils appelleraient	ils auraient appelé	ils eussent appelé

IMPÉRATIF	
Présent	**Passé**
appelle appelons appelez	aie appelé ayons appelé ayez appelé

INFINITIF		PARTICIPE		
Présent	**Passé**	**Présent**	**Passé**	**Passé composé**
appeler	avoir appelé	appelant	appelé, e	ayant appelé

tableaux de conjugaison types

Quelques verbes en -*eler* ne doublent pas le *l* devant un *e* muet ; on change simplement le *e* qui précède le *l* en **è**.

Ainsi se conjuguent *celer, ciseler, démanteler, écarteler, geler, marteler, modeler, peler* et les verbes de leur famille.

INDICATIF				SUBJONCTIF	
Présent		**Passé composé**		**Présent**	
je gèle		j' ai	gelé	que je gèle	
tu gèles		tu as	gelé	que tu gèles	
il gèle		il a	gelé	qu' il gèle	
ns gelons		ns avons	gelé	que ns gelions	
vs gelez		vs avez	gelé	que vs geliez	
ils gèlent		ils ont	gelé	qu' ils gèlent	
Imparfait		**Plus-que-parfait**		**Imparfait**	
je gelais		j' avais	gelé	que je gelasse	
tu gelais		tu avais	gelé	que tu gelasses	
il gelait		il avait	gelé	qu' il gelât	
ns gelions		ns avions	gelé	que ns gelassions	
vs geliez		vs aviez	gelé	que vs gelassiez	
ils gelaient		ils avaient	gelé	qu' ils gelassent	
Passé simple		**Passé antérieur**		**Passé**	
je gelai		j' eus	gelé	que j' aie	gelé
tu gelas		tu eus	gelé	que tu aies	gelé
il gela		il eut	gelé	qu' il ait	gelé
ns gelâmes		ns eûmes	gelé	que ns ayons	gelé
vs gelâtes		vs eûtes	gelé	que vs ayez	gelé
ils gelèrent		ils eurent	gelé	qu' ils aient	gelé
Futur simple		**Futur antérieur**		**Plus-que-parfait**	
je gèlerai		j' aurai	gelé	que j' eusse	gelé
tu gèleras		tu auras	gelé	que tu eusses	gelé
il gèlera		il aura	gelé	qu' il eût	gelé
ns gèlerons		ns aurons	gelé	que ns eussions	gelé
vs gèlerez		vs aurez	gelé	que vs eussiez	gelé
ils gèleront		ils auront	gelé	qu' ils eussent	gelé

CONDITIONNEL			
Présent	**Passé 1re forme**		**Passé 2e forme**
je gèlerais	j' aurais	gelé	j' eusse gelé
tu gèlerais	tu aurais	gelé	tu eusses gelé
il gèlerait	il aurait	gelé	il eût gelé
ns gèlerions	ns aurions	gelé	ns eussions gelé
vs gèleriez	vs auriez	gelé	vs eussiez gelé
ils gèleraient	ils auraient	gelé	ils eussent gelé

IMPÉRATIF					
Présent			**Passé**		
gèle	gelons	gelez	aie gelé	ayons gelé	ayez gelé

INFINITIF		PARTICIPE		
Présent	**Passé**	**Présent**	**Passé**	**Passé composé**
geler	avoir gelé	gelant	gelé, e	ayant gelé

JETER

La plupart des verbes en *-eter* doublent le *t* devant un *e* muet (Ex. : *je jette, vous jetterez, tu jetterais*).

Remarque : quelques verbes en *-eter* ne doublent pas le *t*, mais prennent un accent grave. Voir modèle **15**.

INDICATIF			SUBJONCTIF	
Présent		**Passé composé**	**Présent**	
je jette		j' ai jeté	que je jette	
tu jettes		tu as jeté	que tu jettes	
il jette		il a jeté	qu' il jette	
ns jetons		ns avons jeté	que ns jetions	
vs jetez		vs avez jeté	que vs jetiez	
ils jettent		ils ont jeté	qu' ils jettent	
Imparfait		**Plus-que-parfait**	**Imparfait**	
je jetais		j' avais jeté	que je jetasse	
tu jetais		tu avais jeté	que tu jetasses	
il jetait		il avait jeté	qu' il jetât	
ns jetions		ns avions jeté	que ns jetassions	
vs jetiez		vs aviez jeté	que vs jetassiez	
ils jetaient		ils avaient jeté	qu' ils jetassent	
Passé simple		**Passé antérieur**	**Passé**	
je jetai		j' eus jeté	que j' aie jeté	
tu jetas		tu eus jeté	que tu aies jeté	
il jeta		il eut jeté	qu' il ait jeté	
ns jetâmes		ns eûmes jeté	que ns ayons jeté	
vs jetâtes		vs eûtes jeté	que vs ayez jeté	
ils jetèrent		ils eurent jeté	qu' ils aient jeté	
Futur simple		**Futur antérieur**	**Plus-que-parfait**	
je jetterai		j' aurai jeté	que j' eusse jeté	
tu jetteras		tu auras jeté	que tu eusses jeté	
il jettera		il aura jeté	qu' il eût jeté	
ns jetterons		ns aurons jeté	que ns eussions jeté	
vs jetterez		vs aurez jeté	que vs eussiez jeté	
ils jetteront		ils auront jeté	qu' ils eussent jeté	

CONDITIONNEL		
Présent	**Passé 1re forme**	**Passé 2e forme**
je jetterais	j' aurais jeté	j' eusse jeté
tu jetterais	tu aurais jeté	tu eusses jeté
il jetterait	il aurait jeté	il eût jeté
ns jetterions	ns aurions jeté	ns eussions jeté
vs jetteriez	vs auriez jeté	vs eussiez jeté
ils jetteraient	ils auraient jeté	ils eussent jeté

IMPÉRATIF					
Présent			**Passé**		
jette	jetons	jetez	aie jeté	ayons jeté	ayez jeté

INFINITIF		PARTICIPE		
Présent	**Passé**	**Présent**	**Passé**	**Passé composé**
jeter	avoir jeté	jetant	jeté, e	ayant jeté

tableaux de conjugaison types

Quelques verbes en -*eter* ne doublent pas le *t* devant un *e* muet ; on change simplement le *e* qui précède le *t* en *è*.
Ainsi se conjuguent *acheter, corseter, crocheter, fileter, fureter, haleter* et les verbes de leur famille.

INDICATIF

Présent		Passé composé			Présent (SUBJONCTIF)		
j'	achète	j'	ai	acheté	que j'	achète	
tu	achètes	tu	as	acheté	que tu	achètes	
il	achète	il	a	acheté	qu' il	achète	
ns	achetons	ns	avons	acheté	que ns	achetions	
vs	achetez	vs	avez	acheté	que vs	achetiez	
ils	achètent	ils	ont	acheté	qu' ils	achètent	

Imparfait		Plus-que-parfait			Imparfait		
j'	achetais	j'	avais	acheté	que j'	achetasse	
tu	achetais	tu	avais	acheté	que tu	achetasses	
il	achetait	il	avait	acheté	qu' il	achetât	
ns	achetions	ns	avions	acheté	que ns	achetassions	
vs	achetiez	vs	aviez	acheté	que vs	achetassiez	
ils	achetaient	ils	avaient	acheté	qu' ils	achetassent	

Passé simple		Passé antérieur			Passé		
j'	achetai	j'	eus	acheté	que j'	aie	acheté
tu	achetas	tu	eus	acheté	que tu	aies	acheté
il	acheta	il	eut	acheté	qu' il	ait	acheté
ns	achetâmes	ns	eûmes	acheté	que ns	ayons	acheté
vs	achetâtes	vs	eûtes	acheté	que vs	ayez	acheté
ils	achetèrent	ils	eurent	acheté	qu' ils	aient	acheté

Futur simple		Futur antérieur			Plus-que-parfait		
j'	achèterai	j'	aurai	acheté	que j'	eusse	acheté
tu	achèteras	tu	auras	acheté	que tu	eusses	acheté
il	achètera	il	aura	acheté	qu' il	eût	acheté
ns	achèterons	ns	aurons	acheté	que ns	eussions	acheté
vs	achèterez	vs	aurez	acheté	que vs	eussiez	acheté
ils	achèteront	ils	auront	acheté	qu' ils	eussent	acheté

CONDITIONNEL

Présent		Passé 1re forme			Passé 2e forme		
j'	achèterais	j'	aurais	acheté	j'	eusse	acheté
tu	achèterais	tu	aurais	acheté	tu	eusses	acheté
il	achèterait	il	aurait	acheté	il	eût	acheté
ns	achèterions	ns	aurions	acheté	ns	eussions	acheté
vs	achèteriez	vs	auriez	acheté	vs	eussiez	acheté
ils	achèteraient	ils	auraient	acheté	ils	eussent	acheté

IMPÉRATIF

Présent			Passé		
achète	achetons	achetez	aie acheté	ayons acheté	ayez acheté

INFINITIF

Présent	Passé
acheter	avoir acheté

PARTICIPE

Présent	Passé	Passé composé
achetant	acheté, e	ayant acheté

Les verbes en -*ayer* changent le *y* de l'infinitif en *i* devant un *e* muet. Dans ce cas, le son [j] ne se fait pas entendre (Ex. : *je paie, ils paient, tu paieras*).

Remarques : 1. Les verbes en -*ayer* peuvent conserver le *y* dans toute la conjugaison, même devant un *e* muet (Ex. : *je paye*) ; mais il est préférable d'aligner la conjugaison de tous les verbes en -*yer* sur le même modèle. **2.** Ne pas oublier le *i* de la terminaison qui suit le *y* du radical aux deux premières personnes du pluriel à l'imparfait de l'indicatif et au présent du subjonctif (Ex. : *nous payions*).

INDICATIF

Présent	Passé composé		SUBJONCTIF Présent
je paie	j' ai payé		que je paie
tu paies	tu as payé		que tu paies
il paie	il a payé		qu' il paie
ns payons	ns avons payé		que ns payions
vs payez	vs avez payé		que vs payiez
ils paient	ils ont payé		qu' ils paient

Imparfait	Plus-que-parfait		Imparfait
je payais	j' avais payé		que je payasse
tu payais	tu avais payé		que tu payasses
il payait	il avait payé		qu' il payât
ns payions	ns avions payé		que ns payassions
vs payiez	vs aviez payé		que vs payassiez
ils payaient	ils avaient payé		qu' ils payassent

Passé simple	Passé antérieur		Passé
je payai	j' eus payé		que j' aie payé
tu payas	tu eus payé		que tu aies payé
il paya	il eut payé		qu' il ait payé
ns payâmes	ns eûmes payé		que ns ayons payé
vs payâtes	vs eûtes payé		que vs ayez payé
ils payèrent	ils eurent payé		qu' ils aient payé

Futur simple	Futur antérieur		Plus-que-parfait
je paierai	j' aurai payé		que j' eusse payé
tu paieras	tu auras payé		que tu eusses payé
il paiera	il aura payé		qu' il eût payé
ns paierons	ns aurons payé		que ns eussions payé
vs paierez	vs aurez payé		que vs eussiez payé
ils paieront	ils auront payé		qu' ils eussent payé

CONDITIONNEL

Présent	Passé 1re forme		Passé 2e forme
je paierais	j' aurais payé		j' eusse payé
tu paierais	tu aurais payé		tu eusses payé
il paierait	il aurait payé		il eût payé
ns paierions	ns aurions payé		ns eussions payé
vs paieriez	vs auriez payé		vs eussiez payé
ils paieraient	ils auraient payé		ils eussent payé

IMPÉRATIF

Présent			Passé		
paie	payons	payez	aie payé	ayons payé	ayez payé

INFINITIF

Présent	Passé
payer	avoir payé

PARTICIPE

Présent	Passé	Passé composé
payant	payé, e	ayant payé

tableaux de conjugaison types

Les verbes en -*uyer* changent le *y* de l'infinitif en *i* devant un *e* muet. Dans ce cas, le son [j] ne se fait pas entendre (Ex. : *j'essuie, tu essuieras*).

Remarque : ne pas oublier le *i* de la terminaison qui suit le *y* du radical aux deux premières personnes du pluriel à l'imparfait de l'indicatif et au présent du subjonctif (Ex. : *nous essuyions, vous essuyiez*).

INDICATIF · SUBJONCTIF

Présent	Passé composé		Présent	
j' essuie	j' ai	essuyé	que j' essuie	
tu essuies	tu as	essuyé	que tu essuies	
il essuie	il a	essuyé	qu' il essuie	
ns essuyons	ns avons	essuyé	que ns essuyions	
vs essuyez	vs avez	essuyé	que vs essuyiez	
ils essuient	ils ont	essuyé	qu' ils essuient	

Imparfait	Plus-que-parfait		Imparfait	
j' essuyais	j' avais	essuyé	que j' essuyasse	
tu essuyais	tu avais	essuyé	que tu essuyasses	
il essuyait	il avait	essuyé	qu' il essuyât	
ns essuyions	ns avions	essuyé	que ns essuyassions	
vs essuyiez	vs aviez	essuyé	que vs essuyassiez	
ils essuyaient	ils avaient	essuyé	qu' ils essuyassent	

Passé simple	Passé antérieur		Passé	
j' essuyai	j' eus	essuyé	que j' aie	essuyé
tu essuyas	tu eus	essuyé	que tu aies	essuyé
il essuya	il eut	essuyé	qu' il ait	essuyé
ns essuyâmes	ns eûmes	essuyé	que ns ayons	essuyé
vs essuyâtes	vs eûtes	essuyé	que vs ayez	essuyé
ils essuyèrent	ils eurent	essuyé	qu' ils aient	essuyé

Futur simple	Futur antérieur		Plus-que-parfait	
j' essuierai	j' aurai	essuyé	que j' eusse	essuyé
tu essuieras	tu auras	essuyé	que tu eusses	essuyé
il essuiera	il aura	essuyé	qu' il eût	essuyé
ns essuierons	ns aurons	essuyé	que ns eussions	essuyé
vs essuierez	vs aurez	essuyé	que vs eussiez	essuyé
ils essuieront	ils auront	essuyé	qu' ils eussent	essuyé

CONDITIONNEL

Présent	Passé 1ʳᵉ forme		Passé 2ᵉ forme	
j' essuierais	j' aurais	essuyé	j' eusse	essuyé
tu essuierais	tu aurais	essuyé	tu eusses	essuyé
il essuierait	il aurait	essuyé	il eût	essuyé
ns essuierions	ns aurions	essuyé	ns eussions	essuyé
vs essuieriez	vs auriez	essuyé	vs eussiez	essuyé
ils essuieraient	ils auraient	essuyé	ils eussent	essuyé

IMPÉRATIF

Présent			Passé		
essuie	essuyons	essuyez	aie essuyé	ayons essuyé	ayez essuyé

INFINITIF · PARTICIPE

Présent	Passé	Présent	Passé	Passé composé
essuyer	avoir essuyé	essuyant	essuyé, e	ayant essuyé

Les verbes en *-oyer* changent le *y* de l'infinitif en *i* devant un *e* muet. Dans ce cas, le son [j] ne se fait pas entendre (Ex. : *j'emploierais, ils emploient*).
Remarques : 1. Ne pas oublier le *i* de la terminaison qui suit le *y* du radical aux deux premières personnes du pluriel à l'imparfait de l'indicatif et au présent du subjonctif (Ex. : *nous employions, vous employiez*.) **2.** *Envoyer* est irrégulier. Voir modèle **19.**

INDICATIF			SUBJONCTIF		
Présent	**Passé composé**		**Présent**		
j' emploie	j' ai	employé	que j'	emploie	
tu emploies	tu as	employé	que tu	emploies	
il emploie	il a	employé	qu' il	emploie	
ns employons	ns avons	employé	que ns	employions	
vs employez	vs avez	employé	que vs	employiez	
ils emploient	ils ont	employé	qu' ils	emploient	
Imparfait	**Plus-que-parfait**		**Imparfait**		
j' employais	j' avais	employé	que j'	employasse	
tu employais	tu avais	employé	que tu	employasses	
il employait	il avait	employé	qu' il	employât	
ns employions	ns avions	employé	que ns	employassions	
vs employiez	vs aviez	employé	que vs	employassiez	
ils employaient	ils avaient	employé	qu' ils	employassent	
Passé simple	**Passé antérieur**		**Passé**		
j' employai	j' eus	employé	que j'	aie	employé
tu employas	tu eus	employé	que tu	aies	employé
il employa	il eut	employé	qu' il	ait	employé
ns employâmes	ns eûmes	employé	que ns	ayons	employé
vs employâtes	vs eûtes	employé	que vs	ayez	employé
ils employèrent	ils eurent	employé	qu' ils	aient	employé
Futur simple	**Futur antérieur**		**Plus-que-parfait**		
j' emploierai	j' aurai	employé	que j'	eusse	employé
tu emploieras	tu auras	employé	que tu	eusses	employé
il emploiera	il aura	employé	qu' il	eût	employé
ns emploierons	ns aurons	employé	que ns	eussions	employé
vs emploierez	vs aurez	employé	que vs	eussiez	employé
ils emploieront	ils auront	employé	qu' ils	eussent	employé

CONDITIONNEL					
Présent	**Passé 1ʳᵉ forme**		**Passé 2ᵉ forme**		
j' emploierais	j' aurais	employé	j' eusse	employé	
tu emploierais	tu aurais	employé	tu eusses	employé	
il emploierait	il aurait	employé	il eût	employé	
ns emploierions	ns aurions	employé	ns eussions	employé	
vs emploieriez	vs auriez	employé	vs eussiez	employé	
ils emploieraient	ils auraient	employé	ils eussent	employé	

IMPÉRATIF					
Présent			**Passé**		
emploie	employons	employez	aie employé	ayons employé	ayez employé

INFINITIF		PARTICIPE		
Présent	**Passé**	**Présent**	**Passé**	**Passé composé**
employer	avoir employé	employant	employé, e	ayant employé

tableaux de conjugaison types

Envoyer et *renvoyer* sont irréguliers au futur simple et au présent du conditionnel. Les terminaisons s'ajoutent non pas au radical de l'infinitif, mais à un autre radical : *enverr-* (et *renverr-*). Pour les autres temps, ils se conjuguent comme *employer* (voir modèle **18**). **Remarque** : ne pas oublier le *i* de la terminaison qui suit le *y* du radical aux deux premières personnes du pluriel à l'imparfait de l'indicatif et au présent du subjonctif (Ex. : *nous envoyions, vous envoyiez*).

INDICATIF

Présent	Passé composé		SUBJONCTIF — Présent	
j' envoie	j' ai	envoyé	que j' envoie	
tu envoies	tu as	envoyé	que tu envoies	
il envoie	il a	envoyé	qu' il envoie	
ns envoyons	ns avons	envoyé	que ns envoyions	
vs envoyez	vs avez	envoyé	que vs envoyiez	
ils envoient	ils ont	envoyé	qu' ils envoient	

Imparfait	Plus-que-parfait		Imparfait	
j' envoyais	j' avais	envoyé	que j' envoyasse	
tu envoyais	tu avais	envoyé	que tu envoyasses	
il envoyait	il avait	envoyé	qu' il envoyât	
ns envoyions	ns avions	envoyé	que ns envoyassions	
vs envoyiez	vs aviez	envoyé	que vs envoyassiez	
ils envoyaient	ils avaient	envoyé	qu' ils envoyassent	

Passé simple	Passé antérieur		Passé	
j' envoyai	j' eus	envoyé	que j' aie	envoyé
tu envoyas	tu eus	envoyé	que tu aies	envoyé
il envoya	il eut	envoyé	qu' il ait	envoyé
ns envoyâmes	ns eûmes	envoyé	que ns ayons	envoyé
vs envoyâtes	vs eûtes	envoyé	que vs ayez	envoyé
ils envoyèrent	ils eurent	envoyé	qu' ils aient	envoyé

Futur simple	Futur antérieur		Plus-que-parfait	
j' enverrai	j' aurai	envoyé	que j' eusse	envoyé
tu enverras	tu auras	envoyé	que tu eusses	envoyé
il enverra	il aura	envoyé	qu' il eût	envoyé
ns enverrons	ns aurons	envoyé	que ns eussions	envoyé
vs enverrez	vs aurez	envoyé	que vs eussiez	envoyé
ils enverront	ils auront	envoyé	qu' ils eussent	envoyé

CONDITIONNEL

Présent	Passé 1re forme		Passé 2e forme	
j' enverrais	j' aurais	envoyé	j' eusse	envoyé
tu enverrais	tu aurais	envoyé	tu eusses	envoyé
il enverrait	il aurait	envoyé	il eût	envoyé
ns enverrions	ns aurions	envoyé	ns eussions	envoyé
vs enverriez	vs auriez	envoyé	vs eussiez	envoyé
ils enverraient	ils auraient	envoyé	ils eussent	envoyé

IMPÉRATIF

Présent			Passé		
envoie	envoyons	envoyez	aie envoyé	ayons envoyé	ayez envoyé

INFINITIF

Présent	Passé
envoyer	avoir envoyé

PARTICIPE

Présent	Passé	Passé composé
envoyant	envoyé, e	ayant envoyé

Tous les verbes du 2ᵉ groupe ont les mêmes terminaisons que le verbe modèle *finir*. On intercale *-iss-* entre le radical et la terminaison pour certaines formes (Ex. : *nous finissons, je finissais, finissant*).

Remarque : bien qu'ayant un infinitif en *-re*, *bruire* et *maudire* se conjuguent comme *finir*. *Bruire* ne s'emploie qu'à la 3ᵉ personne *(il bruit, elles bruissent)*. Le participe passé de *maudire* s'écrit avec un *t* : *maudit*.

INDICATIF		SUBJONCTIF

Présent

	Présent		Passé composé		Présent	
je	finis	j'	ai	fini	que je	finisse
tu	finis	tu	as	fini	que tu	finisses
il	finit	il	a	fini	qu' il	finisse
ns	finissons	ns	avons	fini	que ns	finissions
vs	finissez	vs	avez	fini	que vs	finissiez
ils	finissent	ils	ont	fini	qu' ils	finissent

Imparfait — **Plus-que-parfait** — **Imparfait**

je	finissais	j'	avais	fini	que je	finisse
tu	finissais	tu	avais	fini	que tu	finisses
il	finissait	il	avait	fini	qu' il	finît
ns	finissions	ns	avions	fini	que ns	finissions
vs	finissiez	vs	aviez	fini	que vs	finissiez
ils	finissaient	ils	avaient	fini	qu' ils	finissent

Passé simple — **Passé antérieur** — **Passé**

je	finis	j'	eus	fini	que j'	aie	fini
tu	finis	tu	eus	fini	que tu	aies	fini
il	finit	il	eut	fini	qu' il	ait	fini
ns	finîmes	ns	eûmes	fini	que ns	ayons	fini
vs	finîtes	vs	eûtes	fini	que vs	ayez	fini
ils	finirent	ils	eurent	fini	qu' ils	aient	fini

Futur simple — **Futur antérieur** — **Plus-que-parfait**

je	finirai	j'	aurai	fini	que j'	eusse	fini
tu	finiras	tu	auras	fini	que tu	eusses	fini
il	finira	il	aura	fini	qu' il	eût	fini
ns	finirons	ns	aurons	fini	que ns	eussions	fini
vs	finirez	vs	aurez	fini	que vs	eussiez	fini
ils	finiront	ils	auront	fini	qu' ils	eussent	fini

CONDITIONNEL		

Présent — **Passé 1ʳᵉ forme** — **Passé 2ᵉ forme**

je	finirais	j'	aurais	fini	j'	eusse	fini
tu	finirais	tu	aurais	fini	tu	eusses	fini
il	finirait	il	aurait	fini	il	eût	fini
ns	finirions	ns	aurions	fini	ns	eussions	fini
vs	finiriez	vs	auriez	fini	vs	eussiez	fini
ils	finiraient	ils	auraient	fini	ils	eussent	fini

IMPÉRATIF	

Présent — **Passé**

finis	finissons	finissez	aie fini	ayons fini	ayez fini

INFINITIF		PARTICIPE		

Présent	**Passé**	**Présent**	**Passé**	**Passé composé**
finir	avoir fini	finissant	fini, e	ayant fini

tableaux de conjugaison types

Haïr garde le tréma dans toute sa conjugaison, sauf aux personnes du singulier du présent de l'indicatif et de l'impératif : *je hais, tu hais, il hait, hais.* C'est le seul verbe du 2ᵉ groupe dont le passé simple singulier se distingue du présent de l'indicatif singulier, à la fois par la graphie – présence d'un tréma au passé simple – et la prononciation. La présence du tréma étant incompatible avec celle de l'accent circonflexe, on écrit *nous haïmes, vous haïtes* aux deux premières personnes du pluriel du passé simple et *qu'il haït* à la 3ᵉ personne du singulier de l'imparfait du subjonctif.

INDICATIF

Présent	Passé composé		SUBJONCTIF — Présent	
je hais	j' ai	haï	que je haïsse	
tu hais	tu as	haï	que tu haïsses	
il hait	il a	haï	qu' il haïsse	
ns haïssons	ns avons	haï	que ns haïssions	
vs haïssez	vs avez	haï	que vs haïssiez	
ils haïssent	ils ont	haï	qu' ils haïssent	

Imparfait	Plus-que-parfait		Imparfait	
je haïssais	j' avais	haï	que je haïsse	
tu haïssais	tu avais	haï	que tu haïsses	
il haïssait	il avait	haï	qu' il haït	
ns haïssions	ns avions	haï	que ns haïssions	
vs haïssiez	vs aviez	haï	que vs haïssiez	
ils haïssaient	ils avaient	haï	qu' ils haïssent	

Passé simple	Passé antérieur		Passé	
je haïs	j' eus	haï	que j' aie	haï
tu haïs	tu eus	haï	que tu aies	haï
il haït	il eut	haï	qu' il ait	haï
ns haïmes	ns eûmes	haï	que ns ayons	haï
vs haïtes	vs eûtes	haï	que vs ayez	haï
ils haïrent	ils eurent	haï	qu' ils aient	haï

Futur simple	Futur antérieur		Plus-que-parfait	
je haïrai	j' aurai	haï	que j' eusse	haï
tu haïras	tu auras	haï	que tu eusses	haï
il haïra	il aura	haï	qu' il eût	haï
ns haïrons	ns aurons	haï	que ns eussions	haï
vs haïrez	vs aurez	haï	que vs eussiez	haï
ils haïront	ils auront	haï	qu' ils eussent	haï

CONDITIONNEL

Présent	Passé 1ʳᵉ forme		Passé 2ᵉ forme	
je haïrais	j' aurais	haï	j' eusse	haï
tu haïrais	tu aurais	haï	tu eusses	haï
il haïrait	il aurait	haï	il eût	haï
ns haïrions	ns aurions	haï	ns eussions	haï
vs haïriez	vs auriez	haï	vs eussiez	haï
ils haïraient	ils auraient	haï	ils eussent	haï

IMPÉRATIF

Présent			Passé		
hais	haïssons	haïssez	aie haï	ayons haï	ayez haï

INFINITIF

Présent	Passé
haïr	avoir haï

PARTICIPE

Présent	Passé	Passé composé
haïssant	haï, haïe	ayant haï

Les verbes qui se conjuguent comme *dormir* perdent la consonne finale du radical de l'infinitif aux personnes du singulier du présent de l'indicatif et de l'impératif : *je dors, tu dors, il dort, dors*. Cette consonne est présente à toutes les autres formes.
Remarque : le participe *dormi* est invariable, mais les autres participes s'accordent (*partis, desservie*, etc.).

INDICATIF / SUBJONCTIF

Présent	Passé composé		Présent	
je dors	j' ai	dormi	que je dorme	
tu dors	tu as	dormi	que tu dormes	
il dort	il a	dormi	qu' il dorme	
ns dormons	ns avons	dormi	que ns dormions	
vs dormez	vs avez	dormi	que vs dormiez	
ils dorment	ils ont	dormi	qu' ils dorment	
Imparfait	**Plus-que-parfait**		**Imparfait**	
je dormais	j' avais	dormi	que je dormisse	
tu dormais	tu avais	dormi	que tu dormisses	
il dormait	il avait	dormi	qu' il dormît	
ns dormions	ns avions	dormi	que ns dormissions	
vs dormiez	vs aviez	dormi	que vs dormissiez	
ils dormaient	ils avaient	dormi	qu' ils dormissent	
Passé simple	**Passé antérieur**		**Passé**	
je dormis	j' eus	dormi	que j' aie	dormi
tu dormis	tu eus	dormi	que tu aies	dormi
il dormit	il eut	dormi	qu' il ait	dormi
ns dormîmes	ns eûmes	dormi	que ns ayons	dormi
vs dormîtes	vs eûtes	dormi	que vs ayez	dormi
ils dormirent	ils eurent	dormi	qu' ils aient	dormi
Futur simple	**Futur antérieur**		**Plus-que-parfait**	
je dormirai	j' aurai	dormi	que j' eusse	dormi
tu dormiras	tu auras	dormi	que tu eusses	dormi
il dormira	il aura	dormi	qu' il eût	dormi
ns dormirons	ns aurons	dormi	que ns eussions	dormi
vs dormirez	vs aurez	dormi	que vs eussiez	dormi
ils dormiront	ils auront	dormi	qu' ils eussent	dormi

CONDITIONNEL

Présent	Passé 1ʳᵉ forme		Passé 2ᵉ forme	
je dormirais	j' aurais	dormi	j' eusse	dormi
tu dormirais	tu aurais	dormi	tu eusses	dormi
il dormirait	il aurait	dormi	il eût	dormi
ns dormirions	ns aurions	dormi	ns eussions	dormi
vs dormiriez	vs auriez	dormi	vs eussiez	dormi
ils dormiraient	ils auraient	dormi	ils eussent	dormi

IMPÉRATIF

Présent			Passé		
dors	dormons	dormez	aie dormi	ayons dormi	ayez dormi

INFINITIF / PARTICIPE

Présent	Passé	Présent	Passé	Passé composé
dormir	avoir dormi	dormant	dormi	ayant dormi

tableaux de conjugaison types

Il est recommandé d'appliquer à *vêtir* (*dévêtir* et *revêtir*) ce modèle de conjugaison, même si on le rencontre chez certains auteurs conjugué comme un verbe du 2ᵉ groupe.

INDICATIF

Présent	Passé composé		SUBJONCTIF Présent	
je vêts	j' ai	vêtu	que je vête	
tu vêts	tu as	vêtu	que tu vêtes	
il vêt	il a	vêtu	qu' il vête	
ns vêtons	ns avons	vêtu	que ns vêtions	
vs vêtez	vs avez	vêtu	que vs vêtiez	
ils vêtent	ils ont	vêtu	qu' ils vêtent	
Imparfait	**Plus-que-parfait**		**Imparfait**	
je vêtais	j' avais	vêtu	que je vêtisse	
tu vêtais	tu avais	vêtu	que tu vêtisses	
il vêtait	il avait	vêtu	qu' il vêtît	
ns vêtions	ns avions	vêtu	que ns vêtissions	
vs vêtiez	vs aviez	vêtu	que vs vêtissiez	
ils vêtaient	ils avaient	vêtu	qu' ils vêtissent	
Passé simple	**Passé antérieur**		**Passé**	
je vêtis	j' eus	vêtu	que j' aie	vêtu
tu vêtis	tu eus	vêtu	que tu aies	vêtu
il vêtit	il eut	vêtu	qu' il ait	vêtu
ns vêtîmes	ns eûmes	vêtu	que ns ayons	vêtu
vs vêtîtes	vs eûtes	vêtu	que vs ayez	vêtu
ils vêtirent	ils eurent	vêtu	qu' ils aient	vêtu
Futur simple	**Futur antérieur**		**Plus-que-parfait**	
je vêtirai	j' aurai	vêtu	que j' eusse	vêtu
tu vêtiras	tu auras	vêtu	que tu eusses	vêtu
il vêtira	il aura	vêtu	qu' il eût	vêtu
ns vêtirons	ns aurons	vêtu	que ns eussions	vêtu
vs vêtirez	vs aurez	vêtu	que vs eussiez	vêtu
ils vêtiront	ils auront	vêtu	qu' ils eussent	vêtu

CONDITIONNEL

Présent	Passé 1ʳᵉ forme		Passé 2ᵉ forme	
je vêtirais	j' aurais	vêtu	j' eusse	vêtu
tu vêtirais	tu aurais	vêtu	tu eusses	vêtu
il vêtirait	il aurait	vêtu	il eût	vêtu
ns vêtirions	ns aurions	vêtu	ns eussions	vêtu
vs vêtiriez	vs auriez	vêtu	vs eussiez	vêtu
ils vêtiraient	ils auraient	vêtu	ils eussent	vêtu

IMPÉRATIF

Présent			Passé		
vêts	vêtons	vêtez	aie vêtu	ayons vêtu	ayez vêtu

INFINITIF / PARTICIPE

Présent	Passé	Présent	Passé	Passé composé
vêtir	avoir vêtu	vêtant	vêtu, e	ayant vêtu

Le verbe *bouillir* perd *-ill* [j] aux personnes du singulier du présent de l'indicatif et de l'impératif : *je bous, tu bous, il bout, bous.* On retrouve *-ill* à toutes les autres formes.

INDICATIF				SUBJONCTIF		
Présent		**Passé composé**		**Présent**		
je bous		j' ai	bouilli	que je bouille		
tu bous		tu as	bouilli	que tu bouilles		
il bout		il a	bouilli	qu' il bouille		
ns bouillons		ns avons	bouilli	que ns bouillions		
vs bouillez		vs avez	bouilli	que vs bouilliez		
ils bouillent		ils ont	bouilli	qu' ils bouillent		
Imparfait		**Plus-que-parfait**		**Imparfait**		
je bouillais		j' avais	bouilli	que je bouillisse		
tu bouillais		tu avais	bouilli	que tu bouillisses		
il bouillait		il avait	bouilli	qu' il bouillît		
ns bouillions		ns avions	bouilli	que ns bouillissions		
vs bouilliez		vs aviez	bouilli	que vs bouillissiez		
ils bouillaient		ils avaient	bouilli	qu' ils bouillissent		
Passé simple		**Passé antérieur**		**Passé**		
je bouillis		j' eus	bouilli	que j' aie	bouilli	
tu bouillis		tu eus	bouilli	que tu aies	bouilli	
il bouillit		il eut	bouilli	qu' il ait	bouilli	
ns bouillîmes		ns eûmes	bouilli	que ns ayons	bouilli	
vs bouillîtes		vs eûtes	bouilli	que vs ayez	bouilli	
ils bouillirent		ils eurent	bouilli	qu' ils aient	bouilli	
Futur simple		**Futur antérieur**		**Plus-que-parfait**		
je bouillirai		j' aurai	bouilli	que j' eusse	bouilli	
tu bouilliras		tu auras	bouilli	que tu eusses	bouilli	
il bouillira		il aura	bouilli	qu' il eût	bouilli	
ns bouillirons		ns aurons	bouilli	que ns eussions	bouilli	
vs bouillirez		vs aurez	bouilli	que vs eussiez	bouilli	
ils bouilliront		ils auront	bouilli	qu' ils eussent	bouilli	

CONDITIONNEL					
Présent		**Passé 1ʳᵉ forme**		**Passé 2ᵉ forme**	
je bouillirais		j' aurais	bouilli	j' eusse	bouilli
tu bouillirais		tu aurais	bouilli	tu eusses	bouilli
il bouillirait		il aurait	bouilli	il eût	bouilli
ns bouillirions		ns aurions	bouilli	ns eussions	bouilli
vs bouilliriez		vs auriez	bouilli	vs eussiez	bouilli
ils bouilliraient		ils auraient	bouilli	ils eussent	bouilli

IMPÉRATIF				
Présent			**Passé**	
bous	bouillons	bouillez	aie bouilli	ayons bouilli ayez bouilli

INFINITIF		PARTICIPE		
Présent	**Passé**	**Présent**	**Passé**	**Passé composé**
bouillir	avoir bouilli	bouillant	bouilli, e	ayant bouilli

tableaux de conjugaison types

Les verbes qui se conjuguent sur ce modèle ont la particularité de former leur futur simple et leur présent du conditionnel sur le radical *courr-*, et non sur celui de l'infinitif (Ex. *je **courr**ai, vous **courr**iez*).
Tous les verbes de la famille de *courir* (*parcourir, encourir,* etc.) se conjuguent sur ce modèle.
Attention aux formes du singulier du présent de l'indicatif et du présent du subjonctif qui sont homophones, mais avec des terminaisons différentes.

INDICATIF | SUBJONCTIF

Présent		Passé composé			Présent		
je	cours	j'	ai	couru	que je	coure	
tu	cours	tu	as	couru	que tu	coures	
il	court	il	a	couru	qu' il	coure	
ns	courons	ns	avons	couru	que ns	courions	
vs	courez	vs	avez	couru	que vs	couriez	
ils	courent	ils	ont	couru	qu' ils	courent	

Imparfait		Plus-que-parfait			Imparfait		
je	courais	j'	avais	couru	que je	courusse	
tu	courais	tu	avais	couru	que tu	courusses	
il	courait	il	avait	couru	qu' il	courût	
ns	courions	ns	avions	couru	que ns	courussions	
vs	couriez	vs	aviez	couru	que vs	courussiez	
ils	couraient	ils	avaient	couru	qu' ils	courussent	

Passé simple		Passé antérieur			Passé		
je	courus	j'	eus	couru	que j'	aie	couru
tu	courus	tu	eus	couru	que tu	aies	couru
il	courut	il	eut	couru	qu' il	ait	couru
ns	courûmes	ns	eûmes	couru	que ns	ayons	couru
vs	courûtes	vs	eûtes	couru	que vs	ayez	couru
ils	coururent	ils	eurent	couru	qu' ils	aient	couru

Futur simple		Futur antérieur			Plus-que-parfait		
je	courrai	j'	aurai	couru	que j'	eusse	couru
tu	courras	tu	auras	couru	que tu	eusses	couru
il	courra	il	aura	couru	qu' il	eût	couru
ns	courrons	ns	aurons	couru	que ns	eussions	couru
vs	courrez	vs	aurez	couru	que vs	eussiez	couru
ils	courront	ils	auront	couru	qu' ils	eussent	couru

CONDITIONNEL

Présent		Passé 1ʳᵉ forme			Passé 2ᵉ forme		
je	courrais	j'	aurais	couru	j'	eusse	couru
tu	courrais	tu	aurais	couru	tu	eusses	couru
il	courrait	il	aurait	couru	il	eût	couru
ns	courrions	ns	aurions	couru	ns	eussions	couru
vs	courriez	vs	auriez	couru	vs	eussiez	couru
ils	courraient	ils	auraient	couru	ils	eussent	couru

IMPÉRATIF

Présent			Passé		
cours	courons	courez	aie couru	ayons couru	ayez couru

INFINITIF | PARTICIPE

Présent	Passé		Présent	Passé	Passé composé
courir	avoir couru		courant	couru, e	ayant couru

Le verbe *mourir* a la particularité de former son futur simple et son présent du conditionnel sur le radical *mourr-*, et non sur celui de l'infinitif (Ex. *je mourrais, ils mourront*). Au présent de l'indicatif, du subjonctif et de l'impératif, l'alternance des sons *eu/ou* [œ/u] se fait selon que la terminaison est muette ou non (Ex. : *je meurs, nous mourons*). **Remarques : 1.** *mourir* est le seul verbe à se conjuguer ainsi. **2.** Aux formes composées, il s'emploie toujours avec l'auxiliaire *être* ; participe passé : *mort*.

INDICATIF

Présent		Passé composé		
je	meurs	je	suis	mort
tu	meurs	tu	es	mort
il	meurt	il	est	mort
ns	mourons	ns	sommes	morts
vs	mourez	vs	êtes	morts
ils	meurent	ils	sont	morts

Imparfait		Plus-que-parfait		
je	mourais	j'	étais	mort
tu	mourais	tu	étais	mort
il	mourait	il	était	mort
ns	mourions	ns	étions	morts
vs	mouriez	vs	étiez	morts
ils	mouraient	ils	étaient	morts

Passé simple		Passé antérieur		
je	mourus	je	fus	mort
tu	mourus	tu	fus	mort
il	mourut	il	fut	mort
ns	mourûmes	ns	fûmes	morts
vs	mourûtes	vs	fûtes	morts
ils	moururent	ils	furent	morts

Futur simple		Futur antérieur		
je	mourrai	je	serai	mort
tu	mourras	tu	seras	mort
il	mourra	il	sera	mort
ns	mourrons	ns	serons	morts
vs	mourrez	vs	serez	morts
ils	mourront	ils	seront	morts

SUBJONCTIF

Présent		
que je	meure	
que tu	meures	
qu' il	meure	
que ns	mourions	
que vs	mouriez	
qu' ils	meurent	

Imparfait		
que je	mourusse	
que tu	mourusses	
qu' il	mourût	
que ns	mourussions	
que vs	mourussiez	
qu' ils	mourussent	

Passé		
que je	sois	mort
que tu	sois	mort
qu' il	soit	mort
que ns	soyons	morts
que vs	soyez	morts
qu' ils	soient	morts

Plus-que-parfait		
que je	fusse	mort
que tu	fusses	mort
qu' il	fût	mort
que ns	fussions	morts
que vs	fussiez	morts
qu' ils	fussent	morts

CONDITIONNEL

Présent		Passé 1ʳᵉ forme			Passé 2ᵉ forme		
je	mourrais	je	serais	mort	je	fusse	mort
tu	mourrais	tu	serais	mort	tu	fusses	mort
il	mourrait	il	serait	mort	il	fût	mort
ns	mourrions	ns	serions	morts	ns	fussions	morts
vs	mourriez	vs	seriez	morts	vs	fussiez	morts
ils	mourraient	ils	seraient	morts	ils	fussent	morts

IMPÉRATIF

Présent			Passé		
meurs	mourons	mourez	sois mort	soyons morts	soyez morts

INFINITIF

Présent	Passé
mourir	être mort

PARTICIPE

Présent	Passé	Passé composé
mourant	mort, te	étant mort

tableaux de conjugaison types

Tous les verbes en -enir sont de la famille de *venir* ou de *tenir* et se conjuguent sur ce modèle.

Aux deux premières personnes du pluriel du passé simple, ne pas oublier l'accent circonflexe sur le *i* bien qu'il soit placé devant deux consonnes.

Remarque : *advenir* ne s'emploie qu'à la 3ᵉ personne du singulier et du pluriel.

INDICATIF			SUBJONCTIF	
Présent	**Passé composé**		**Présent**	
je viens	je suis	venu	que je vienne	
tu viens	tu es	venu	que tu viennes	
il vient	il est	venu	qu' il vienne	
ns venons	ns sommes	venus	que ns venions	
vs venez	vs êtes	venus	que vs veniez	
ils viennent	ils sont	venus	qu' ils viennent	
Imparfait	**Plus-que-parfait**		**Imparfait**	
je venais	j' étais	venu	que je vinsse	
tu venais	tu étais	venu	que tu vinsses	
il venait	il était	venu	qu' il vînt	
ns venions	ns étions	venus	que ns vinssions	
vs veniez	vs étiez	venus	que vs vinssiez	
ils venaient	ils étaient	venus	qu' ils vinssent	
Passé simple	**Passé antérieur**		**Passé**	
je vins	je fus	venu	que je sois	venu
tu vins	tu fus	venu	que tu sois	venu
il vint	il fut	venu	qu' il soit	venu
ns vînmes	ns fûmes	venus	que ns soyons	venus
vs vîntes	vs fûtes	venus	que vs soyez	venus
ils vinrent	ils furent	venus	qu' ils soient	venus
Futur simple	**Futur antérieur**		**Plus-que-parfait**	
je viendrai	je serai	venu	que je fusse	venu
tu viendras	tu seras	venu	que tu fusses	venu
il viendra	il sera	venu	qu' il fût	venu
ns viendrons	ns serons	venus	que ns fussions	venus
vs viendrez	vs serez	venus	que vs fussiez	venus
ils viendront	ils seront	venus	qu' ils fussent	venus

CONDITIONNEL				
Présent	**Passé 1ʳᵉ forme**		**Passé 2ᵉ forme**	
je viendrais	je serais	venu	je fusse	venu
tu viendrais	tu serais	venu	tu fusses	venu
il viendrait	il serait	venu	il fût	venu
ns viendrions	ns serions	venus	ns fussions	venus
vs viendriez	vs seriez	venus	vs fussiez	venus
ils viendraient	ils seraient	venus	ils fussent	venus

IMPÉRATIF		
Présent		**Passé**
viens venons venez		sois venu soyons venus soyez venus

INFINITIF		PARTICIPE		
Présent	**Passé**	**Présent**	**Passé**	**Passé composé**
venir	être venu	venant	venu, e	étant venu

Les formes dont les terminaisons sont muettes se construisent sur le radical *-quier-* (Ex. : *j'acquiers, ils acquièrent, qu'il acquière*) ; celles dont les terminaisons s'entendent se construisent sur le radical *-quér-* (Ex. : *nous acquérons, j'acquerrai*). Les verbes se conjuguant sur ce modèle sont *conquérir, s'enquérir* et *requérir*. Ne pas confondre le participe passé *acquis* (souvent employé comme adjectif : *un avantage acquis*) avec le substantif verbal *acquit (par acquit de conscience, pour acquit)*.

INDICATIF

Présent		Passé composé			Présent (SUBJONCTIF)		
j'	acquiers	j'	ai	acquis	que j'	acquière	
tu	acquiers	tu	as	acquis	que tu	acquières	
il	acquiert	il	a	acquis	qu' il	acquière	
ns	acquérons	ns	avons	acquis	que ns	acquérions	
vs	acquérez	vs	avez	acquis	que vs	acquériez	
ils	acquièrent	ils	ont	acquis	qu' ils	acquièrent	

Imparfait		Plus-que-parfait			Imparfait		
j'	acquérais	j'	avais	acquis	que j'	acquisse	
tu	acquérais	tu	avais	acquis	que tu	acquisses	
il	acquérait	il	avait	acquis	qu' il	acquît	
ns	acquérions	ns	avions	acquis	que ns	acquissions	
vs	acquériez	vs	aviez	acquis	que vs	acquissiez	
ils	acquéraient	ils	avaient	acquis	qu' ils	acquissent	

Passé simple		Passé antérieur			Passé		
j'	acquis	j'	eus	acquis	que j'	aie	acquis
tu	acquis	tu	eus	acquis	que tu	aies	acquis
il	acquit	il	eut	acquis	qu' il	ait	acquis
ns	acquîmes	ns	eûmes	acquis	que ns	ayons	acquis
vs	acquîtes	vs	eûtes	acquis	que vs	ayez	acquis
ils	acquirent	ils	eurent	acquis	qu' ils	aient	acquis

Futur simple		Futur antérieur			Plus-que-parfait		
j'	acquerrai	j'	aurai	acquis	que j'	eusse	acquis
tu	acquerras	tu	auras	acquis	que tu	eusses	acquis
il	acquerra	il	aura	acquis	qu' il	eût	acquis
ns	acquerrons	ns	aurons	acquis	que ns	eussions	acquis
vs	acquerrez	vs	aurez	acquis	que vs	eussiez	acquis
ils	acquerront	ils	auront	acquis	qu' ils	eussent	acquis

CONDITIONNEL

Présent		Passé 1ʳᵉ forme			Passé 2ᵉ forme		
j'	acquerrais	j'	aurais	acquis	j'	eusse	acquis
tu	acquerrais	tu	aurais	acquis	tu	eusses	acquis
il	acquerrait	il	aurait	acquis	il	eût	acquis
ns	acquerrions	ns	aurions	acquis	ns	eussions	acquis
vs	acquerriez	vs	auriez	acquis	vs	eussiez	acquis
ils	acquerraient	ils	auraient	acquis	ils	eussent	acquis

IMPÉRATIF

Présent			Passé		
acquiers	acquérons	acquérez	aie acquis	ayons acquis	ayez acquis

INFINITIF

Présent	Passé
acquérir	avoir acquis

PARTICIPE

Présent	Passé	Passé composé
acquérant	acquis, se	ayant acquis

tableaux de conjugaison types

Les verbes qui se conjuguent sur ce modèle ont des terminaisons en -e au singulier du présent de l'indicatif et du présent de l'impératif, comme les verbes du 1ᵉʳ groupe.
Se conjuguent sur ce modèle *ouvrir, entrouvrir, rouvrir, couvrir, recouvrir, découvrir, redécouvrir* et *souffrir*.
À noter la forme particulière du participe passé : *offert*.

INDICATIF			SUBJONCTIF		
Présent		**Passé composé**	**Présent**		
j' offre	j' ai	offert	que j'	offre	
tu offres	tu as	offert	que tu	offres	
il offre	il a	offert	qu' il	offre	
ns offrons	ns avons	offert	que ns	offrions	
vs offrez	vs avez	offert	que vs	offriez	
ils offrent	ils ont	offert	qu' ils	offrent	
Imparfait		**Plus-que-parfait**	**Imparfait**		
j' offrais	j' avais	offert	que j'	offrisse	
tu offrais	tu avais	offert	que tu	offrisses	
il offrait	il avait	offert	qu' il	offrît	
ns offrions	ns avions	offert	que ns	offrissions	
vs offriez	vs aviez	offert	que vs	offrissiez	
ils offraient	ils avaient	offert	qu' ils	offrissent	
Passé simple		**Passé antérieur**	**Passé**		
j' offris	j' eus	offert	que j'	aie	offert
tu offris	tu eus	offert	que tu	aies	offert
il offrit	il eut	offert	qu' il	ait	offert
ns offrîmes	ns eûmes	offert	que ns	ayons	offert
vs offrîtes	vs eûtes	offert	que vs	ayez	offert
ils offrirent	ils eurent	offert	qu' ils	aient	offert
Futur simple		**Futur antérieur**	**Plus-que-parfait**		
j' offrirai	j' aurai	offert	que j'	eusse	offert
tu offriras	tu auras	offert	que tu	eusses	offert
il offrira	il aura	offert	qu' il	eût	offert
ns offrirons	ns aurons	offert	que ns	eussions	offert
vs offrirez	vs aurez	offert	que vs	eussiez	offert
ils offriront	ils auront	offert	qu' ils	eussent	offert

CONDITIONNEL				
Présent		**Passé 1ʳᵉ forme**	**Passé 2ᵉ forme**	
j' offrirais	j' aurais	offert	j' eusse	offert
tu offrirais	tu aurais	offert	tu eusses	offert
il offrirait	il aurait	offert	il eût	offert
ns offririons	ns aurions	offert	ns eussions	offert
vs offririez	vs auriez	offert	vs eussiez	offert
ils offriraient	ils auraient	offert	ils eussent	offert

IMPÉRATIF		
Présent		**Passé**
offre offrons offrez		aie offert ayons offert ayez offert

INFINITIF		PARTICIPE		
Présent	**Passé**	**Présent**	**Passé**	**Passé composé**
offrir	avoir offert	offrant	offert, te	ayant offert

Se conjuguent sur ce modèle *accueillir, recueillir* et *saillir*.
Ces verbes ont des terminaisons en -*e* au singulier du présent de l'indicatif et du présent de l'impératif, comme les verbes du 1ᵉʳ groupe.
Le futur simple et le présent du conditionnel sont formés sur un radical en -*e (je cueillerai)* et non sur la forme de l'infinitif.

INDICATIF		SUBJONCTIF
Présent	**Passé composé**	**Présent**
je cueille	j' ai cueilli	que je cueille
tu cueilles	tu as cueilli	que tu cueilles
il cueille	il a cueilli	qu' il cueille
ns cueillons	ns avons cueilli	que ns cueillions
vs cueillez	vs avez cueilli	que vs cueilliez
ils cueillent	ils ont cueilli	qu' ils cueillent
Imparfait	**Plus-que-parfait**	**Imparfait**
je cueillais	j' avais cueilli	que je cueillisse
tu cueillais	tu avais cueilli	que tu cueillisses
il cueillait	il avait cueilli	qu' il cueillît
ns cueillions	ns avions cueilli	que ns cueillissions
vs cueilliez	vs aviez cueilli	que vs cueillissiez
ils cueillaient	ils avaient cueilli	qu' ils cueillissent
Passé simple	**Passé antérieur**	**Passé**
je cueillis	j' eus cueilli	que j' aie cueilli
tu cueillis	tu eus cueilli	que tu aies cueilli
il cueillit	il eut cueilli	qu' il ait cueilli
ns cueillîmes	ns eûmes cueilli	que ns ayons cueilli
vs cueillîtes	vs eûtes cueilli	que vs ayez cueilli
ils cueillirent	ils eurent cueilli	qu' ils aient cueilli
Futur simple	**Futur antérieur**	**Plus-que-parfait**
je cueillerai	j' aurai cueilli	que j' eusse cueilli
tu cueilleras	tu auras cueilli	que tu eusses cueilli
il cueillera	il aura cueilli	qu' il eût cueilli
ns cueillerons	ns aurons cueilli	que ns eussions cueilli
vs cueillerez	vs aurez cueilli	que vs eussiez cueilli
ils cueilleront	ils auront cueilli	qu' ils eussent cueilli

CONDITIONNEL		
Présent	**Passé 1ʳᵉ forme**	**Passé 2ᵉ forme**
je cueillerais	j' aurais cueilli	j' eusse cueilli
tu cueillerais	tu aurais cueilli	tu eusses cueilli
il cueillerait	il aurait cueilli	il eût cueilli
ns cueillerions	ns aurions cueilli	ns eussions cueilli
vs cueilleriez	vs auriez cueilli	vs eussiez cueilli
ils cueilleraient	ils auraient cueilli	ils eussent cueilli

IMPÉRATIF			
Présent		**Passé**	
cueille cueillons cueillez		aie cueilli ayons cueilli ayez cueilli	

INFINITIF		PARTICIPE		
Présent	**Passé**	**Présent**	**Passé**	**Passé composé**
cueillir	avoir cueilli	cueillant	cueilli, e	ayant cueilli

tableaux de conjugaison types

Se conjuguent sur ce modèle *tressaillir, saillir* (au sens de « dépasser ») et *défaillir*. Ces verbes ont la même conjugaison que *cueillir* (voir modèle **30**) sauf au futur simple et au présent du conditionnel qui sont en *-i* (Ex. : *j'assaillirai, je tressaillirai*).

INDICATIF			SUBJONCTIF		
Présent	**Passé composé**		**Présent**		
j' assaille	j' ai	assailli	que j' assaille		
tu assailles	tu as	assailli	que tu assailles		
il assaille	il a	assailli	qu' il assaille		
ns assaillons	ns avons	assailli	que ns assaillions		
vs assaillez	vs avez	assailli	que vs assailliez		
ils assaillent	ils ont	assailli	qu' ils assaillent		
Imparfait	**Plus-que-parfait**		**Imparfait**		
j' assaillais	j' avais	assailli	que j' assaillisse		
tu assaillais	tu avais	assailli	que tu assaillisses		
il assaillait	il avait	assailli	qu' il assaillît		
ns assaillions	ns avions	assailli	que ns assaillissions		
vs assailliez	vs aviez	assailli	que vs assaillissiez		
ils assaillaient	ils avaient	assailli	qu' ils assaillissent		
Passé simple	**Passé antérieur**		**Passé**		
j' assaillis	j' eus	assailli	que j' aie	assailli	
tu assaillis	tu eus	assailli	que tu aies	assailli	
il assaillit	il eut	assailli	qu' il ait	assailli	
ns assaillîmes	ns eûmes	assailli	que ns ayons	assailli	
vs assaillîtes	vs eûtes	assailli	que vs ayez	assailli	
ils assaillirent	ils eurent	assailli	qu' ils aient	assailli	
Futur simple	**Futur antérieur**		**Plus-que-parfait**		
j' assaillirai	j' aurai	assailli	que j' eusse	assailli	
tu assailliras	tu auras	assailli	que tu eusses	assailli	
il assaillira	il aura	assailli	qu' il eût	assailli	
ns assaillirons	ns aurons	assailli	que ns eussions	assailli	
vs assaillirez	vs aurez	assailli	que vs eussiez	assailli	
ils assailliront	ils auront	assailli	qu' ils eussent	assailli	

CONDITIONNEL					
Présent	**Passé 1ʳᵉ forme**		**Passé 2ᵉ forme**		
j' assaillirais	j' aurais	assailli	j' eusse	assailli	
tu assaillirais	tu aurais	assailli	tu eusses	assailli	
il assaillirait	il aurait	assailli	il eût	assailli	
ns assaillirions	ns aurions	assailli	ns eussions	assailli	
vs assailliriez	vs auriez	assailli	vs eussiez	assailli	
ils assailliraient	ils auraient	assailli	ils eussent	assailli	

IMPÉRATIF					
Présent			**Passé**		
assaille	assaillons	assaillez	aie assailli	ayons assailli	ayez assailli

INFINITIF		PARTICIPE		
Présent	**Passé**	**Présent**	**Passé**	**Passé composé**
assaillir	avoir assailli	assaillant	assailli, e	ayant assailli

La conjugaison d'origine du 3e groupe *(je faux, tu faux, nous faillons, vous faillez...)* n'est plus employée aujourd'hui. Ce verbe se conjugue désormais comme un verbe du 2e groupe.
Le présent et l'imparfait de l'indicatif, le présent du subjonctif et l'impératif ne sont guère utilisés.
Le participe passé *failli* est invariable.

INDICATIF

Présent	Passé composé		SUBJONCTIF — Présent	
je faillis	j' ai	failli	que je faillisse	
tu faillis	tu as	failli	que tu faillisses	
il faillit	il a	failli	qu' il faillisse	
ns faillissons	ns avons	failli	que ns faillissions	
vs faillissez	vs avez	failli	que vs faillissiez	
ils faillissent	ils ont	failli	qu' ils faillissent	

Imparfait	Plus-que-parfait		Imparfait	
je faillissais	j' avais	failli	que je faillisse	
tu faillissais	tu avais	failli	que tu faillisses	
il faillissait	il avait	failli	qu' il faillît	
ns faillissions	ns avions	failli	que ns faillissions	
vs faillissiez	vs aviez	failli	que vs faillissiez	
ils faillissaient	ils avaient	failli	qu' ils faillissent	

Passé simple	Passé antérieur		Passé	
je faillis	j' eus	failli	que j' aie	failli
tu faillis	tu eus	failli	que tu aies	failli
il faillit	il eut	failli	qu' il ait	failli
ns faillîmes	ns eûmes	failli	que ns ayons	failli
vs faillîtes	vs eûtes	failli	que vs ayez	failli
ils faillirent	ils eurent	failli	qu' ils aient	failli

Futur simple	Futur antérieur		Plus-que-parfait	
je faillirai	j' aurai	failli	que j' eusse	failli
tu failliras	tu auras	failli	que tu eusses	failli
il faillira	il aura	failli	qu' il eût	failli
ns faillirons	ns aurons	failli	que ns eussions	failli
vs faillirez	vs aurez	failli	que vs eussiez	failli
ils failliront	ils auront	failli	qu' ils eussent	failli

CONDITIONNEL

Présent	Passé 1re forme		Passé 2e forme	
je faillirais	j' aurais	failli	j' eusse	failli
tu faillirais	tu aurais	failli	tu eusses	failli
il faillirait	il aurait	failli	il eût	failli
ns faillirions	ns aurions	failli	ns eussions	failli
vs failliriez	vs auriez	failli	vs eussiez	failli
ils failliraient	ils auraient	failli	ils eussent	failli

IMPÉRATIF

Présent			Passé		
faillis	faillissons	faillissez	aie failli	ayons failli	ayez failli

INFINITIF

Présent	Passé
faillir	avoir failli

PARTICIPE

Présent	Passé	Passé composé
faillissant	failli	ayant failli

tableaux de conjugaison types

Seul le verbe *s'enfuir* se conjugue sur ce modèle.

Attention à la 3ᵉ personne du passé simple qui a bien une terminaison en *-it* comme les verbes du 3ᵉ groupe et non en *-a* comme ceux du 1ᵉʳ groupe.

Aux deux premières personnes du pluriel de l'imparfait de l'indicatif et du présent du subjonctif, ne pas oublier le *i* après le *y*.

INDICATIF		SUBJONCTIF	
Présent	**Passé composé**	**Présent**	
je fuis	j' ai fui	que je fuie	
tu fuis	tu as fui	que tu fuies	
il fuit	il a fui	qu' il fuie	
ns fuyons	ns avons fui	que ns fuyions	
vs fuyez	vs avez fui	que vs fuyiez	
ils fuient	ils ont fui	qu' ils fuient	
Imparfait	**Plus-que-parfait**	**Imparfait**	
je fuyais	j' avais fui	que je fuisse	
tu fuyais	tu avais fui	que tu fuisses	
il fuyait	il avait fui	qu' il fuît	
ns fuyions	ns avions fui	que ns fuissions	
vs fuyiez	vs aviez fui	que vs fuissiez	
ils fuyaient	ils avaient fui	qu' ils fuissent	
Passé simple	**Passé antérieur**	**Passé**	
je fuis	j' eus fui	que j' aie fui
tu fuis	tu eus fui	que tu aies fui
il fuit	il eut fui	qu' il ait fui
ns fuîmes	ns eûmes fui	que ns ayons fui
vs fuîtes	vs eûtes fui	que vs ayez fui
ils fuirent	ils eurent fui	qu' ils aient fui
Futur simple	**Futur antérieur**	**Plus-que-parfait**	
je fuirai	j' aurai fui	que j' eusse fui
tu fuiras	tu auras fui	que tu eusses fui
il fuira	il aura fui	qu' il eût fui
ns fuirons	ns aurons fui	que ns eussions fui
vs fuirez	vs aurez fui	que vs eussiez fui
ils fuiront	ils auront fui	qu' ils eussent fui

CONDITIONNEL		
Présent	**Passé 1ʳᵉ forme**	**Passé 2ᵉ forme**
je fuirais	j' aurais fui	j' eusse fui
tu fuirais	tu aurais fui	tu eusses fui
il fuirait	il aurait fui	il eût fui
ns fuirions	ns aurions fui	ns eussions fui
vs fuiriez	vs auriez fui	vs eussiez fui
ils fuiraient	ils auraient fui	ils eussent fui

IMPÉRATIF		
Présent		**Passé**
fuis fuyons fuyez		aie fui ayons fui ayez fui

INFINITIF		PARTICIPE		
Présent	**Passé**	**Présent**	**Passé**	**Passé composé**
fuir	avoir fui	fuyant	fui, e	ayant fui

Le verbe *gésir* ne se conjugue qu'au présent et à l'imparfait de l'indicatif. On trouve également le participe présent et l'infinitif. L'emploi le plus connu du verbe est dans l'expression *ci-gît*.

Remarque : afin d'harmoniser l'usage de l'accent circonflexe dans la conjugaison, les rectifications de l'orthographe de 1990 proposent de supprimer l'accent circonflexe sur le *i* à la 3ᵉ personne du singulier de l'indicatif.

INDICATIF		SUBJONCTIF
Présent **Passé composé**		*inusité*
je gis	*inusité*	
tu gis		
il gît		
ns gisons		
vs gisez		
ils gisent		
Imparfait **Plus-que-parfait**		
je gisais	*inusité*	
tu gisais		
il gisait		
ns gisions		
vs gisiez		
ils gisaient		
Passé simple **Passé antérieur**		
inusité	*inusité*	
Futur simple **Futur antérieur**		
inusité	*inusité*	

CONDITIONNEL
inusité

IMPÉRATIF
inusité

INFINITIF		PARTICIPE		
Présent	**Passé**	**Présent**	**Passé**	**Passé composé**
gésir	*inusité*	gisant	*inusité*	*inusité*

tableaux de conjugaison types

Le verbe *ouïr* n'est plus en usage (sauf dans un registre quelque peu affecté...) ; il est désormais remplacé par le verbe *entendre*.
Seuls subsistent parfois les temps composés utilisés avec l'infinitif *dire* : *j'ai ouï dire*.
À noter l'expression *par ouï-dire*.

INDICATIF | SUBJONCTIF

Présent	Passé composé		Présent	
j' ois	j' ai	ouï	que j' oie	
tu ois	tu as	ouï	que tu oies	
il oit	il a	ouï	qu' il oie	
ns oyons	ns avons	ouï	que ns oyions	
vs oyez	vs avez	ouï	que vs oyiez	
ils oient	ils ont	ouï	qu' ils oient	
Imparfait	**Plus-que-parfait**		**Imparfait**	
j' oyais	j' avais	ouï	que j' ouïsse	
tu oyais	tu avais	ouï	que tu ouïsses	
il oyait	il avait	ouï	qu' il ouït	
ns oyions	ns avions	ouï	que ns ouïssions	
vs oyiez	vs aviez	ouï	que vs ouïssiez	
ils oyaient	ils avaient	ouï	qu' ils ouïssent	
Passé simple	**Passé antérieur**		**Passé**	
j' ouïs	j' eus	ouï	que j' aie	ouï
tu ouïs	tu eus	ouï	que tu aies	ouï
il ouït	il eut	ouï	qu' il ait	ouï
ns ouïmes	ns eûmes	ouï	que ns ayons	ouï
vs ouïtes	vs eûtes	ouï	que vs ayez	ouï
ils ouïrent	ils eurent	ouï	qu' ils aient	ouï
Futur simple	**Futur antérieur**		**Plus-que-parfait**	
j' ouïrai	j' aurai	ouï	que j' eusse	ouï
tu ouïras	tu auras	ouï	que tu eusses	ouï
il ouïra	il aura	ouï	qu' il eût	ouï
ns ouïrons	ns aurons	ouï	que ns eussions	ouï
vs ouïrez	vs aurez	ouï	que vs eussiez	ouï
ils ouïront	ils auront	ouï	qu' ils eussent	ouï

CONDITIONNEL

Présent	Passé 1ʳᵉ forme		Passé 2ᵉ forme	
j' ouïrais	j' aurais	ouï	j' eusse	ouï
tu ouïrais	tu aurais	ouï	tu eusses	ouï
il ouïrait	il aurait	ouï	il eût	ouï
ns ouïrions	ns aurions	ouï	ns eussions	ouï
vs ouïriez	vs auriez	ouï	vs eussiez	ouï
ils ouïraient	ils auraient	ouï	ils eussent	ouï

IMPÉRATIF

Présent			Passé		
ois	oyons	oyez	aie ouï	ayons ouï	ayez ouï

INFINITIF | PARTICIPE

Présent	Passé	Présent	Passé	Passé composé
ouïr	avoir ouï	oyant	ouï, ouïe	ayant ouï

Ainsi se conjuguent tous les verbes dont l'infinitif se termine par *-cevoir*. Ils prennent une cédille devant *u* et *o* pour que le *c* garde sa valeur de [s]. (Ex. : *je reçois, je reçus*).

INDICATIF			SUBJONCTIF	
Présent	**Passé composé**		**Présent**	
je reçois	j' ai	reçu	que je reçoive	
tu reçois	tu as	reçu	que tu reçoives	
il reçoit	il a	reçu	qu' il reçoive	
ns recevons	ns avons	reçu	que ns recevions	
vs recevez	vs avez	reçu	que vs receviez	
ils reçoivent	ils ont	reçu	qu' ils reçoivent	
Imparfait	**Plus-que-parfait**		**Imparfait**	
je recevais	j' avais	reçu	que je reçusse	
tu recevais	tu avais	reçu	que tu reçusses	
il recevait	il avait	reçu	qu' il reçût	
ns recevions	ns avions	reçu	que ns reçussions	
vs receviez	vs aviez	reçu	que vs reçussiez	
ils recevaient	ils avaient	reçu	qu' ils reçussent	
Passé simple	**Passé antérieur**		**Passé**	
je reçus	j' eus	reçu	que j' aie	reçu
tu reçus	tu eus	reçu	que tu aies	reçu
il reçut	il eut	reçu	qu' il ait	reçu
ns reçûmes	ns eûmes	reçu	que ns ayons	reçu
vs reçûtes	vs eûtes	reçu	que vs ayez	reçu
ils reçurent	ils eurent	reçu	qu' ils aient	reçu
Futur simple	**Futur antérieur**		**Plus-que-parfait**	
je recevrai	j' aurai	reçu	que j' eusse	reçu
tu recevras	tu auras	reçu	que tu eusses	reçu
il recevra	il aura	reçu	qu' il eût	reçu
ns recevrons	ns aurons	reçu	que ns eussions	reçu
vs recevrez	vs aurez	reçu	que vs eussiez	reçu
ils recevront	ils auront	reçu	qu' ils eussent	reçu

CONDITIONNEL				
Présent	**Passé 1ʳᵉ forme**		**Passé 2ᵉ forme**	
je recevrais	j' aurais	reçu	j' eusse	reçu
tu recevrais	tu aurais	reçu	tu eusses	reçu
il recevrait	il aurait	reçu	il eût	reçu
ns recevrions	ns aurions	reçu	ns eussions	reçu
vs recevriez	vs auriez	reçu	vs eussiez	reçu
ils recevraient	ils auraient	reçu	ils eussent	reçu

IMPÉRATIF				
Présent			**Passé**	
reçois recevons recevez			aie reçu ayons reçu ayez reçu	

INFINITIF		PARTICIPE		
Présent	**Passé**	**Présent**	**Passé**	**Passé composé**
recevoir	avoir reçu	recevant	reçu, e	ayant reçu

tableaux de conjugaison types

Ainsi se conjuguent *entrevoir* et *revoir*.

Remarques : 1. *Prévoir* a une conjugaison différente de *voir* au futur simple et au présent du conditionnel (voir modèle **38**). **2.** Ne pas oublier le *i* de la terminaison qui suit le *y* du radical aux deux premières personnes du pluriel de l'imparfait de l'indicatif et du présent du subjonctif *(nous voyions, vous voyiez)*. **3.** À la 3ᵉ personne du pluriel du présent de l'indicatif et du présent du subjonctif, on doit placer un *i* et non un *y* ; erreur très fréquente, surtout à l'oral.

INDICATIF

Présent

je	vois
tu	vois
il	voit
ns	voyons
vs	voyez
ils	voient

Passé composé

j'	ai	vu
tu	as	vu
il	a	vu
ns	avons	vu
vs	avez	vu
ils	ont	vu

Imparfait

je	voyais
tu	voyais
il	voyait
ns	voyions
vs	voyiez
ils	voyaient

Plus-que-parfait

j'	avais	vu
tu	avais	vu
il	avait	vu
ns	avions	vu
vs	aviez	vu
ils	avaient	vu

Passé simple

je	vis
tu	vis
il	vit
ns	vîmes
vs	vîtes
ils	virent

Passé antérieur

j'	eus	vu
tu	eus	vu
il	eut	vu
ns	eûmes	vu
vs	eûtes	vu
ils	eurent	vu

Futur simple

je	verrai
tu	verras
il	verra
ns	verrons
vs	verrez
ils	verront

Futur antérieur

j'	aurai	vu
tu	auras	vu
il	aura	vu
ns	aurons	vu
vs	aurez	vu
ils	auront	vu

SUBJONCTIF

Présent

que	je	voie
que	tu	voies
qu'	il	voie
que	ns	voyions
que	vs	voyiez
qu'	ils	voient

Imparfait

que	je	visse
que	tu	visses
qu'	il	vît
que	ns	vissions
que	vs	vissiez
qu'	ils	vissent

Passé

que	j'	aie	vu
que	tu	aies	vu
qu'	il	ait	vu
que	ns	ayons	vu
que	vs	ayez	vu
qu'	ils	aient	vu

Plus-que-parfait

que	j'	eusse	vu
que	tu	eusses	vu
qu'	il	eût	vu
que	ns	eussions	vu
que	vs	eussiez	vu
qu'	ils	eussent	vu

CONDITIONNEL

Présent

je	verrais
tu	verrais
il	verrait
ns	verrions
vs	verriez
ils	verraient

Passé 1ʳᵉ forme

j'	aurais	vu
tu	aurais	vu
il	aurait	vu
ns	aurions	vu
vs	auriez	vu
ils	auraient	vu

Passé 2ᵉ forme

j'	eusse	vu
tu	eusses	vu
il	eût	vu
ns	eussions	vu
vs	eussiez	vu
ils	eussent	vu

IMPÉRATIF

Présent

vois   voyons   voyez

Passé

aie vu   ayons vu   ayez vu

INFINITIF

Présent

voir

Passé

avoir vu

PARTICIPE

Présent

voyant

Passé

vu, e

Passé composé

ayant vu

Prévoir a la même conjugaison que *voir* (voir modèle **37**) sauf au futur simple et au présent du conditionnel.
Aux deux premières personnes du pluriel de l'imparfait de l'indicatif et du présent du subjonctif, ne pas oublier le *i* après le *y*.

INDICATIF

Présent
je prévois
tu prévois
il prévoit
ns prévoyons
vs prévoyez
ils prévoient

Passé composé
j' ai prévu
tu as prévu
il a prévu
ns avons prévu
vs avez prévu
ils ont prévu

Imparfait
je prévoyais
tu prévoyais
il prévoyait
ns prévoyions
vs prévoyiez
ils prévoyaient

Plus-que-parfait
j' avais prévu
tu avais prévu
il avait prévu
ns avions prévu
vs aviez prévu
ils avaient prévu

Passé simple
je prévis
tu prévis
il prévit
ns prévîmes
vs prévîtes
ils prévirent

Passé antérieur
j' eus prévu
tu eus prévu
il eut prévu
ns eûmes prévu
vs eûtes prévu
ils eurent prévu

Futur simple
je prévoirai
tu prévoiras
il prévoira
ns prévoirons
vs prévoirez
ils prévoiront

Futur antérieur
j' aurai prévu
tu auras prévu
il aura prévu
ns aurons prévu
vs aurez prévu
ils auront prévu

SUBJONCTIF

Présent
que je prévoie
que tu prévoies
qu' il prévoie
que ns prévoyions
que vs prévoyiez
qu' ils prévoient

Imparfait
que je prévisse
que tu prévisses
qu' il prévît
que ns prévissions
que vs prévissiez
qu' ils prévissent

Passé
que j' aie prévu
que tu aies prévu
qu' il ait prévu
que ns ayons prévu
que vs ayez prévu
qu' ils aient prévu

Plus-que-parfait
que j' eusse prévu
que tu eusses prévu
qu' il eût prévu
que ns eussions prévu
que vs eussiez prévu
qu' ils eussent prévu

CONDITIONNEL

Présent
je prévoirais
tu prévoirais
il prévoirait
ns prévoirions
vs prévoiriez
ils prévoiraient

Passé 1ʳᵉ forme
j' aurais prévu
tu aurais prévu
il aurait prévu
ns aurions prévu
vs auriez prévu
ils auraient prévu

Passé 2ᵉ forme
j' eusse prévu
tu eusses prévu
il eût prévu
ns eussions prévu
vs eussiez prévu
ils eussent prévu

IMPÉRATIF

Présent
prévois   prévoyons   prévoyez

Passé
aie prévu   ayons prévu   ayez prévu

INFINITIF

Présent
prévoir

Passé
avoir prévu

PARTICIPE

Présent
prévoyant

Passé
prévu, e

Passé composé
ayant prévu

tableaux de conjugaison types

Pourvoir a la même conjugaison que *prévoir* (voir modèle **38**) sauf au passé simple et à l'imparfait du subjonctif qui sont en *-u-* et non en *-i-*.

Même si des grammaires et des dictionnaires mentionnent le verbe *dépourvoir* (se conjuguant sur le modèle de *pourvoir*), il est désormais inusité ; seul le participe passé *dépourvu* est attesté.

INDICATIF

Présent		Passé composé			Présent (SUBJONCTIF)		
je	pourvois	j'	ai	pourvu	que je	pourvoie	
tu	pourvois	tu	as	pourvu	que tu	pourvoies	
il	pourvoit	il	a	pourvu	qu' il	pourvoie	
ns	pourvoyons	ns	avons	pourvu	que ns	pourvoyions	
vs	pourvoyez	vs	avez	pourvu	que vs	pourvoyiez	
ils	pourvoient	ils	ont	pourvu	qu' ils	pourvoient	

Imparfait		Plus-que-parfait			Imparfait (SUBJONCTIF)		
je	pourvoyais	j'	avais	pourvu	que je	pourvusse	
tu	pourvoyais	tu	avais	pourvu	que tu	pourvusses	
il	pourvoyait	il	avait	pourvu	qu' il	pourvût	
ns	pourvoyions	ns	avions	pourvu	que ns	pourvussions	
vs	pourvoyiez	vs	aviez	pourvu	que vs	pourvussiez	
ils	pourvoyaient	ils	avaient	pourvu	qu' ils	pourvussent	

Passé simple		Passé antérieur			Passé (SUBJONCTIF)		
je	pourvus	j'	eus	pourvu	que j'	aie	pourvu
tu	pourvus	tu	eus	pourvu	que tu	aies	pourvu
il	pourvut	il	eut	pourvu	qu' il	ait	pourvu
ns	pourvûmes	ns	eûmes	pourvu	que ns	ayons	pourvu
vs	pourvûtes	vs	eûtes	pourvu	que vs	ayez	pourvu
ils	pourvurent	ils	eurent	pourvu	qu' ils	aient	pourvu

Futur simple		Futur antérieur			Plus-que-parfait (SUBJONCTIF)		
je	pourvoirai	j'	aurai	pourvu	que j'	eusse	pourvu
tu	pourvoiras	tu	auras	pourvu	que tu	eusses	pourvu
il	pourvoira	il	aura	pourvu	qu' il	eût	pourvu
ns	pourvoirons	ns	aurons	pourvu	que ns	eussions	pourvu
vs	pourvoirez	vs	aurez	pourvu	que vs	eussiez	pourvu
ils	pourvoiront	ils	auront	pourvu	qu' ils	eussent	pourvu

CONDITIONNEL

Présent		Passé 1ʳᵉ forme			Passé 2ᵉ forme		
je	pourvoirais	j'	aurais	pourvu	j'	eusse	pourvu
tu	pourvoirais	tu	aurais	pourvu	tu	eusses	pourvu
il	pourvoirait	il	aurait	pourvu	il	eût	pourvu
ns	pourvoirions	ns	aurions	pourvu	ns	eussions	pourvu
vs	pourvoiriez	vs	auriez	pourvu	vs	eussiez	pourvu
ils	pourvoiraient	ils	auraient	pourvu	ils	eussent	pourvu

IMPÉRATIF

Présent			Passé		
pourvois	pourvoyons	pourvoyez	aie pourvu	ayons pourvu	ayez pourvu

INFINITIF / PARTICIPE

Présent	Passé	Présent	Passé	Passé composé
pourvoir	avoir pourvu	pourvoyant	pourvu, e	ayant pourvu

La conjugaison en *-oi-/-oy-* est moins fréquente à l'écrit que la conjugaison en *-ie-/-ey-*.
Remarques : 1. L'infinitif est la seule forme présentant le *e* muet. Aussi les rectifications de l'orthographe de 1990 préconisent-elles la graphie *assoir*. **2.** Le verbe *surseoir* n'a qu'une seule conjugaison en *-oi-/-oy-* (voir modèle 41). **3.** *Seoir* au sens de « convenir » et *messeoir* n'ont qu'une conjugaison en *-ie-/-ey-* mais seulement à la 3ᵉ personne du présent de l'indicatif, du subjonctif et du conditionnel ainsi qu'à l'imparfait de l'indicatif et au futur simple.

INDICATIF

Présent	*ou*		Passé composé	
j' assieds	assois	j'	ai	assis
tu assieds	assois	tu	as	assis
il assied	assoit	il	a	assis
ns asseyons	assoyons	ns	avons	assis
vs asseyez	assoyez	vs	avez	assis
ils asseyent	assoient	ils	ont	assis

Imparfait	*ou*		Plus-que-parfait	
j' asseyais	assoyais	j'	avais	assis
tu asseyais	assoyais	tu	avais	assis
il asseyait	assoyait	il	avait	assis
ns asseyions	assoyions	ns	avions	assis
vs asseyiez	assoyiez	vs	aviez	assis
ils asseyaient	assoyaient	ils	avaient	assis

Passé simple		Passé antérieur	
j' assis	j'	eus	assis
tu assis	tu	eus	assis
il assit	il	eut	assis
ns assîmes	ns	eûmes	assis
vs assîtes	vs	eûtes	assis
ils assirent	ils	eurent	assis

Futur simple	*ou*		Futur antérieur	
j' assiérai	assoirai	j'	aurai	assis
tu assiéras	assoiras	tu	auras	assis
il assiéra	assoira	il	aura	assis
ns assiérons	assoirons	ns	aurons	assis
vs assiérez	assoirez	vs	aurez	assis
ils assiéront	assoiront	ils	auront	assis

SUBJONCTIF

Présent		*ou*
que j' asseye	assoie
que tu asseyes	assoies
qu' il asseye	assoie
que ns asseyions	assoyions
que vs asseyiez	assoyiez
qu' ils asseyent	assoient

Imparfait	
que j' assisse
que tu assisses
qu' il assît
que ns assissions
que vs assissiez
qu' ils assissent

Passé		
que j' aie	assis
que tu aies	assis
qu' il ait	assis
que ns ayons	assis
que vs ayez	assis
qu' ils aient	assis

Plus-que-parfait		
que j' eusse	assis
que tu eusses	assis
qu' il eût	assis
que ns eussions	assis
que vs eussiez	assis
qu' ils eussent	assis

CONDITIONNEL

Présent	*ou*		Passé 1ʳᵉ forme		Passé 2ᵉ forme	
j' assiérais	assoirais	j' aurais	assis	j' eusse	assis
tu assiérais	assoirais	tu aurais	assis	tu eusses	assis
il assiérait	assoirait	il aurait	assis	il eût	assis
ns assiérions	assoirions	ns aurions	assis	ns eussions	assis
vs assiériez	assoiriez	vs auriez	assis	vs eussiez	assis
ils assiéraient	assoiraient	ils auraient	assis	ils eussent	assis

IMPÉRATIF

Présent			Passé		
assieds	asseyons	asseyez	aie assis	ayons assis	ayez assis
ou assois	*ou* assoyons	*ou* assoyez			

INFINITIF

Présent	Passé
asseoir	avoir assis

PARTICIPE

Présent	Passé	Passé composé
asseyant	assis, se	ayant assis
ou assoyant		

tableaux de conjugaison types

Le *e* de l'infinitif disparaît dans la conjugaison sauf au futur simple et au présent du conditionnel.

Remarque : les rectifications de l'orthographe de 1990 conseillent l'emploi des graphies sans *e* (Ex. *je sursoirai, sursoir*).

INDICATIF / SUBJONCTIF

Présent		Passé composé			Présent		
je	sursois	j'	ai	sursis	que	je	sursoie
tu	sursois	tu	as	sursis	que	tu	sursoies
il	sursoit	il	a	sursis	qu'	il	sursoie
ns	sursoyons	ns	avons	sursis	que	ns	sursoyions
vs	sursoyez	vs	avez	sursis	que	vs	sursoyiez
ils	sursoient	ils	ont	sursis	qu'	ils	sursoient

Imparfait		Plus-que-parfait			Imparfait		
je	sursoyais	j'	avais	sursis	que	je	sursisse
tu	sursoyais	tu	avais	sursis	que	tu	sursisses
il	sursoyait	il	avait	sursis	qu'	il	sursît
ns	sursoyions	ns	avions	sursis	que	ns	sursissions
vs	sursoyiez	vs	aviez	sursis	que	vs	sursissiez
ils	sursoyaient	ils	avaient	sursis	qu'	ils	sursissent

Passé simple		Passé antérieur			Passé			
je	sursis	j'	eus	sursis	que	j'	aie	sursis
tu	sursis	tu	eus	sursis	que	tu	aies	sursis
il	sursit	il	eut	sursis	qu'	il	ait	sursis
ns	sursîmes	ns	eûmes	sursis	que	ns	ayons	sursis
vs	sursîtes	vs	eûtes	sursis	que	vs	ayez	sursis
ils	sursirent	ils	eurent	sursis	qu'	ils	aient	sursis

Futur simple		Futur antérieur			Plus-que-parfait			
je	surseoirai	j'	aurai	sursis	que	j'	eusse	sursis
tu	surseoiras	tu	auras	sursis	que	tu	eusses	sursis
il	surseoira	il	aura	sursis	qu'	il	eût	sursis
ns	surseoirons	ns	aurons	sursis	que	ns	eussions	sursis
vs	surseoirez	vs	aurez	sursis	que	vs	eussiez	sursis
ils	surseoiront	ils	auront	sursis	qu'	ils	eussent	sursis

CONDITIONNEL

Présent		Passé 1ʳᵉ forme			Passé 2ᵉ forme		
je	surseoirais	j'	aurais	sursis	j'	eusse	sursis
tu	surseoirais	tu	aurais	sursis	tu	eusses	sursis
il	surseoirait	il	aurait	sursis	il	eût	sursis
ns	surseoirions	ns	aurions	sursis	ns	eussions	sursis
vs	surseoiriez	vs	auriez	sursis	vs	eussiez	sursis
ils	surseoiraient	ils	auraient	sursis	ils	eussent	sursis

IMPÉRATIF

Présent			Passé		
sursois	sursoyons	sursoyez	aie sursis	ayons sursis	ayez sursis

INFINITIF / PARTICIPE

Présent	Passé	Présent	Passé	Passé composé
surseoir	avoir sursis	sursoyant	sursis, se	ayant sursis

Savoir est le seul verbe à se conjuguer ainsi.

Remarque : 1. L'emploi de l'expression *je ne sache pas* où le subjonctif est employé sans *que* est en recul devant *que je sache*. **2.** Ne pas confondre les formes du futur simple et du présent du conditionnel avec celles, presque homophones, du verbe *être* (*je serai, tu serais*).

INDICATIF | SUBJONCTIF

Présent		Passé composé			Présent		
je	sais	j'	ai	su	que je	sache	
tu	sais	tu	as	su	que tu	saches	
il	sait	il	a	su	qu' il	sache	
ns	savons	ns	avons	su	que ns	sachions	
vs	savez	vs	avez	su	que vs	sachiez	
ils	savent	ils	ont	su	qu' ils	sachent	

Imparfait		Plus-que-parfait			Imparfait		
je	savais	j'	avais	su	que je	susse	
tu	savais	tu	avais	su	que tu	susses	
il	savait	il	avait	su	qu' il	sût	
ns	savions	ns	avions	su	que ns	sussions	
vs	saviez	vs	aviez	su	que vs	sussiez	
ils	savaient	ils	avaient	su	qu' ils	sussent	

Passé simple		Passé antérieur			Passé		
je	sus	j'	eus	su	que j'	aie	su
tu	sus	tu	eus	su	que tu	aies	su
il	sut	il	eut	su	qu' il	ait	su
ns	sûmes	ns	eûmes	su	que ns	ayons	su
vs	sûtes	vs	eûtes	su	que vs	ayez	su
ils	surent	ils	eurent	su	qu' ils	aient	su

Futur simple		Futur antérieur			Plus-que-parfait		
je	saurai	j'	aurai	su	que j'	eusse	su
tu	sauras	tu	auras	su	que tu	eusses	su
il	saura	il	aura	su	qu' il	eût	su
ns	saurons	ns	aurons	su	que ns	eussions	su
vs	saurez	vs	aurez	su	que vs	eussiez	su
ils	sauront	ils	auront	su	qu' ils	eussent	su

CONDITIONNEL

Présent		Passé 1ʳᵉ forme			Passé 2ᵉ forme		
je	saurais	j'	aurais	su	j'	eusse	su
tu	saurais	tu	aurais	su	tu	eusses	su
il	saurait	il	aurait	su	il	eût	su
ns	saurions	ns	aurions	su	ns	eussions	su
vs	sauriez	vs	auriez	su	vs	eussiez	su
ils	sauraient	ils	auraient	su	ils	eussent	su

IMPÉRATIF

Présent			Passé		
sache	sachons	sachez	aie su	ayons su	ayez su

INFINITIF | PARTICIPE

Présent	Passé		Présent	Passé	Passé composé
savoir	avoir su		sachant	su, e	ayant su

tableaux de conjugaison types

L'accent circonflexe sur le *u* du participe passé disparaît au féminin et au pluriel : *dû, due, dus, dues.*
Seul le verbe *redevoir* se conjugue sur ce modèle.
Remarque : le participe passé *redû* n'ayant pas d'homonyme, les rectifications de l'orthographe de 1990 proposent la suppression de l'accent circonflexe : *redu.*

INDICATIF			SUBJONCTIF		
Présent	**Passé composé**		**Présent**		
je dois	j' ai	dû	que je doive		
tu dois	tu as	dû	que tu doives		
il doit	il a	dû	qu' il doive		
ns devons	ns avons	dû	que ns devions		
vs devez	vs avez	dû	que vs deviez		
ils doivent	ils ont	dû	qu' ils doivent		
Imparfait	**Plus-que-parfait**		**Imparfait**		
je devais	j' avais	dû	que je dusse		
tu devais	tu avais	dû	que tu dusses		
il devait	il avait	dû	qu' il dût		
ns devions	ns avions	dû	que ns dussions		
vs deviez	vs aviez	dû	que vs dussiez		
ils devaient	ils avaient	dû	qu' ils dussent		
Passé simple	**Passé antérieur**		**Passé**		
je dus	j' eus	dû	que j' aie	dû	
tu dus	tu eus	dû	que tu aies	dû	
il dut	il eut	dû	qu' il ait	dû	
ns dûmes	ns eûmes	dû	que ns ayons	dû	
vs dûtes	vs eûtes	dû	que vs ayez	dû	
ils durent	ils eurent	dû	qu' ils aient	dû	
Futur simple	**Futur antérieur**		**Plus-que-parfait**		
je devrai	j' aurai	dû	que j' eusse	dû	
tu devras	tu auras	dû	que tu eusses	dû	
il devra	il aura	dû	qu' il eût	dû	
ns devrons	ns aurons	dû	que ns eussions	dû	
vs devrez	vs aurez	dû	que vs eussiez	dû	
ils devront	ils auront	dû	qu' ils eussent	dû	

CONDITIONNEL					
Présent	**Passé 1ʳᵉ forme**		**Passé 2ᵉ forme**		
je devrais	j' aurais	dû	j' eusse	dû	
tu devrais	tu aurais	dû	tu eusses	dû	
il devrait	il aurait	dû	il eût	dû	
ns devrions	ns aurions	dû	ns eussions	dû	
vs devriez	vs auriez	dû	vs eussiez	dû	
ils devraient	ils auraient	dû	ils eussent	dû	

IMPÉRATIF
inusité

INFINITIF		PARTICIPE		
Présent	**Passé**	**Présent**	**Passé**	**Passé composé**
devoir	avoir dû	devant	dû, due	ayant dû

POUVOIR

Au présent de l'indicatif, *je peux* est plus courant, *je puis* plus littéraire. Lorsque le pronom sujet est inversé, seul *puis-je* est possible.
Au présent du subjonctif, lorsque le pronom sujet est inversé, on a *puissé-je*.
Le participe passé *pu* est toujours invariable et ne prend pas d'accent circonflexe.
Remarque : noter les terminaisons du présent de l'indicatif en *x* et non en *s* comme les verbes du 3ᵉ groupe.

INDICATIF / SUBJONCTIF

Présent	ou		Passé composé		Présent		
je peux	je puis	j'	ai	pu	que je	puisse	
tu peux		tu	as	pu	que tu	puisses	
il peut		il	a	pu	qu' il	puisse	
ns pouvons		ns	avons	pu	que ns	puissions	
vs pouvez		vs	avez	pu	que vs	puissiez	
ils peuvent		ils	ont	pu	qu' ils	puissent	

Imparfait		Plus-que-parfait		Imparfait		
je pouvais	j'	avais	pu	que je	pusse	
tu pouvais	tu	avais	pu	que tu	pusses	
il pouvait	il	avait	pu	qu' il	pût	
ns pouvions	ns	avions	pu	que ns	pussions	
vs pouviez	vs	aviez	pu	que vs	pussiez	
ils pouvaient	ils	avaient	pu	qu' ils	pussent	

Passé simple		Passé antérieur		Passé		
je pus	j'	eus	pu	que j'	aie	pu
tu pus	tu	eus	pu	que tu	aies	pu
il put	il	eut	pu	qu' il	ait	pu
ns pûmes	ns	eûmes	pu	que ns	ayons	pu
vs pûtes	vs	eûtes	pu	que vs	ayez	pu
ils purent	ils	eurent	pu	qu' ils	aient	pu

Futur simple		Futur antérieur		Plus-que-parfait		
je pourrai	j'	aurai	pu	que j'	eusse	pu
tu pourras	tu	auras	pu	que tu	eusses	pu
il pourra	il	aura	pu	qu' il	eût	pu
ns pourrons	ns	aurons	pu	que ns	eussions	pu
vs pourrez	vs	aurez	pu	que vs	eussiez	pu
ils pourront	ils	auront	pu	qu' ils	eussent	pu

CONDITIONNEL

Présent		Passé 1ʳᵉ forme		Passé 2ᵉ forme		
je pourrais	j'	aurais	pu	j'	eusse	pu
tu pourrais	tu	aurais	pu	tu	eusses	pu
il pourrait	il	aurait	pu	il	eût	pu
ns pourrions	ns	aurions	pu	ns	eussions	pu
vs pourriez	vs	auriez	pu	vs	eussiez	pu
ils pourraient	ils	auraient	pu	ils	eussent	pu

IMPÉRATIF

inusité

INFINITIF / PARTICIPE

Présent	Passé	Présent	Passé	Passé composé
pouvoir	avoir pu	pouvant	pu	ayant pu

tableaux de conjugaison types

L'impératif présent est rare en dehors des expressions *ne m'en veux pas, ne m'en voulez pas* que l'on trouve aussi sous la forme *ne m'en veuille pas, ne m'en veuillez pas.*
La 2ᵉ personne du pluriel de l'impératif présent est employée couramment dans les formules de politesse *(veuillez agréer, veuillez recevoir...)*.
Le participe passé du verbe *s'en vouloir (ils s'en sont voulu)* demeure invariable.
Remarque : noter les terminaisons du présent de l'indicatif en *x* et non en *s* comme les verbes du 3ᵉ groupe.

INDICATIF

Présent		Passé composé			Présent		(SUBJONCTIF)
je	veux	j'	ai	voulu	que je	veuille	
tu	veux	tu	as	voulu	que tu	veuilles	
il	veut	il	a	voulu	qu' il	veuille	
ns	voulons	ns	avons	voulu	que ns	voulions	
vs	voulez	vs	avez	voulu	que vs	vouliez	
ils	veulent	ils	ont	voulu	qu' ils	veuillent	

Imparfait		Plus-que-parfait			Imparfait		
je	voulais	j'	avais	voulu	que je	voulusse	
tu	voulais	tu	avais	voulu	que tu	voulusses	
il	voulait	il	avait	voulu	qu' il	voulût	
ns	voulions	ns	avions	voulu	que ns	voulussions	
vs	vouliez	vs	aviez	voulu	que vs	voulussiez	
ils	voulaient	ils	avaient	voulu	qu' ils	voulussent	

Passé simple		Passé antérieur			Passé		
je	voulus	j'	eus	voulu	que j'	aie	voulu
tu	voulus	tu	eus	voulu	que tu	aies	voulu
il	voulut	il	eut	voulu	qu' il	ait	voulu
ns	voulûmes	ns	eûmes	voulu	que ns	ayons	voulu
vs	voulûtes	vs	eûtes	voulu	que vs	ayez	voulu
ils	voulurent	ils	eurent	voulu	qu' ils	aient	voulu

Futur simple		Futur antérieur			Plus-que-parfait		
je	voudrai	j'	aurai	voulu	que j'	eusse	voulu
tu	voudras	tu	auras	voulu	que tu	eusses	voulu
il	voudra	il	aura	voulu	qu' il	eût	voulu
ns	voudrons	ns	aurons	voulu	que ns	eussions	voulu
vs	voudrez	vs	aurez	voulu	que vs	eussiez	voulu
ils	voudront	ils	auront	voulu	qu' ils	eussent	voulu

CONDITIONNEL

Présent		Passé 1ʳᵉ forme			Passé 2ᵉ forme		
je	voudrais	j'	aurais	voulu	j'	eusse	voulu
tu	voudrais	tu	aurais	voulu	tu	eusses	voulu
il	voudrait	il	aurait	voulu	il	eût	voulu
ns	voudrions	ns	aurions	voulu	ns	eussions	voulu
vs	voudriez	vs	auriez	voulu	vs	eussiez	voulu
ils	voudraient	ils	auraient	voulu	ils	eussent	voulu

IMPÉRATIF

Présent			Passé		
veux	voulons	voulez	aie voulu	ayons voulu	ayez voulu
ou veuille		*ou* veuillez			

INFINITIF / PARTICIPE

Présent	Passé		Présent	Passé	Passé composé
vouloir	avoir voulu		voulant	voulu, e	ayant voulu

L'impératif est rare.

Ainsi se conjuguent *équivaloir* et *revaloir*.

Remarques : 1. Noter les terminaisons du présent de l'indicatif en *x* et non en *s* comme les verbes du 3ᵉ groupe. **2.** *Prévaloir* est différent de *valoir* au présent du subjonctif (voir modèle **47**).

INDICATIF | SUBJONCTIF

Présent	Passé composé		Présent
je vaux	j' ai	valu	que je vaille
tu vaux	tu as	valu	que tu vailles
il vaut	il a	valu	qu' il vaille
ns valons	ns avons	valu	que ns valions
vs valez	vs avez	valu	que vs valiez
ils valent	ils ont	valu	qu' ils vaillent

Imparfait	Plus-que-parfait		Imparfait
je valais	j' avais	valu	que je valusse
tu valais	tu avais	valu	que tu valusses
il valait	il avait	valu	qu' il valût
ns valions	ns avions	valu	que ns valussions
vs valiez	vs aviez	valu	que vs valussiez
ils valaient	ils avaient	valu	qu' ils valussent

Passé simple	Passé antérieur		Passé
je valus	j' eus	valu	que j' aie valu
tu valus	tu eus	valu	que tu aies valu
il valut	il eut	valu	qu' il ait valu
ns valûmes	ns eûmes	valu	que ns ayons valu
vs valûtes	vs eûtes	valu	que vs ayez valu
ils valurent	ils eurent	valu	qu' ils aient valu

Futur simple	Futur antérieur		Plus-que-parfait
je vaudrai	j' aurai	valu	que j' eusse valu
tu vaudras	tu auras	valu	que tu eusses valu
il vaudra	il aura	valu	qu' il eût valu
ns vaudrons	ns aurons	valu	que ns eussions valu
vs vaudrez	vs aurez	valu	que vs eussiez valu
ils vaudront	ils auront	valu	qu' ils eussent valu

CONDITIONNEL

Présent	Passé 1ʳᵉ forme		Passé 2ᵉ forme
je vaudrais	j' aurais	valu	j' eusse valu
tu vaudrais	tu aurais	valu	tu eusses valu
il vaudrait	il aurait	valu	il eût valu
ns vaudrions	ns aurions	valu	ns eussions valu
vs vaudriez	vs auriez	valu	vs eussiez valu
ils vaudraient	ils auraient	valu	ils eussent valu

IMPÉRATIF

Présent			Passé		
vaux	valons	valez	aie valu	ayons valu	ayez valu

INFINITIF | PARTICIPE

Présent	Passé	Présent	Passé	Passé composé
valoir	avoir valu	valant	valu, e	ayant valu

tableaux de conjugaison types

Prévaloir se distingue de *valoir* uniquement au présent du subjonctif.

INDICATIF			SUBJONCTIF	
Présent	**Passé composé**		**Présent**	
je prévaux	j' ai	prévalu	que je prévale	
tu prévaux	tu as	prévalu	que tu prévales	
il prévaut	il a	prévalu	qu' il prévale	
ns prévalons	ns avons	prévalu	que ns prévalions	
vs prévalez	vs avez	prévalu	que vs prévaliez	
ils prévalent	ils ont	prévalu	qu' ils prévalent	
Imparfait	**Plus-que-parfait**		**Imparfait**	
je prévalais	j' avais	prévalu	que je prévalusse	
tu prévalais	tu avais	prévalu	que tu prévalusses	
il prévalait	il avait	prévalu	qu' il prévalût	
ns prévalions	ns avions	prévalu	que ns prévalussions	
vs prévaliez	vs aviez	prévalu	que vs prévalussiez	
ils prévalaient	ils avaient	prévalu	qu' ils prévalussent	
Passé simple	**Passé antérieur**		**Passé**	
je prévalus	j' eus	prévalu	que j' aie	prévalu
tu prévalus	tu eus	prévalu	que tu aies	prévalu
il prévalut	il eut	prévalu	qu' il ait	prévalu
ns prévalûmes	ns eûmes	prévalu	que ns ayons	prévalu
vs prévalûtes	vs eûtes	prévalu	que vs ayez	prévalu
ils prévalurent	ils eurent	prévalu	qu' ils aient	prévalu
Futur simple	**Futur antérieur**		**Plus-que-parfait**	
je prévaudrai	j' aurai	prévalu	que j' eusse	prévalu
tu prévaudras	tu auras	prévalu	que tu eusses	prévalu
il prévaudra	il aura	prévalu	qu' il eût	prévalu
ns prévaudrons	ns aurons	prévalu	que ns eussions	prévalu
vs prévaudrez	vs aurez	prévalu	que vs eussiez	prévalu
ils prévaudront	ils auront	prévalu	qu' ils eussent	prévalu

CONDITIONNEL				
Présent	**Passé 1ʳᵉ forme**		**Passé 2ᵉ forme**	
je prévaudrais	j' aurais	prévalu	j' eusse	prévalu
tu prévaudrais	tu aurais	prévalu	tu eusses	prévalu
il prévaudrait	il aurait	prévalu	il eût	prévalu
ns prévaudrions	ns aurions	prévalu	ns eussions	prévalu
vs prévaudriez	vs auriez	prévalu	vs eussiez	prévalu
ils prévaudraient	ils auraient	prévalu	ils eussent	prévalu

IMPÉRATIF				
Présent			**Passé**	
prévaux prévalons	prévalez		aie prévalu ayons prévalu	ayez prévalu

INFINITIF		PARTICIPE		
Présent	**Passé**	**Présent**	**Passé**	**Passé composé**
prévaloir	avoir prévalu	prévalant	prévalu, e	ayant prévalu

L'accent circonflexe sur le *u* du participe passé disparaît au féminin et au pluriel : *mû, mue, mus, mues*. Ainsi se conjuguent *émouvoir* et *promouvoir*, mais leur participe passé ne prend pas d'accent circonflexe : *ému, promu*.
Les rectifications de l'orthographe de 1990 acceptent la suppression de l'accent circonflexe sur le participe passé masculin singulier : *mu*.
Remarque : en raison de leur conjugaison irrégulière, *émouvoir* et *promouvoir* sont souvent en concurrence avec *émotionner* et *promotionner*.

INDICATIF

Présent		Passé composé			Présent (SUBJONCTIF)		
je	meus	j'	ai	mû	que je	meuve	
tu	meus	tu	as	mû	que tu	meuves	
il	meut	il	a	mû	qu' il	meuve	
ns	mouvons	ns	avons	mû	que ns	mouvions	
vs	mouvez	vs	avez	mû	que vs	mouviez	
ils	meuvent	ils	ont	mû	qu' ils	meuvent	

Imparfait		Plus-que-parfait			Imparfait		
je	mouvais	j'	avais	mû	que je	musse	
tu	mouvais	tu	avais	mû	que tu	musses	
il	mouvait	il	avait	mû	qu' il	mût	
ns	mouvions	ns	avions	mû	que ns	mussions	
vs	mouviez	vs	aviez	mû	que vs	mussiez	
ils	mouvaient	ils	avaient	mû	qu' ils	mussent	

Passé simple		Passé antérieur			Passé		
je	mus	j'	eus	mû	que j'	aie	mû
tu	mus	tu	eus	mû	que tu	aies	mû
il	mut	il	eut	mû	qu' il	ait	mû
ns	mûmes	ns	eûmes	mû	que ns	ayons	mû
vs	mûtes	vs	eûtes	mû	que vs	ayez	mû
ils	murent	ils	eurent	mû	qu' ils	aient	mû

Futur simple		Futur antérieur			Plus-que-parfait		
je	mouvrai	j'	aurai	mû	que j'	eusse	mû
tu	mouvras	tu	auras	mû	que tu	eusses	mû
il	mouvra	il	aura	mû	qu' il	eût	mû
ns	mouvrons	ns	aurons	mû	que ns	eussions	mû
vs	mouvrez	vs	aurez	mû	que vs	eussiez	mû
ils	mouvront	ils	auront	mû	qu' ils	eussent	mû

CONDITIONNEL

Présent		Passé 1ʳᵉ forme			Passé 2ᵉ forme		
je	mouvrais	j'	aurais	mû	j'	eusse	mû
tu	mouvrais	tu	aurais	mû	tu	eusses	mû
il	mouvrait	il	aurait	mû	il	eût	mû
ns	mouvrions	ns	aurions	mû	ns	eussions	mû
vs	mouvriez	vs	auriez	mû	vs	eussiez	mû
ils	mouvraient	ils	auraient	mû	ils	eussent	mû

IMPÉRATIF

Présent			Passé		
meus	mouvons	mouvez	aie mû	ayons mû	ayez mû

INFINITIF | PARTICIPE

Présent	Passé	Présent	Passé	Passé composé
mouvoir	avoir mû	mouvant	mû, mue	ayant mû

tableaux de conjugaison types

Falloir est un verbe impersonnel qui ne se conjugue donc qu'à la 3ᵉ personne du singulier. Il n'a pas de participe présent ni d'impératif.

INDICATIF			SUBJONCTIF	
Présent	**Passé composé**		**Présent**	
il faut	il a fallu		qu'il faille	
Imparfait	**Plus-que-parfait**		**Imparfait**	
il fallait	il avait fallu		qu'il fallût	
Passé simple	**Passé antérieur**		**Passé**	
il fallut	il eut fallu		qu'il ait fallu	
Futur simple	**Futur antérieur**		**Plus-que-parfait**	
il faudra	il aura fallu		qu'il eût fallu	

CONDITIONNEL		
Présent	**Passé 1ʳᵉ forme**	**Passé 2ᵉ forme**
il faudrait	il aurait fallu	il eût fallu

IMPÉRATIF
inusité

INFINITIF		PARTICIPE		
Présent	**Passé**	**Présent**	**Passé**	**Passé composé**
falloir	avoir fallu	*inusité*	fallu	ayant fallu

Pleuvoir se conjugue à la 3ᵉ personne du singulier au sens concret et à la 3ᵉ personne du pluriel au sens figuré (Ex. : *les coups pleuvent*).

INDICATIF			SUBJONCTIF		
Présent	**Passé composé**		**Présent**		
il pleut	il a	plu	qu' il pleuve		
ils pleuvent	ils ont	plu	qu' ils pleuvent		
Imparfait	**Plus-que-parfait**		**Imparfait**		
il pleuvait	il avait	plu	qu' il plût		
ils pleuvaient	ils avaient	plu	qu' ils plussent		
Passé simple	**Passé antérieur**		**Passé**		
il plut	il eut	plu	qu' il ait	plu	
ils plurent	ils eurent	plu	qu' ils aient	plu	
Futur simple	**Futur antérieur**		**Plus-que-parfait**		
il pleuvra	il aura	plu	qu' il eût	plu	
ils pleuvront	ils auront	plu	qu' ils eussent	plu	

CONDITIONNEL					
Présent	**Passé 1ʳᵉ forme**		**Passé 2ᵉ forme**		
il pleuvrait	il aurait	plu	il eût	plu	
ils pleuvraient	ils auraient	plu	ils eussent	plu	

IMPÉRATIF
inusité

INFINITIF		PARTICIPE		
Présent	**Passé**	**Présent**	**Passé**	**Passé composé**
pleuvoir	avoir plu	pleuvant	plu	ayant plu

Ainsi se conjuguent *choir* et *échoir*.

Choir et *déchoir* n'ont pas d'imparfait de l'indicatif et *choir* n'a pas de subjonctif présent. *Échoir* se trouve parfois à l'imparfait *(il échéait, il échoyait)*. Les formes en *-err-* du futur simple et du présent du conditionnel sont rares. *Choir* se conjugue aujourd'hui plus souvent avec *avoir* qu'avec *être*. *Échoir* se conjugue avec *être* et *déchoir* avec *être* ou *avoir*.

Le participe présent de *échoir (échéant)* apparaît dans la locution *le cas échéant*.

INDICATIF

Présent	ou		Passé composé	
je déchois		j'	ai	déchu
tu déchois		tu	as	déchu
il déchoit	déchet	il	a	déchu
ns déchoyons		ns	avons	déchu
vs déchoyez		vs	avez	déchu
ils déchoient		ils	ont	déchu

Imparfait		Plus-que-parfait	
inusité	j'	avais	déchu
	tu	avais	déchu
	il	avait	déchu
	ns	avions	déchu
	vs	aviez	déchu
	ils	avaient	déchu

Passé simple		Passé antérieur	
je déchus	j'	eus	déchu
tu déchus	tu	eus	déchu
il déchut	il	eut	déchu
ns déchûmes	ns	eûmes	déchu
vs déchûtes	vs	eûtes	déchu
ils déchurent	ils	eurent	déchu

Futur simple	ou		Futur antérieur	
je déchoirai	décherrai	j'	aurai	déchu
tu déchoiras	décherras	tu	auras	déchu
il déchoira	décherra	il	aura	déchu
ns déchoirons	décherrons	ns	aurons	déchu
vs déchoirez	décherrez	vs	aurez	déchu
ils déchoiront	décherront	ils	auront	déchu

SUBJONCTIF

Présent	
que je	déchoie
que tu	déchoies
qu' il	déchoie
que ns	déchoyions
que vs	déchoyiez
qu' ils	déchoient

Imparfait	
que je	déchusse
que tu	déchusses
qu' il	déchût
que ns	déchussions
que vs	déchussiez
qu' ils	déchussent

Passé		
que j'	aie	déchu
que tu	aies	déchu
qu' il	ait	déchu
que ns	ayons	déchu
que vs	ayez	déchu
qu' ils	aient	déchu

Plus-que-parfait		
que j'	eusse	déchu
que tu	eusses	déchu
qu' il	eût	déchu
que ns	eussions	déchu
que vs	eussiez	déchu
qu' ils	eussent	déchu

CONDITIONNEL

Présent	ou		Passé 1ʳᵉ forme		Passé 2ᵉ forme	
je déchoirais	décherrais	j'	aurais	déchu	j' eusse	déchu
tu déchoirais	décherrais	tu	aurais	déchu	tu eusses	déchu
il déchoirait	décherrait	il	aurait	déchu	il eût	déchu
ns déchoirions	décherrions	ns	aurions	déchu	ns eussions	déchu
vs déchoiriez	décherriez	vs	auriez	déchu	vs eussiez	déchu
ils déchoiraient	décherraient	ils	auraient	déchu	ils eussent	déchu

IMPÉRATIF

inusité

INFINITIF

Présent	Passé
déchoir	avoir déchu

PARTICIPE

Présent	Passé	Passé composé
déchéant *(rare)*	déchu, e	ayant déchu

Les verbes en -*dre,* sauf les verbes formés sur le radical *prendre* (voir modèle **53**), les verbes en -*indre* (voir modèles **54**, **55** et **56**) et les verbes en -*soudre* (voir modèle **57**) gardent le *d* de l'infinitif au singulier du présent de l'indicatif et de l'impératif. À la 3ᵉ personne du singulier de l'indicatif, ce *d* exclut la terminaison *t (il rend).*

INDICATIF / SUBJONCTIF

Présent		**Passé composé**			**Présent**		
je	rends	j'	ai	rendu	que je	rende	
tu	rends	tu	as	rendu	que tu	rendes	
il	rend	il	a	rendu	qu' il	rende	
ns	rendons	ns	avons	rendu	que ns	rendions	
vs	rendez	vs	avez	rendu	que vs	rendiez	
ils	rendent	ils	ont	rendu	qu' ils	rendent	
Imparfait		**Plus-que-parfait**			**Imparfait**		
je	rendais	j'	avais	rendu	que je	rendisse	
tu	rendais	tu	avais	rendu	que tu	rendisses	
il	rendait	il	avait	rendu	qu' il	rendît	
ns	rendions	ns	avions	rendu	que ns	rendissions	
vs	rendiez	vs	aviez	rendu	que vs	rendissiez	
ils	rendaient	ils	avaient	rendu	qu' ils	rendissent	
Passé simple		**Passé simple**			**Passé**		
je	rendis	j'	eus	rendu	que j'	aie	rendu
tu	rendis	tu	eus	rendu	que tu	aies	rendu
il	rendit	il	eut	rendu	qu' il	ait	rendu
ns	rendîmes	ns	eûmes	rendu	que ns	ayons	rendu
vs	rendîtes	vs	eûtes	rendu	que vs	ayez	rendu
ils	rendirent	ils	eurent	rendu	qu' ils	aient	rendu
Futur simple		**Futur antérieur**			**Plus-que-parfait**		
je	rendrai	j'	aurai	rendu	que j'	eusse	rendu
tu	rendras	tu	auras	rendu	que tu	eusses	rendu
il	rendra	il	aura	rendu	qu' il	eût	rendu
ns	rendrons	ns	aurons	rendu	que ns	eussions	rendu
vs	rendrez	vs	aurez	rendu	que vs	eussiez	rendu
ils	rendront	ils	auront	rendu	qu' ils	eussent	rendu

CONDITIONNEL

Présent		**Passé 1ʳᵉ forme**			**Passé 2ᵉ forme**		
je	rendrais	j'	aurais	rendu	j'	eusse	rendu
tu	rendrais	tu	aurais	rendu	tu	eusses	rendu
il	rendrait	il	aurait	rendu	il	eût	rendu
ns	rendrions	ns	aurions	rendu	ns	eussions	rendu
vs	rendriez	vs	auriez	rendu	vs	eussiez	rendu
ils	rendraient	ils	auraient	rendu	ils	eussent	rendu

IMPÉRATIF

Présent			**Passé**		
rends	rendons	rendez	aie rendu	ayons rendu	ayez rendu

INFINITIF / PARTICIPE

Présent	**Passé**	**Présent**	**Passé**	**Passé composé**
rendre	avoir rendu	rendant	rendu, e	ayant rendu

tableaux de conjugaison types

Ainsi se conjuguent les verbes qui se terminent par -prendre (*apprendre, se méprendre, surprendre,* etc.).

INDICATIF		SUBJONCTIF	
Présent	**Passé composé**	**Présent**	
je prends	j' ai pris	que je prenne	
tu prends	tu as pris	que tu prennes	
il prend	il a pris	qu' il prenne	
ns prenons	ns avons pris	que ns prenions	
vs prenez	vs avez pris	que vs preniez	
ils prennent	ils ont pris	qu' ils prennent	
Imparfait	**Plus-que-parfait**	**Imparfait**	
je prenais	j' avais pris	que je prisse	
tu prenais	tu avais pris	que tu prisses	
il prenait	il avait pris	qu' il prît	
ns prenions	ns avions pris	que ns prissions	
vs preniez	vs aviez pris	que vs prissiez	
ils prenaient	ils avaient pris	qu' ils prissent	
Passé simple	**Passé antérieur**	**Passé**	
je pris	j' eus pris	que j' aie pris	
tu pris	tu eus pris	que tu aies pris	
il prit	il eut pris	qu' il ait pris	
ns prîmes	ns eûmes pris	que ns ayons pris	
vs prîtes	vs eûtes pris	que vs ayez pris	
ils prirent	ils eurent pris	qu' ils aient pris	
Futur simple	**Futur antérieur**	**Plus-que-parfait**	
je prendrai	j' aurai pris	que j' eusse pris	
tu prendras	tu auras pris	que tu eusses pris	
il prendra	il aura pris	qu' il eût pris	
ns prendrons	ns aurons pris	que ns eussions pris	
vs prendrez	vs aurez pris	que vs eussiez pris	
ils prendront	ils auront pris	qu' ils eussent pris	

CONDITIONNEL		
Présent	**Passé 1ʳᵉ forme**	**Passé 2ᵉ forme**
je prendrais	j' aurais pris	j' eusse pris
tu prendrais	tu aurais pris	tu eusses pris
il prendrait	il aurait pris	il eût pris
ns prendrions	ns aurions pris	ns eussions pris
vs prendriez	vs auriez pris	vs eussiez pris
ils prendraient	ils auraient pris	ils eussent pris

IMPÉRATIF					
Présent			**Passé**		
prends	prenons	prenez	aie pris	ayons pris	ayez pris

INFINITIF		PARTICIPE		
Présent	**Passé**	**Présent**	**Passé**	**Passé composé**
prendre	avoir pris	prenant	pris, se	ayant pris

Contrairement aux autres verbes en -dre (voir modèle **52**), les verbes qui se conjuguent sur ce modèle perdent le *d* de l'infinitif, sauf au futur simple et au présent du conditionnel. Ces verbes prennent donc la terminaison *t* à la 3ᵉ personne du singulier du présent de l'indicatif (*il craint*).

Ainsi se conjuguent *contraindre* et *plaindre*.

Aux deux premières personnes du pluriel de l'imparfait de l'indicatif et du présent du subjonctif, ne pas oublier le *i* après *gn*.

INDICATIF				SUBJONCTIF	
Présent		**Passé composé**		**Présent**	
je crains		j' ai	craint	que je	craigne
tu crains		tu as	craint	que tu	craignes
il craint		il a	craint	qu' il	craigne
ns craignons		ns avons	craint	que ns	craignions
vs craignez		vs avez	craint	que vs	craigniez
ils craignent		ils ont	craint	qu' ils	craignent
Imparfait		**Plus-que-parfait**		**Imparfait**	
je craignais		j' avais	craint	que je	craignisse
tu craignais		tu avais	craint	que tu	craignisses
il craignait		il avait	craint	qu' il	craignît
ns craignions		ns avions	craint	que ns	craignissions
vs craigniez		vs aviez	craint	que vs	craignissiez
ils craignaient		ils avaient	craint	qu' ils	craignissent
Passé simple		**Passé antérieur**		**Passé**	
je craignis		j' eus	craint	que j'	aie	craint
tu craignis		tu eus	craint	que tu	aies	craint
il craignit		il eut	craint	qu' il	ait	craint
ns craignîmes		ns eûmes	craint	que ns	ayons	craint
vs craignîtes		vs eûtes	craint	que vs	ayez	craint
ils craignirent		ils eurent	craint	qu' ils	aient	craint
Futur simple		**Futur antérieur**		**Plus-que-parfait**	
je craindrai		j' aurai	craint	que j'	eusse	craint
tu craindras		tu auras	craint	que tu	eusses	craint
il craindra		il aura	craint	qu' il	eût	craint
ns craindrons		ns aurons	craint	que ns	eussions	craint
vs craindrez		vs aurez	craint	que vs	eussiez	craint
ils craindront		ils auront	craint	qu' ils	eussent	craint

CONDITIONNEL					
Présent		**Passé 1ʳᵉ forme**		**Passé 2ᵉ forme**	
je craindrais		j' aurais	craint	j' eusse	craint
tu craindrais		tu aurais	craint	tu eusses	craint
il craindrait		il aurait	craint	il eût	craint
ns craindrions		ns aurions	craint	ns eussions	craint
vs craindriez		vs auriez	craint	vs eussiez	craint
ils craindraient		ils auraient	craint	ils eussent	craint

IMPÉRATIF					
Présent			**Passé**		
crains	craignons	craignez	aie craint	ayons craint	ayez craint

INFINITIF		PARTICIPE		
Présent	**Passé**	**Présent**	**Passé**	**Passé composé**
craindre	avoir craint	craignant	craint, te	ayant craint

tableaux de conjugaison types

Contrairement aux autres verbes en -*dre* (voir modèle **52**), les verbes qui se conjuguent sur ce modèle perdent le *d* de l'infinitif, sauf au futur simple et au présent du conditionnel. Ces verbes prennent donc la terminaison *t* à la 3ᵉ personne du singulier du présent de l'indicatif *(il peint)*.

Ainsi se conjuguent tous les verbes qui se terminent par -*eindre.*

Aux deux premières personnes du pluriel de l'imparfait de l'indicatif et du présent du subjonctif, ne pas oublier le *i* après *gn.*

INDICATIF			SUBJONCTIF		
Présent			**Présent**		
je peins	j' ai	peint	que je peigne		
tu peins	tu as	peint	que tu peignes		
il peint	il a	peint	qu' il peigne		
ns peignons	ns avons	peint	que ns peignions		
vs peignez	vs avez	peint	que vs peigniez		
ils peignent	ils ont	peint	qu' ils peignent		
Imparfait	**Plus-que-parfait**		**Imparfait**		
je peignais	j' avais	peint	que je peignisse		
tu peignais	tu avais	peint	que tu peignisses		
il peignait	il avait	peint	qu' il peignît		
ns peignions	ns avions	peint	que ns peignissions		
vs peigniez	vs aviez	peint	que vs peignissiez		
ils peignaient	ils avaient	peint	qu' ils peignissent		
Passé simple	**Passé antérieur**		**Passé**		
je peignis	j' eus	peint	que j' aie	peint	
tu peignis	tu eus	peint	que tu aies	peint	
il peignit	il eut	peint	qu' il ait	peint	
ns peignîmes	ns eûmes	peint	que ns ayons	peint	
vs peignîtes	vs eûtes	peint	que vs ayez	peint	
ils peignirent	ils eurent	peint	qu' ils aient	peint	
Futur simple	**Futur antérieur**		**Plus-que-parfait**		
je peindrai	j' aurai	peint	que j' eusse	peint	
tu peindras	tu auras	peint	que tu eusses	peint	
il peindra	il aura	peint	qu' il eût	peint	
ns peindrons	ns aurons	peint	que ns eussions	peint	
vs peindrez	vs aurez	peint	que vs eussiez	peint	
ils peindront	ils auront	peint	qu' ils eussent	peint	

CONDITIONNEL					
Présent	**Passé 1ʳᵉ forme**		**Passé 2ᵉ forme**		
je peindrais	j' aurais	peint	j' eusse	peint	
tu peindrais	tu aurais	peint	tu eusses	peint	
il peindrait	il aurait	peint	il eût	peint	
ns peindrions	ns aurions	peint	ns eussions	peint	
vs peindriez	vs auriez	peint	vs eussiez	peint	
ils peindraient	ils auraient	peint	ils eussent	peint	

IMPÉRATIF					
Présent			**Passé**		
peins	peignons	peignez	aie peint	ayons peint	ayez peint

INFINITIF		PARTICIPE		
Présent	**Passé**	**Présent**	**Passé**	**Passé composé**
peindre	avoir peint	peignant	peint, te	ayant peint

Ainsi se conjuguent les verbes *adjoindre, conjoindre, disjoindre, enjoindre, rejoindre* et aussi *oindre* et *poindre,* rares aujourd'hui.

Contrairement aux autres verbes en -*dre* (voir modèle **52**), ces verbes perdent le *d* de l'infinitif sauf au futur simple et au présent du conditionnel. Ces verbes prennent donc la terminaison *t* à la 3ᵉ personne du singulier du présent de l'indicatif *(je joins, il joint).* Aux deux premières personnes du pluriel de l'imparfait de l'indicatif et du présent du subjonctif, ne pas oublier le *i* après *gn.*

INDICATIF

Présent		Passé composé			Présent (SUBJONCTIF)		
je	joins	j'	ai	joint	que je	joigne	
tu	joins	tu	as	joint	que tu	joignes	
il	joint	il	a	joint	qu' il	joigne	
ns	joignons	ns	avons	joint	que ns	joignions	
vs	joignez	vs	avez	joint	que vs	joigniez	
ils	joignent	ils	ont	joint	qu' ils	joignent	

Imparfait		Plus-que-parfait			Imparfait		
je	joignais	j'	avais	joint	que je	joignisse	
tu	joignais	tu	avais	joint	que tu	joignisses	
il	joignait	il	avait	joint	qu' il	joignît	
ns	joignions	ns	avions	joint	que ns	joignissions	
vs	joigniez	vs	aviez	joint	que vs	joignissiez	
ils	joignaient	ils	avaient	joint	qu' ils	joignissent	

Passé simple		Passé antérieur			Passé		
je	joignis	j'	eus	joint	que j'	aie	joint
tu	joignis	tu	eus	joint	que tu	aies	joint
il	joignit	il	eut	joint	qu' il	ait	joint
ns	joignîmes	ns	eûmes	joint	que ns	ayons	joint
vs	joignîtes	vs	eûtes	joint	que vs	ayez	joint
ils	joignirent	ils	eurent	joint	qu' ils	aient	joint

Futur simple		Futur antérieur			Plus-que-parfait		
je	joindrai	j'	aurai	joint	que j'	eusse	joint
tu	joindras	tu	auras	joint	que tu	eusses	joint
il	joindra	il	aura	joint	qu' il	eût	joint
ns	joindrons	ns	aurons	joint	que ns	eussions	joint
vs	joindrez	vs	aurez	joint	que vs	eussiez	joint
ils	joindront	ils	auront	joint	qu' ils	eussent	joint

CONDITIONNEL

Présent		Passé 1ʳᵉ forme			Passé 2ᵉ forme		
je	joindrais	j'	aurais	joint	j'	eusse	joint
tu	joindrais	tu	aurais	joint	tu	eusses	joint
il	joindrait	il	aurait	joint	il	eût	joint
ns	joindrions	ns	aurions	joint	ns	eussions	joint
vs	joindriez	vs	auriez	joint	vs	eussiez	joint
ils	joindraient	ils	auraient	joint	ils	eussent	joint

IMPÉRATIF

Présent			Passé		
joins	joignons	joignez	aie joint	ayons joint	ayez joint

INFINITIF

Présent	Passé
joindre	avoir joint

PARTICIPE

Présent	Passé	Passé composé
joignant	joint, te	ayant joint

tableaux de conjugaison types

Contrairement aux autres verbes en -*dre* (voir modèle **52**), les verbes qui se conjuguent sur ce modèle perdent le *d* de l'infinitif sauf au futur simple et au présent du conditionnel. Ces verbes prennent donc la terminaison *t* à la 3ᵉ personne du singulier du présent de l'indicatif *(il résout)*.

Ainsi se conjuguent *absoudre* et *dissoudre*. Mais leur participe passé est *absous, absoute* et *dissous, dissoute* (et non pas en -*u*).

INDICATIF — SUBJONCTIF

Présent	Passé composé		Présent
je résous	j' ai	résolu	que je résolve
tu résous	tu as	résolu	que tu résolves
il résout	il a	résolu	qu' il résolve
ns résolvons	ns avons	résolu	que ns résolvions
vs résolvez	vs avez	résolu	que vs résolviez
ils résolvent	ils ont	résolu	qu' ils résolvent

Imparfait	Plus-que-parfait		Imparfait
je résolvais	j' avais	résolu	que je résolusse
tu résolvais	tu avais	résolu	que tu résolusses
il résolvait	il avait	résolu	qu' il résolût
ns résolvions	ns avions	résolu	que ns résolussions
vs résolviez	vs aviez	résolu	que vs résolussiez
ils résolvaient	ils avaient	résolu	qu' ils résolussent

Passé simple	Passé antérieur		Passé
je résolus	j' eus	résolu	que j' aie résolu
tu résolus	tu eus	résolu	que tu aies résolu
il résolut	il eut	résolu	qu' il ait résolu
ns résolûmes	ns eûmes	résolu	que ns ayons résolu
vs résolûtes	vs eûtes	résolu	que vs ayez résolu
ils résolurent	ils eurent	résolu	qu' ils aient résolu

Futur simple	Futur antérieur		Plus-que-parfait
je résoudrai	j' aurai	résolu	que j' eusse résolu
tu résoudras	tu auras	résolu	que tu eusses résolu
il résoudra	il aura	résolu	qu' il eût résolu
ns résoudrons	ns aurons	résolu	que ns eussions résolu
vs résoudrez	vs aurez	résolu	que vs eussiez résolu
ils résoudront	ils auront	résolu	qu' ils eussent résolu

CONDITIONNEL

Présent	Passé 1ʳᵉ forme		Passé 2ᵉ forme	
je résoudrais	j' aurais	résolu	j' eusse	résolu
tu résoudrais	tu aurais	résolu	tu eusses	résolu
il résoudrait	il aurait	résolu	il eût	résolu
ns résoudrions	ns aurions	résolu	ns eussions	résolu
vs résoudriez	vs auriez	résolu	vs eussiez	résolu
ils résoudraient	ils auraient	résolu	ils eussent	résolu

IMPÉRATIF

Présent			Passé		
résous	résolvons	résolvez	aie résolu	ayons résolu	ayez résolu

INFINITIF — PARTICIPE

Présent	Passé	Présent	Passé	Passé composé
résoudre	avoir résolu	résolvant	résolu, e	ayant résolu

Ainsi se conjuguent *découdre* et *recoudre*.
Ces verbes gardent le *d* de l'infinitif au singulier du présent de l'indicatif et de l'impératif. À la 3ᵉ personne du singulier, ce *d* exclut la terminaison *t (il coud)*.

INDICATIF		SUBJONCTIF

Présent

je	couds	j'	ai	cousu	
tu	couds	tu	as	cousu	
il	coud	il	a	cousu	
ns	cousons	ns	avons	cousu	
vs	cousez	vs	avez	cousu	
ils	cousent	ils	ont	cousu	

Passé composé

Présent

que je	couse
que tu	couses
qu' il	couse
que ns	cousions
que vs	cousiez
qu' ils	cousent

Imparfait

je	cousais	j'	avais	cousu
tu	cousais	tu	avais	cousu
il	cousait	il	avait	cousu
ns	cousions	ns	avions	cousu
vs	cousiez	vs	aviez	cousu
ils	cousaient	ils	avaient	cousu

Plus-que-parfait

Imparfait

que je	cousisse
que tu	cousisses
qu' il	cousît
que ns	cousissions
que vs	cousissiez
qu' ils	cousissent

Passé simple

je	cousis	j'	eus	cousu
tu	cousis	tu	eus	cousu
il	cousit	il	eut	cousu
ns	cousîmes	ns	eûmes	cousu
vs	cousîtes	vs	eûtes	cousu
ils	cousirent	ils	eurent	cousu

Passé antérieur

Passé

que j'	aie	cousu
que tu	aies	cousu
qu' il	ait	cousu
que ns	ayons	cousu
que vs	ayez	cousu
qu' ils	aient	cousu

Futur simple

je	coudrai	j'	aurai	cousu
tu	coudras	tu	auras	cousu
il	coudra	il	aura	cousu
ns	coudrons	ns	aurons	cousu
vs	coudrez	vs	aurez	cousu
ils	coudront	ils	auront	cousu

Futur antérieur

Plus-que-parfait

que j'	eusse	cousu
que tu	eusses	cousu
qu' il	eût	cousu
que ns	eussions	cousu
que vs	eussiez	cousu
qu' ils	eussent	cousu

CONDITIONNEL		

Présent

je	coudrais
tu	coudrais
il	coudrait
ns	coudrions
vs	coudriez
ils	coudraient

Passé 1ʳᵉ forme

j'	aurais	cousu
tu	aurais	cousu
il	aurait	cousu
ns	aurions	cousu
vs	auriez	cousu
ils	auraient	cousu

Passé 2ᵉ forme

j'	eusse	cousu
tu	eusses	cousu
il	eût	cousu
ns	eussions	cousu
vs	eussiez	cousu
ils	eussent	cousu

IMPÉRATIF	

Présent

couds   cousons   cousez

Passé

aie cousu   ayons cousu   ayez cousu

INFINITIF	PARTICIPE

Présent

coudre

Passé

avoir cousu

Présent

cousant

Passé

cousu, e

Passé composé

ayant cousu

tableaux de conjugaison types

Ainsi se conjuguent *émoudre* (rare) et *remoudre*.

Ces verbes gardent le *d* de l'infinitif au singulier du présent de l'indicatif et de l'impératif. À la 3ᵉ personne du singulier, ce *d* exclut la terminaison *t (il moud)*.

Certaines formes en *-l-* sont homonymes des formes correspondantes du verbe du 1ᵉʳ groupe *mouler*.

INDICATIF

Présent		Passé composé			Présent		(SUBJONCTIF)
je	mouds	j'	ai	moulu	que je	moule	
tu	mouds	tu	as	moulu	que tu	moules	
il	moud	il	a	moulu	qu' il	moule	
ns	moulons	ns	avons	moulu	que ns	moulions	
vs	moulez	vs	avez	moulu	que vs	mouliez	
ils	moulent	ils	ont	moulu	qu' ils	moulent	

Imparfait		Plus-que-parfait			Imparfait		
je	moulais	j'	avais	moulu	que je	moulusse	
tu	moulais	tu	avais	moulu	que tu	moulusses	
il	moulait	il	avait	moulu	qu' il	moulût	
ns	moulions	ns	avions	moulu	que ns	moulussions	
vs	mouliez	vs	aviez	moulu	que vs	moulussiez	
ils	moulaient	ils	avaient	moulu	qu' ils	moulussent	

Passé simple		Passé antérieur			Passé		
je	moulus	j'	eus	moulu	que j'	aie	moulu
tu	moulus	tu	eus	moulu	que tu	aies	moulu
il	moulut	il	eut	remoulu	qu' il	ait	moulu
ns	moulûmes	ns	eûmes	moulu	que ns	ayons	moulu
vs	moulûtes	vs	eûtes	moulu	que vs	ayez	moulu
ils	moulurent	ils	eurent	moulu	qu' ils	aient	moulu

Futur simple		Futur antérieur			Plus-que-parfait		
je	moudrai	j'	aurai	moulu	que j'	eusse	moulu
tu	moudras	tu	auras	moulu	que tu	eusses	moulu
il	moudra	il	aura	moulu	qu' il	eût	moulu
ns	moudrons	ns	aurons	moulu	que ns	eussions	moulu
vs	moudrez	vs	aurez	moulu	que vs	eussiez	moulu
ils	moudront	ils	auront	moulu	qu' ils	eussent	moulu

CONDITIONNEL

Présent		Passé 1ʳᵉ forme			Passé 2ᵉ forme		
je	moudrais	j'	aurais	moulu	j'	eusse	moulu
tu	moudrais	tu	aurais	moulu	tu	eusses	moulu
il	moudrait	il	aurait	moulu	il	eût	moulu
ns	moudrions	ns	aurions	moulu	ns	eussions	moulu
vs	moudriez	vs	auriez	moulu	vs	eussiez	moulu
ils	moudraient	ils	auraient	moulu	ils	eussent	moulu

IMPÉRATIF

Présent			Passé		
mouds	moulons	moulez	aie moulu	ayons moulu	ayez moulu

INFINITIF / PARTICIPE

Présent	Passé	Présent	Passé	Passé composé
moudre	avoir moulu	moulant	moulu, e	ayant moulu

ROMPRE

Ces verbes gardent le *p* de l'infinitif dans toute leur conjugaison. Mais à la différence des verbes en -*dre* (voir modèle **52**), le *p* est compatible avec la terminaison *t* de la 3ᵉ personne du singulier *(il rompt)*.
Ainsi se conjuguent *corrompre* et *interrompre*.

INDICATIF		SUBJONCTIF

Présent

je	romps
tu	romps
il	rompt
ns	rompons
vs	rompez
ils	rompent

Passé composé

j'	ai	rompu
tu	as	rompu
il	a	rompu
ns	avons	rompu
vs	avez	rompu
ils	ont	rompu

Présent

que	je	rompe
que	tu	rompes
qu'	il	rompe
que	ns	rompions
que	vs	rompiez
qu'	ils	rompent

Imparfait

je	rompais
tu	rompais
il	rompait
ns	rompions
vs	rompiez
ils	rompaient

Plus-que-parfait

j'	avais	rompu
tu	avais	rompu
il	avait	rompu
ns	avions	rompu
vs	aviez	rompu
ils	avaient	rompu

Imparfait

que	je	rompisse
que	tu	rompisses
qu'	il	rompît
que	ns	rompissions
que	vs	rompissiez
qu'	ils	rompissent

Passé simple

je	rompis
tu	rompis
il	rompit
ns	rompîmes
vs	rompîtes
ils	rompirent

Passé antérieur

j'	eus	rompu
tu	eus	rompu
il	eut	rompu
ns	eûmes	rompu
vs	eûtes	rompu
ils	eurent	rompu

Passé

que	j'	aie	rompu
que	tu	aies	rompu
qu'	il	ait	rompu
que	ns	ayons	rompu
que	vs	ayez	rompu
qu'	ils	aient	rompu

Futur simple

je	romprai
tu	rompras
il	rompra
ns	romprons
vs	romprez
ils	rompront

Futur antérieur

j'	aurai	rompu
tu	auras	rompu
il	aura	rompu
ns	aurons	rompu
vs	aurez	rompu
ils	auront	rompu

Plus-que-parfait

que	j'	eusse	rompu
que	tu	eusses	rompu
qu'	il	eût	rompu
que	ns	eussions	rompu
que	vs	eussiez	rompu
qu'	ils	eussent	rompu

CONDITIONNEL		

Présent

je	romprais
tu	romprais
il	romprait
ns	romprions
vs	rompriez
ils	rompraient

Passé 1ʳᵉ forme

j'	aurais	rompu
tu	aurais	rompu
il	aurait	rompu
ns	aurions	rompu
vs	auriez	rompu
ils	auraient	rompu

Passé 2ᵉ forme

j'	eusse	rompu
tu	eusses	rompu
il	eût	rompu
ns	eussions	rompu
vs	eussiez	rompu
ils	eussent	rompu

IMPÉRATIF	

Présent

romps	rompons	rompez

Passé

aie rompu	ayons rompu	ayez rompu

INFINITIF	PARTICIPE

Présent

rompre

Passé

avoir rompu

Présent

rompant

Passé

rompu, e

Passé composé

ayant rompu

tableaux de conjugaison types

Le *c* de l'infinitif se change en *qu* devant une voyelle autre que *u (il vainquit, que je vainque)*.

À la 3ᵉ personne du singulier du présent de l'indicatif, le maintien du *c* de l'infinitif exclut la terminaison *t (il vainc)*.

Ainsi se conjugue *convaincre*.

INDICATIF / SUBJONCTIF

Présent		Passé composé			Présent		
je	vaincs	j'	ai	vaincu	que je	vainque	
tu	vaincs	tu	as	vaincu	que tu	vainques	
il	vainc	il	a	vaincu	qu' il	vainque	
ns	vainquons	ns	avons	vaincu	que ns	vainquions	
vs	vainquez	vs	avez	vaincu	que vs	vainquiez	
ils	vainquent	ils	ont	vaincu	qu' ils	vainquent	

Imparfait		Plus-que-parfait			Imparfait		
je	vainquais	j'	avais	vaincu	que je	vainquisse	
tu	vainquais	tu	avais	vaincu	que tu	vainquisses	
il	vainquait	il	avait	vaincu	qu' il	vainquît	
ns	vainquions	ns	avions	vaincu	que ns	vainquissions	
vs	vainquiez	vs	aviez	vaincu	que vs	vainquissiez	
ils	vainquaient	ils	avaient	vaincu	qu' ils	vainquissent	

Passé simple		Passé antérieur			Passé		
je	vainquis	j'	eus	vaincu	que j'	aie	vaincu
tu	vainquis	tu	eus	vaincu	que tu	aies	vaincu
il	vainquit	il	eut	vaincu	qu' il	ait	vaincu
ns	vainquîmes	ns	eûmes	vaincu	que ns	ayons	vaincu
vs	vainquîtes	vs	eûtes	vaincu	que vs	ayez	vaincu
ils	vainquirent	ils	eurent	vaincu	qu' ils	aient	vaincu

Futur simple		Futur antérieur			Plus-que-parfait		
je	vaincrai	j'	aurai	vaincu	que j'	eusse	vaincu
tu	vaincras	tu	auras	vaincu	que tu	eusses	vaincu
il	vaincra	il	aura	vaincu	qu' il	eût	vaincu
ns	vaincrons	ns	aurons	vaincu	que ns	eussions	vaincu
vs	vaincrez	vs	aurez	vaincu	que vs	eussiez	vaincu
ils	vaincront	ils	auront	vaincu	qu' ils	eussent	vaincu

CONDITIONNEL

Présent		Passé 1ʳᵉ forme			Passé 2ᵉ forme		
je	vaincrais	j'	aurais	vaincu	j'	eusse	vaincu
tu	vaincrais	tu	aurais	vaincu	tu	eusses	vaincu
il	vaincrait	il	aurait	vaincu	il	eût	vaincu
ns	vaincrions	ns	aurions	vaincu	ns	eussions	vaincu
vs	vaincriez	vs	auriez	vaincu	vs	eussiez	vaincu
ils	vaincraient	ils	auraient	vaincu	ils	eussent	vaincu

IMPÉRATIF

Présent			Passé		
vaincs	vainquons	vainquez	aie vaincu	ayons vaincu	ayez vaincu

INFINITIF / PARTICIPE

Présent	Passé	Présent	Passé	Passé composé
vaincre	avoir vaincu	vainquant	vaincu, e	ayant vaincu

Tous les verbes de la famille de *battre* se conjuguent sur ce modèle (*combattre, rabattre*, etc.). Les formes du singulier du présent de l'indicatif et de l'impératif ne prennent qu'un seul *t*.
Les formes du singulier du présent de l'indicatif et de l'impératif perdent un *t* du radical.
Foutre et *se contrefoutre* (familiers) se conjuguent sur ce modèle.

INDICATIF				SUBJONCTIF	
Présent		**Passé composé**		**Présent**	
je bats		j' ai	battu	que je batte	
tu bats		tu as	battu	que tu battes	
il bat		il a	battu	qu' il batte	
ns battons		ns avons	battu	que ns battions	
vs battez		vs avez	battu	que vs battiez	
ils battent		ils ont	battu	qu' ils battent	
Imparfait		**Plus-que-parfait**		**Imparfait**	
je battais		j' avais	battu	que je battisse	
tu battais		tu avais	battu	que tu battisses	
il battait		il avait	battu	qu' il battît	
ns battions		ns avions	battu	que ns battissions	
vs battiez		vs aviez	battu	que vs battissiez	
ils battaient		ils avaient	battu	qu' ils battissent	
Passé simple		**Passé antérieur**		**Passé**	
je battis		j' eus	battu	que j' aie	battu
tu battis		tu eus	battu	que tu aies	battu
il battit		il eut	battu	qu' il ait	battu
ns battîmes		ns eûmes	battu	que ns ayons	battu
vs battîtes		vs eûtes	battu	que vs ayez	battu
ils battirent		ils eurent	battu	qu' ils aient	battu
Futur simple		**Futur antérieur**		**Plus-que-parfait**	
je battrai		j' aurai	battu	que j' eusse	battu
tu battras		tu auras	battu	que tu eusses	battu
il battra		il aura	battu	qu' il eût	battu
ns battrons		ns aurons	battu	que ns eussions	battu
vs battrez		vs aurez	battu	que vs eussiez	battu
ils battront		ils auront	battu	qu' ils eussent	battu

CONDITIONNEL					
Présent		**Passé 1ʳᵉ forme**		**Passé 2ᵉ forme**	
je battrais		j' aurais	battu	j' eusse	battu
tu battrais		tu aurais	battu	tu eusses	battu
il battrait		il aurait	battu	il eût	battu
ns battrions		ns aurions	battu	ns eussions	battu
vs battriez		vs auriez	battu	vs eussiez	battu
ils battraient		ils auraient	battu	ils eussent	battu

IMPÉRATIF					
Présent			**Passé**		
bats	battons	battez	aie battu	ayons battu	ayez battu

INFINITIF		PARTICIPE		
Présent	**Passé**	**Présent**	**Passé**	**Passé composé**
battre	avoir battu	battant	battu, e	ayant battu

tableaux de conjugaison types

63 ▅▅▅ ▆ METTRE ▆ 3ᵉ GROUPE

Tous les verbes de la famille de *mettre* se conjuguent sur ce modèle (*commettre, remettre*, etc.).

Les formes du singulier du présent de l'indicatif et de l'impératif ne prennent qu'un seul *t*.

INDICATIF | SUBJONCTIF

Présent		Passé composé			Présent		
je	mets	j'	ai	mis	que je	mette	
tu	mets	tu	as	mis	que tu	mettes	
il	met	il	a	mis	qu' il	mette	
ns	mettons	ns	avons	mis	que ns	mettions	
vs	mettez	vs	avez	mis	que vs	mettiez	
ils	mettent	ils	ont	mis	qu' ils	mettent	

Imparfait		Plus-que-parfait			Imparfait		
je	mettais	j'	avais	mis	que je	misse	
tu	mettais	tu	avais	mis	que tu	misses	
il	mettait	il	avait	mis	qu' il	mît	
ns	mettions	ns	avions	mis	que ns	missions	
vs	mettiez	vs	aviez	mis	que vs	missiez	
ils	mettaient	ils	avaient	mis	qu' ils	missent	

Passé simple		Passé antérieur			Passé		
je	mis	j'	eus	mis	que j'	aie	mis
tu	mis	tu	eus	mis	que tu	aies	mis
il	mit	il	eut	mis	qu' il	ait	mis
ns	mîmes	ns	eûmes	mis	que ns	ayons	mis
vs	mîtes	vs	eûtes	mis	que vs	ayez	mis
ils	mirent	ils	eurent	mis	qu' ils	aient	mis

Futur simple		Futur antérieur			Plus-que-parfait		
je	mettrai	j'	aurai	mis	que j'	eusse	mis
tu	mettras	tu	auras	mis	que tu	eusses	mis
il	mettra	il	aura	mis	qu' il	eût	mis
ns	mettrons	ns	aurons	mis	que ns	eussions	mis
vs	mettrez	vs	aurez	mis	que vs	eussiez	mis
ils	mettront	ils	auront	mis	qu' ils	eussent	mis

CONDITIONNEL

Présent		Passé 1ʳᵉ forme			Passé 2ᵉ forme		
je	mettrais	j'	aurais	mis	j'	eusse	mis
tu	mettrais	tu	aurais	mis	tu	eusses	mis
il	mettrait	il	aurait	mis	il	eût	mis
ns	mettrions	ns	aurions	mis	ns	eussions	mis
vs	mettriez	vs	auriez	mis	vs	eussiez	mis
ils	mettraient	ils	auraient	mis	ils	eussent	mis

IMPÉRATIF

Présent			Passé		
mets	mettons	mettez	aie mis	ayons mis	ayez mis

INFINITIF | PARTICIPE

Présent	Passé	Présent	Passé	Passé composé
mettre	avoir mis	mettant	mis, se	ayant mis

Se conjuguent sur ce modèle *connaître, paraître, paître* et les verbes de leur famille.
Tous les verbes en *-aître* prennent un accent circonflexe sur le *i* du radical qui précède
un *t (il connaît, il paraîtra)*.
Remarques : 1. Les rectifications de l'orthographe de 1990 proposent d'harmoniser
la conjugaison de ces verbes en écrivant *i* sans accent à toutes les formes *(il connait,
il paraitra)*. **2.** *Paître* n'est employé ni aux temps composés ni au passé simple ni à
l'imparfait du subjonctif.

INDICATIF			SUBJONCTIF	

Présent

je	connais			
tu	connais			
il	connaît			
ns	connaissons			
vs	connaissez			
ils	connaissent			

Passé composé

j'	ai	connu
tu	as	connu
il	a	connu
ns	avons	connu
vs	avez	connu
ils	ont	connu

Présent

que je	connaisse	
que tu	connaisses	
qu' il	connaisse	
que ns	connaissions	
que vs	connaissiez	
qu' ils	connaissent	

Imparfait

je	connaissais
tu	connaissais
il	connaissait
ns	connaissions
vs	connaissiez
ils	connaissaient

Plus-que-parfait

j'	avais	connu
tu	avais	connu
il	avait	connu
ns	avions	connu
vs	aviez	connu
ils	avaient	connu

Imparfait

que je	connusse
que tu	connusses
qu' il	connût
que ns	connussions
que vs	connussiez
qu' ils	connussent

Passé simple

je	connus
tu	connus
il	connut
ns	connûmes
vs	connûtes
ils	connurent

Passé antérieur

j'	eus	connu
tu	eus	connu
il	eut	connu
ns	eûmes	connu
vs	eûtes	connu
ils	eurent	connu

Passé

que j'	aie	connu
que tu	aies	connu
qu' il	ait	connu
que ns	ayons	connu
que vs	ayez	connu
qu' ils	aient	connu

Futur simple

je	connaîtrai
tu	connaîtras
il	connaîtra
ns	connaîtrons
vs	connaîtrez
ils	connaîtront

Futur antérieur

j'	aurai	connu
tu	auras	connu
il	aura	connu
ns	aurons	connu
vs	aurez	connu
ils	auront	connu

Plus-que-parfait

que j'	eusse	connu
que tu	eusses	connu
qu' il	eût	connu
que ns	eussions	connu
que vs	eussiez	connu
qu' ils	eussent	connu

CONDITIONNEL		

Présent

je	connaîtrais
tu	connaîtrais
il	connaîtrait
ns	connaîtrions
vs	connaîtriez
ils	connaîtraient

Passé 1ʳᵉ forme

j'	aurais	connu
tu	aurais	connu
il	aurait	connu
ns	aurions	connu
vs	auriez	connu
ils	auraient	connu

Passé 2ᵉ forme

j'	eusse	connu
tu	eusses	connu
il	eût	connu
ns	eussions	connu
vs	eussiez	connu
ils	eussent	connu

IMPÉRATIF		

Présent

connais	connaissons	connaissez

Passé

aie connu	ayons connu	ayez connu

INFINITIF	PARTICIPE	

Présent

connaître

Passé

avoir connu

Présent

connaissant

Passé

connu, e

Passé composé

ayant connu

tableaux de conjugaison types

Naître et *renaître* prennent un accent circonflexe sur le *i* du radical qui précède un *t* *(il naît, il renaîtra)*.

Remarque : les rectifications de l'orthographe de 1990 proposent d'harmoniser la conjugaison de ces verbes en écrivant *i* sans accent à toutes les formes *(il nait, il renaitra)*. À noter la forme particulière du participe passé *né*.

INDICATIF						SUBJONCTIF			
Présent			**Passé composé**			**Présent**			
je	nais		je	suis	né	que	je	naisse	
tu	nais		tu	es	né	que	tu	naisses	
il	naît		il	est	né	qu'	il	naisse	
ns	naissons		ns	sommes	nés	que	ns	naissions	
vs	naissez		vs	êtes	nés	que	vs	naissiez	
ils	naissent		ils	sont	nés	qu'	ils	naissent	
Imparfait			**Plus-que-parfait**			**Imparfait**			
je	naissais		j'	étais	né	que	je	naquisse	
tu	naissais		tu	étais	né	que	tu	naquisses	
il	naissait		il	était	né	qu'	il	naquît	
ns	naissions		ns	étions	nés	que	ns	naquissions	
vs	naissiez		vs	étiez	nés	que	vs	naquissiez	
ils	naissaient		ils	étaient	nés	qu'	ils	naquissent	
Passé simple			**Passé antérieur**			**Passé**			
je	naquis		je	fus	né	que	je	sois	né
tu	naquis		tu	fus	né	que	tu	sois	né
il	naquit		il	fut	né	qu'	il	soit	né
ns	naquîmes		ns	fûmes	nés	que	ns	soyons	nés
vs	naquîtes		vs	fûtes	nés	que	vs	soyez	nés
ils	naquirent		ils	furent	nés	qu'	ils	soient	nés
Futur simple			**Futur antérieur**			**Plus-que-parfait**			
je	naîtrai		je	serai	né	que	je	fusse	né
tu	naîtras		tu	seras	né	que	tu	fusses	né
il	naîtra		il	sera	né	qu'	il	fût	né
ns	naîtrons		ns	serons	nés	que	ns	fussions	nés
vs	naîtrez		vs	serez	nés	que	vs	fussiez	nés
ils	naîtront		ils	seront	nés	qu'	ils	fussent	nés

CONDITIONNEL								
Présent			**Passé 1ʳᵉ forme**			**Passé 2ᵉ forme**		
je	naîtrais		je	serais	né	je	fusse	né
tu	naîtrais		tu	serais	né	tu	fusses	né
il	naîtrait		il	serait	né	il	fût	né
ns	naîtrions		ns	serions	nés	ns	fussions	nés
vs	naîtriez		vs	seriez	nés	vs	fussiez	nés
ils	naîtraient		ils	seraient	nés	ils	fussent	nés

IMPÉRATIF					
Présent			**Passé**		
nais	naissons	naissez	sois né	soyons nés	soyez nés

INFINITIF		PARTICIPE		
Présent	**Passé**	**Présent**	**Passé**	**Passé composé**
naître	être né	naissant	né, e	étant né

Le verbe *croître* maintient l'accent circonflexe sur le *i* pour toutes les formes homonymes de celles de *croire (croître / il croît, il a crû – croire / il croit, il a cru)*.
Ainsi se conjuguent les composés de *croître : accroître, décroître* et *recroître*. Mais ces verbes ne prennent un accent circonflexe sur le *i* du radical que s'il précède un *t* *(il accroît)*.
Le participe passé de *accroître* et *décroître* s'écrit sans accent circonflexe *(accru, décru)*.

INDICATIF

Présent	Passé composé		Présent (SUBJONCTIF)
je croîs	j' ai	crû	que je croisse
tu croîs	tu as	crû	que tu croisses
il croît	il a	crû	qu' il croisse
ns croissons	ns avons	crû	que ns croissions
vs croissez	vs avez	crû	que vs croissiez
ils croissent	ils ont	crû	qu' ils croissent

Imparfait	Plus-que-parfait		Imparfait (SUBJONCTIF)
je croissais	j' avais	crû	que je crûsse
tu croissais	tu avais	crû	que tu crûsses
il croissait	il avait	crû	qu' il crût
ns croissions	ns avions	crû	que ns crûssions
vs croissiez	vs aviez	crû	que vs crûssiez
ils croissaient	ils avaient	crû	qu' ils crûssent

Passé simple	Passé antérieur		Passé (SUBJONCTIF)
je crûs	j' eus	crû	que j' aie crû
tu crûs	tu eus	crû	que tu aies crû
il crût	il eut	crû	qu' il ait crû
ns crûmes	ns eûmes	crû	que ns ayons crû
vs crûtes	vs eûtes	crû	que vs ayez crû
ils crûrent	ils eurent	crû	qu' ils aient crû

Futur simple	Futur antérieur		Plus-que-parfait (SUBJONCTIF)
je croîtrai	j' aurai	crû	que j' eusse crû
tu croîtras	tu auras	crû	que tu eusses crû
il croîtra	il aura	crû	qu' il eût crû
ns croîtrons	ns aurons	crû	que ns eussions crû
vs croîtrez	vs aurez	crû	que vs eussiez crû
ils croîtront	ils auront	crû	qu' ils eussent crû

CONDITIONNEL

Présent	Passé 1ʳᵉ forme		Passé 2ᵉ forme	
je croîtrais	j' aurais	crû	j' eusse	crû
tu croîtrais	tu aurais	crû	tu eusses	crû
il croîtrait	il aurait	crû	il eût	crû
ns croîtrions	ns aurions	crû	ns eussions	crû
vs croîtriez	vs auriez	crû	vs eussiez	crû
ils croîtraient	ils auraient	crû	ils eussent	crû

IMPÉRATIF

Présent			Passé		
croîs	croissons	croissez	aie crû	ayons crû	ayez crû

INFINITIF

Présent	Passé
croître	avoir crû

PARTICIPE

Présent	Passé	Passé composé
croissant	crû, crue	ayant crû

Seul le verbe *croire* se conjugue sur ce modèle.

On ne place jamais d'accent circonflexe sur les formes de ce verbe, sauf aux deux premières personnes du pluriel du passé simple et à la 3ᵉ personne du singulier de l'imparfait du subjonctif qui sont alors homonymes de celles du verbe *croître*.

À la 3ᵉ personne du pluriel du présent de l'indicatif et du présent du subjonctif, on doit placer un *i* et non un *y* ; erreur très fréquente, surtout à l'oral.

Accroire ne s'utilise qu'à l'infinitif.

INDICATIF			SUBJONCTIF		
Présent	**Passé composé**		**Présent**		
je crois	j' ai	cru	que je croie		
tu crois	tu as	cru	que tu croies		
il croit	il a	cru	qu' il croie		
ns croyons	ns avons	cru	que ns croyions		
vs croyez	vs avez	cru	que vs croyiez		
ils croient	ils ont	cru	qu' ils croient		
Imparfait	**Plus-que-parfait**		**Imparfait**		
je croyais	j' avais	cru	que je crusse		
tu croyais	tu avais	cru	que tu crusses		
il croyait	il avait	cru	qu' il crût		
ns croyions	ns avions	cru	que ns crussions		
vs croyiez	vs aviez	cru	que vs crussiez		
ils croyaient	ils avaient	cru	qu' ils crussent		
Passé simple	**Passé antérieur**		**Passé**		
je crus	j' eus	cru	que j' aie	cru	
tu crus	tu eus	cru	que tu aies	cru	
il crut	il eut	cru	qu' il ait	cru	
ns crûmes	ns eûmes	cru	que ns ayons	cru	
vs crûtes	vs eûtes	cru	que vs ayez	cru	
ils crurent	ils eurent	cru	qu' ils aient	cru	
Futur simple	**Futur antérieur**		**Plus-que-parfait**		
je croirai	j' aurai	cru	que j' eusse	cru	
tu croiras	tu auras	cru	que tu eusses	cru	
il croira	il aura	cru	qu' il eût	cru	
ns croirons	ns aurons	cru	que ns eussions	cru	
vs croirez	vs aurez	cru	que vs eussiez	cru	
ils croiront	ils auront	cru	qu' ils eussent	cru	

CONDITIONNEL					
Présent	**Passé 1ʳᵉ forme**		**Passé 2ᵉ forme**		
je croirais	j' aurais	cru	j' eusse	cru	
tu croirais	tu aurais	cru	tu eusses	cru	
il croirait	il aurait	cru	il eût	cru	
ns croirions	ns aurions	cru	ns eussions	cru	
vs croiriez	vs auriez	cru	vs eussiez	cru	
ils croiraient	ils auraient	cru	ils eussent	cru	

IMPÉRATIF					
Présent			**Passé**		
crois croyons croyez			aie cru ayons cru ayez cru		

INFINITIF		PARTICIPE		
Présent	**Passé**	**Présent**	**Passé**	**Passé composé**
croire	avoir cru	croyant	cru, e	ayant cru

Ainsi se conjuguent *complaire, déplaire* et *taire*. Ce dernier ne prend pas d'accent circonflexe à la 3ᵉ personne du singulier du présent de l'indicatif *(il tait)* et a un participe passé variable *(elles se sont tues)*, alors que celui de *plaire, déplaire, complaire* est invariable *(elles se sont plu)*.

Remarque : les rectifications de l'orthographe de 1990 proposent d'écrire *i* sans accent *(il plait)*.

INDICATIF / SUBJONCTIF

Présent	Passé composé		Présent
je plais	j' ai	plu	que je plaise
tu plais	tu as	plu	que tu plaises
il plaît	il a	plu	qu' il plaise
ns plaisons	ns avons	plu	que ns plaisions
vs plaisez	vs avez	plu	que vs plaisiez
ils plaisent	ils ont	plu	qu' ils plaisent

Imparfait	Plus-que-parfait		Imparfait
je plaisais	j' avais	plu	que je plusse
tu plaisais	tu avais	plu	que tu plusses
il plaisait	il avait	plu	qu' il plût
ns plaisions	ns avions	plu	que ns plussions
vs plaisiez	vs aviez	plu	que vs plussiez
ils plaisaient	ils avaient	plu	qu' ils plussent

Passé simple	Passé antérieur		Passé
je plus	j' eus	plu	que j' aie plu
tu plus	tu eus	plu	que tu aies plu
il plut	il eut	plu	qu' il ait plu
ns plûmes	ns eûmes	plu	que ns ayons plu
vs plûtes	vs eûtes	plu	que vs ayez plu
ils plurent	ils eurent	plu	qu' ils aient plu

Futur simple	Futur antérieur		Plus-que-parfait
je plairai	j' aurai	plu	que j' eusse plu
tu plairas	tu auras	plu	que tu eusses plu
il plaira	il aura	plu	qu' il eût plu
ns plairons	ns aurons	plu	que ns eussions plu
vs plairez	vs aurez	plu	que vs eussiez plu
ils plairont	ils auront	plu	qu' ils eussent plu

CONDITIONNEL

Présent	Passé 1ʳᵉ forme		Passé 2ᵉ forme
je plairais	j' aurais	plu	j' eusse plu
tu plairais	tu aurais	plu	tu eusses plu
il plairait	il aurait	plu	il eût plu
ns plairions	ns aurions	plu	ns eussions plu
vs plairiez	vs auriez	plu	vs eussiez plu
ils plairaient	ils auraient	plu	ils eussent plu

IMPÉRATIF

Présent			Passé		
plais	plaisons	plaisez	aie plu	ayons plu	ayez plu

INFINITIF / PARTICIPE

Présent	Passé	Présent	Passé	Passé composé
plaire	avoir plu	plaisant	plu	ayant plu

tableaux de conjugaison types

Ainsi se conjuguent les verbes de la famille de *traire* (*extraire, abstraire*, etc.) et *braire,* qui ne s'emploie qu'aux troisièmes personnes du présent de l'indicatif, du futur simple et du conditionnel présent.
À la 3ᵉ personne du pluriel du présent de l'indicatif et du présent du subjonctif, on doit placer un *i* et non un *y.*

INDICATIF				SUBJONCTIF		
Présent		**Passé composé**		**Présent**		
je trais		j' ai	trait	que je traie		
tu trais		tu as	trait	que tu traies		
il trait		il a	trait	qu' il traie		
ns trayons		ns avons	trait	que ns trayions		
vs trayez		vs avez	trait	que vs trayiez		
ils traient		ils ont	trait	qu' ils traient		
Imparfait		**Plus-que-parfait**		**Imparfait**		
je trayais		j' avais	trait	*inusité*		
tu trayais		tu avais	trait			
il trayait		il avait	trait			
ns trayions		ns avions	trait			
vs trayiez		vs aviez	trait			
ils trayaient		ils avaient	trait			
Passé simple		**Passé antérieur**		**Passé**		
inusité		j' eus	trait	que j' aie	trait	
		tu eus	trait	que tu aies	trait	
		il eut	trait	qu' il ait	trait	
		ns eûmes	trait	que ns ayons	trait	
		vs eûtes	trait	que vs ayez	trait	
		ils eurent	trait	qu' ils aient	trait	
Futur simple		**Futur antérieur**		**Plus-que-parfait**		
je trairai		j' aurai	trait	que j' eusse	trait	
tu trairas		tu auras	trait	que tu eusses	trait	
il traira		il aura	trait	qu' il eût	trait	
ns trairons		ns aurons	trait	que ns eussions	trait	
vs trairez		vs aurez	trait	que vs eussiez	trait	
ils trairont		ils auront	trait	qu' ils eussent	trait	

CONDITIONNEL						
Présent		**Passé 1ʳᵉ forme**		**Passé 2ᵉ forme**		
je trairais		j' aurais	trait	j' eusse	trait	
tu trairais		tu aurais	trait	tu eusses	trait	
il trairait		il aurait	trait	il eût	trait	
ns trairions		ns aurions	trait	ns eussions	trait	
vs trairiez		vs auriez	trait	vs eussiez	trait	
ils trairaient		ils auraient	trait	ils eussent	trait	

IMPÉRATIF						
Présent			**Passé**			
trais trayons trayez			aie trait ayons trait ayez trait			

INFINITIF		PARTICIPE		
Présent	**Passé**	**Présent**	**Passé**	**Passé composé**
traire	avoir trait	trayant	trait, te	ayant trait

Se conjuguent sur ce modèle *poursuivre* et *s'ensuivre*.
Remarques : 1. La forme *je suis* est homonyme de la 1ʳᵉ personne du singulier du présent de l'indicatif du verbe *être*. **2.** *s'ensuivre* ne se conjugue qu'à la 3ᵉ personne (du singulier ou du pluriel) et plus particulièrement dans l'expression *et tout ce qui s'ensuit.*

INDICATIF				SUBJONCTIF		
Présent		**Passé composé**		**Présent**		
je suis		j' ai	suivi	que je suive		
tu suis		tu as	suivi	que tu suives		
il suit		il a	suivi	qu' il suive		
ns suivons		ns avons	suivi	que ns suivions		
vs suivez		vs avez	suivi	que vs suiviez		
ils suivent		ils ont	suivi	qu' ils suivent		
Imparfait		**Plus-que-parfait**		**Imparfait**		
je suivais		j' avais	suivi	que je suivisse		
tu suivais		tu avais	suivi	que tu suivisses		
il suivait		il avait	suivi	qu' il suivît		
ns suivions		ns avions	suivi	que ns suivissions		
vs suiviez		vs aviez	suivi	que vs suivissiez		
ils suivaient		ils avaient	suivi	qu' ils suivissent		
Passé simple		**Passé antérieur**		**Passé**		
je suivis		j' eus	suivi	que j' aie	suivi	
tu suivis		tu eus	suivi	que tu aies	suivi	
il suivit		il eut	suivi	qu' il ait	suivi	
ns suivîmes		ns eûmes	suivi	que ns ayons	suivi	
vs suivîtes		vs eûtes	suivi	que vs ayez	suivi	
ils suivirent		ils eurent	suivi	qu' ils aient	suivi	
Futur simple		**Futur antérieur**		**Plus-que-parfait**		
je suivrai		j' aurai	suivi	que j' eusse	suivi	
tu suivras		tu auras	suivi	que tu eusses	suivi	
il suivra		il aura	suivi	qu' il eût	suivi	
ns suivrons		ns aurons	suivi	que ns eussions	suivi	
vs suivrez		vs aurez	suivi	que vs eussiez	suivi	
ils suivront		ils auront	suivi	qu' ils eussent	suivi	

CONDITIONNEL						
Présent		**Passé 1ʳᵉ forme**		**Passé 2ᵉ forme**		
je suivrais		j' aurais	suivi	j' eusse	suivi	
tu suivrais		tu aurais	suivi	tu eusses	suivi	
il suivrait		il aurait	suivi	il eût	suivi	
ns suivrions		ns aurions	suivi	ns eussions	suivi	
vs suivriez		vs auriez	suivi	vs eussiez	suivi	
ils suivraient		ils auraient	suivi	ils eussent	suivi	

IMPÉRATIF					
Présent			**Passé**		
suis	suivons	suivez	aie suivi	ayons suivi	ayez suivi

INFINITIF		PARTICIPE		
Présent	**Passé**	**Présent**	**Passé**	**Passé composé**
suivre	avoir suivi	suivant	suivi, e	ayant suivi

tableaux de conjugaison types

Ainsi se conjuguent *revivre* et *survivre*.
Le participe passé de *survivre (survécu)* est invariable.

INDICATIF

Présent	Passé composé	
je vis	j' ai	vécu
tu vis	tu as	vécu
il vit	il a	vécu
ns vivons	ns avons	vécu
vs vivez	vs avez	vécu
ils vivent	ils ont	vécu

Imparfait	Plus-que-parfait	
je vivais	j' avais	vécu
tu vivais	tu avais	vécu
il vivait	il avait	vécu
ns vivions	ns avions	vécu
vs viviez	vs aviez	vécu
ils vivaient	ils avaient	vécu

Passé simple	Passé antérieur	
je vécus	j' eus	vécu
tu vécus	tu eus	vécu
il vécut	il eut	vécu
ns vécûmes	ns eûmes	vécu
vs vécûtes	vs eûtes	vécu
ils vécurent	ils eurent	vécu

Futur simple	Futur antérieur	
je vivrai	j' aurai	vécu
tu vivras	tu auras	vécu
il vivra	il aura	vécu
ns vivrons	ns aurons	vécu
vs vivrez	vs aurez	vécu
ils vivront	ils auront	vécu

SUBJONCTIF

Présent		
que je vive		
que tu vives		
qu' il vive		
que ns vivions		
que vs viviez		
qu' ils vivent		

Imparfait		
que je vécusse		
que tu vécusses		
qu' il vécût		
que ns vécussions		
que vs vécussiez		
qu' ils vécussent		

Passé		
que j' aie	vécu	
que tu aies	vécu	
qu' il ait	vécu	
que ns ayons	vécu	
que vs ayez	vécu	
qu' ils aient	vécu	

Plus-que-parfait		
que j' eusse	vécu	
que tu eusses	vécu	
qu' il eût	vécu	
que ns eussions	vécu	
que vs eussiez	vécu	
qu' ils eussent	vécu	

CONDITIONNEL

Présent	Passé 1ʳᵉ forme		Passé 2ᵉ forme	
je vivrais	j' aurais	vécu	j' eusse	vécu
tu vivrais	tu aurais	vécu	tu eusses	vécu
il vivrait	il aurait	vécu	il eût	vécu
ns vivrions	ns aurions	vécu	ns eussions	vécu
vs vivriez	vs auriez	vécu	vs eussiez	vécu
ils vivraient	ils auraient	vécu	ils eussent	vécu

IMPÉRATIF

Présent			Passé		
vis	vivons	vivez	aie vécu	ayons vécu	ayez vécu

INFINITIF

Présent	Passé
vivre	avoir vécu

PARTICIPE

Présent	Passé	Passé composé
vivant	vécu, e	ayant vécu

72 SUFFIRE 3ᵉ GROUPE

Se conjuguent sur ce modèle *confire* et *frire*, mais leur participe passé est en *-it (confit, confite ; frit, frite)* et *circoncire*, mais son participe passé est en *-is (circoncis, circoncise)*.
Remarque : *frire* ne s'emploie couramment qu'à l'infinitif et au participe passé. On trouve parfois le présent de l'indicatif (mais seulement au singulier), le futur simple et les temps composés.
Le participe passé *suffi* est invariable, même à la forme pronominale : *ils se sont suffi à eux-mêmes.*

INDICATIF / SUBJONCTIF

Présent	Passé composé	Présent (subj.)
je suffis	j' ai suffi	que je suffise
tu suffis	tu as suffi	que tu suffises
il suffit	il a suffi	qu' il suffise
ns suffisons	ns avons suffi	que ns suffisions
vs suffisez	vs avez suffi	que vs suffisiez
ils suffisent	ils ont suffi	qu' ils suffisent

Imparfait	Plus-que-parfait	Imparfait (subj.)
je suffisais	j' avais suffi	que je suffisse
tu suffisais	tu avais suffi	que tu suffisses
il suffisait	il avait suffi	qu' il suffît
ns suffisions	ns avions suffi	que ns suffissions
vs suffisiez	vs aviez suffi	que vs suffissiez
ils suffisaient	ils avaient suffi	qu' ils suffissent

Passé simple	Passé antérieur	Passé (subj.)
je suffis	j' eus suffi	que j' aie suffi
tu suffis	tu eus suffi	que tu aies suffi
il suffit	il eut suffi	qu' il ait suffi
ns suffîmes	ns eûmes suffi	que ns ayons suffi
vs suffîtes	vs eûtes suffi	que vs ayez suffi
ils suffirent	ils eurent suffi	qu' ils aient suffi

Futur simple	Futur antérieur	Plus-que-parfait (subj.)
je suffirai	j' aurai suffi	que j' eusse suffi
tu suffiras	tu auras suffi	que tu eusses suffi
il suffira	il aura suffi	qu' il eût suffi
ns suffirons	ns aurons suffi	que ns eussions suffi
vs suffirez	vs aurez suffi	que vs eussiez suffi
ils suffiront	ils auront suffi	qu' ils eussent suffi

CONDITIONNEL

Présent	Passé 1ʳᵉ forme	Passé 2ᵉ forme
je suffirais	j' aurais suffi	j' eusse suffi
tu suffirais	tu aurais suffi	tu eusses suffi
il suffirait	il aurait suffi	il eût suffi
ns suffirions	ns aurions suffi	ns eussions suffi
vs suffiriez	vs auriez suffi	vs eussiez suffi
ils suffiraient	ils auraient suffi	ils eussent suffi

IMPÉRATIF

Présent			Passé		
suffis	suffisons	suffisez	aie suffi	ayons suffi	ayez suffi

INFINITIF / PARTICIPE

Présent	Passé	Présent	Passé	Passé composé
suffire	avoir suffi	suffisant	suffi	ayant suffi

tableaux de conjugaison types

Dire (et *redire*) ont la particularité d'avoir leur 2ᵉ personne du pluriel du présent de l'indicatif et de l'impératif en *-tes*, et non en *-ez*.
Les autres verbes qui se conjuguent sur ce modèle *(contredire, dédire, interdire, médire* et *prédire)* font bien leur 2ᵉ personne du pluriel en *-ez* (Ex. : *vous contredisez, vous prédisez).*

INDICATIF

Présent	Passé composé		SUBJONCTIF Présent	
je dis	j' ai	dit	que je dise	
tu dis	tu as	dit	que tu dises	
il dit	il a	dit	qu' il dise	
ns disons	ns avons	dit	que ns disions	
vs dites	vs avez	dit	que vs disiez	
ils disent	ils ont	dit	qu' ils disent	

Imparfait	Plus-que-parfait		Imparfait	
je disais	j' avais	dit	que je disse	
tu disais	tu avais	dit	que tu disses	
il disait	il avait	dit	qu' il dît	
ns disions	ns avions	dit	que ns dissions	
vs disiez	vs aviez	dit	que vs dissiez	
ils disaient	ils avaient	dit	qu' ils dissent	

Passé simple	Passé antérieur		Passé	
je dis	j' eus	dit	que j' aie	dit
tu dis	tu eus	dit	que tu aies	dit
il dit	il eut	dit	qu' il ait	dit
ns dîmes	ns eûmes	dit	que ns ayons	dit
vs dîtes	vs eûtes	dit	que vs ayez	dit
ils dirent	ils eurent	dit	qu' ils aient	dit

Futur simple	Futur antérieur		Plus-que-parfait	
je dirai	j' aurai	dit	que j' eusse	dit
tu diras	tu auras	dit	que tu eusses	dit
il dira	il aura	dit	qu' il eût	dit
ns dirons	ns aurons	dit	que ns eussions	dit
vs direz	vs aurez	dit	que vs eussiez	dit
ils diront	ils auront	dit	qu' ils eussent	dit

CONDITIONNEL

Présent	Passé 1ʳᵉ forme		Passé 2ᵉ forme	
je dirais	j' aurais	dit	j' eusse	dit
tu dirais	tu aurais	dit	tu eusses	dit
il dirait	il aurait	dit	il eût	dit
ns dirions	ns aurions	dit	ns eussions	dit
vs diriez	vs auriez	dit	vs eussiez	dit
ils diraient	ils auraient	dit	ils eussent	dit

IMPÉRATIF

Présent			Passé		
dis	disons	dites	aie dit	ayons dit	ayez dit

INFINITIF / PARTICIPE

Présent	Passé	Présent	Passé	Passé composé
dire	avoir dit	disant	dit, te	ayant dit

Bien que construit sur *dire*, *maudire* ne garde de ce verbe que l'infinitif et le participe passé. Tout le reste de sa conjugaison se fait sur le modèle des verbes du 2ᵉ groupe (voir modèle **20**) : *nous maudissons, maudissant.*

INDICATIF

Présent	Passé composé		SUBJONCTIF Présent
je maudis	j' ai	maudit	que je maudisse
tu maudis	tu as	maudit	que tu maudisses
il maudit	il a	maudit	qu' il maudisse
ns maudissons	ns avons	maudit	que ns maudissions
vs maudissez	vs avez	maudit	que vs maudissiez
ils maudissent	ils ont	maudit	qu' ils maudissent

Imparfait	Plus-que-parfait		Imparfait
je maudissais	j' avais	maudit	que je maudisse
tu maudissais	tu avais	maudit	que tu maudisses
il maudissait	il avait	maudit	qu' il maudît
ns maudissions	ns avions	maudit	que ns maudissions
vs maudissiez	vs aviez	maudit	que vs maudissiez
ils maudissaient	ils avaient	maudit	qu' ils maudissent

Passé simple	Passé antérieur		Passé
je maudis	j' eus	maudit	que j' aie maudit
tu maudis	tu eus	maudit	que tu aies maudit
il maudit	il eut	maudit	qu' il ait maudit
ns maudîmes	ns eûmes	maudit	que ns ayons maudit
vs maudîtes	vs eûtes	maudit	que vs ayez maudit
ils maudirent	ils eurent	maudit	qu' ils aient maudit

Futur simple	Futur antérieur		Plus-que-parfait
je maudirai	j' aurai	maudit	que j' eusse maudit
tu maudiras	tu auras	maudit	que tu eusses maudit
il maudira	il aura	maudit	qu' il eût maudit
ns maudirons	ns aurons	maudit	que ns eussions maudit
vs maudirez	vs aurez	maudit	que vs eussiez maudit
ils maudiront	ils auront	maudit	qu' ils eussent maudit

CONDITIONNEL

Présent	Passé 1ʳᵉ forme		Passé 2ᵉ forme	
je maudirais	j' aurais	maudit	j' eusse	maudit
tu maudirais	tu aurais	maudit	tu eusses	maudit
il maudirait	il aurait	maudit	il eût	maudit
ns maudirions	ns aurions	maudit	ns eussions	maudit
vs maudiriez	vs auriez	maudit	vs eussiez	maudit
ils maudiraient	ils auraient	maudit	ils eussent	maudit

IMPÉRATIF

Présent			Passé		
maudis	maudissons	maudissez	aie maudit	ayons maudit	ayez maudit

INFINITIF / PARTICIPE

Présent	Passé	Présent	Passé	Passé composé
maudire	avoir maudit	maudissant	maudit, te	ayant maudit

tableaux de conjugaison types

Ainsi se conjuguent *relire, élire* et *réélire*.

Remarque : *élire* et *réélire* ont bien un passé simple en -*u*- *(ils élurent)* et non pas en -*i*- comme on le rencontre parfois, peut-être par confusion avec son synonyme *choisir*.

INDICATIF			SUBJONCTIF	
Présent	**Passé composé**		**Présent**	
je lis	j' ai	lu	que je lise	
tu lis	tu as	lu	que tu lises	
il lit	il a	lu	qu' il lise	
ns lisons	ns avons	lu	que ns lisions	
vs lisez	vs avez	lu	que vs lisiez	
ils lisent	ils ont	lu	qu' ils lisent	
Imparfait	**Plus-que-parfait**		**Imparfait**	
je lisais	j' avais	lu	que je lusse	
tu lisais	tu avais	lu	que tu lusses	
il lisait	il avait	lu	qu' il lût	
ns lisions	ns avions	lu	que ns lussions	
vs lisiez	vs aviez	lu	que vs lussiez	
ils lisaient	ils avaient	lu	qu' ils lussent	
Passé simple	**Passé antérieur**		**Passé**	
je lus	j' eus	lu	que j' aie	lu
tu lus	tu eus	lu	que tu aies	lu
il lut	il eut	lu	qu' il ait	lu
ns lûmes	ns eûmes	lu	que ns ayons	lu
vs lûtes	vs eûtes	lu	que vs ayez	lu
ils lurent	ils eurent	lu	qu' ils aient	lu
Futur simple	**Futur antérieur**		**Plus-que-parfait**	
je lirai	j' aurai	lu	que j' eusse	lu
tu liras	tu auras	lu	que tu eusses	lu
il lira	il aura	lu	qu' il eût	lu
ns lirons	ns aurons	lu	que ns eussions	lu
vs lirez	vs aurez	lu	que vs eussiez	lu
ils liront	ils auront	lu	qu' ils eussent	lu

CONDITIONNEL				
Présent	**Passé 1ʳᵉ forme**		**Passé 2ᵉ forme**	
je lirais	j' aurais	lu	j' eusse	lu
tu lirais	tu aurais	lu	tu eusses	lu
il lirait	il aurait	lu	il eût	lu
ns lirions	ns aurions	lu	ns eussions	lu
vs liriez	vs auriez	lu	vs eussiez	lu
ils liraient	ils auraient	lu	ils eussent	lu

IMPÉRATIF				
Présent			**Passé**	
lis lisons lisez			aie lu ayons lu ayez lu	

INFINITIF		PARTICIPE		
Présent	**Passé**	**Présent**	**Passé**	**Passé composé**
lire	avoir lu	lisant	lu, e	ayant lu

Ainsi se conjuguent tous les verbes qui se terminent par -*crire*.

INDICATIF / SUBJONCTIF

INDICATIF			SUBJONCTIF		
Présent	**Passé composé**		**Présent**		
j' écris	j' ai	écrit	que j' écrive		
tu écris	tu as	écrit	que tu écrives		
il écrit	il a	écrit	qu' il écrive		
ns écrivons	ns avons	écrit	que ns écrivions		
vs écrivez	vs avez	écrit	que vs écriviez		
ils écrivent	ils ont	écrit	qu' ils écrivent		
Imparfait	**Plus-que-parfait**		**Imparfait**		
j' écrivais	j' avais	écrit	que j' écrivisse		
tu écrivais	tu avais	écrit	que tu écrivisses		
il écrivait	il avait	écrit	qu' il écrivît		
ns écrivions	ns avions	écrit	que ns écrivissions		
vs écriviez	vs aviez	écrit	que vs écrivissiez		
ils écrivaient	ils avaient	écrit	qu' ils écrivissent		
Passé simple	**Passé antérieur**		**Passé**		
j' écrivis	j' eus	écrit	que j' aie	écrit
tu écrivis	tu eus	écrit	que tu aies	écrit
il écrivit	il eut	écrit	qu' il ait	écrit
ns écrivîmes	ns eûmes	écrit	que ns ayons	écrit
vs écrivîtes	vs eûtes	écrit	que vs ayez	écrit
ils écrivirent	ils eurent	écrit	qu' ils aient	écrit
Futur simple	**Futur antérieur**		**Plus-que-parfait**		
j' écrirai	j' aurai	écrit	que j' eusse	écrit
tu écriras	tu auras	écrit	que tu eusses	écrit
il écrira	il aura	écrit	qu' il eût	écrit
ns écrirons	ns aurons	écrit	que ns eussions	écrit
vs écrirez	vs aurez	écrit	que vs eussiez	écrit
ils écriront	ils auront	écrit	qu' ils eussent	écrit

CONDITIONNEL

Présent	**Passé 1ʳᵉ forme**		**Passé 2ᵉ forme**	
j' écrirais	j' aurais	écrit	j' eusse	écrit
tu écrirais	tu aurais	écrit	tu eusses	écrit
il écrirait	il aurait	écrit	il eût	écrit
ns écririons	ns aurions	écrit	ns eussions	écrit
vs écririez	vs auriez	écrit	vs eussiez	écrit
ils écriraient	ils auraient	écrit	ils eussent	écrit

IMPÉRATIF

Présent			**Passé**		
écris	écrivons	écrivez	aie écrit	ayons écrit	ayez écrit

INFINITIF / PARTICIPE

INFINITIF		PARTICIPE		
Présent	**Passé**	**Présent**	**Passé**	**Passé composé**
écrire	avoir écrit	écrivant	écrit, te	ayant écrit

tableaux de conjugaison types

Ainsi se conjugue le verbe *sourire*.

Remarque : noter le participe passé invariable des deux verbes *(elles se sont souri en se reconnaissant* et *ils se sont ri des difficultés).*

Aux deux premières personnes du pluriel de l'imparfait de l'indicatif et du présent du subjonctif, ne pas oublier les deux *i*, un pour le radical et un pour la terminaison.

INDICATIF			SUBJONCTIF		
Présent			**Présent**		
je ris	j' ai	ri	que je rie		
tu ris	tu as	ri	que tu ries		
il rit	il a	ri	qu' il rie		
ns rions	ns avons	ri	que ns riions		
vs riez	vs avez	ri	que vs riiez		
ils rient	ils ont	ri	qu' ils rient		
Imparfait	**Plus-que-parfait**		**Imparfait**		
je riais	j' avais	ri	que je risse		
tu riais	tu avais	ri	que tu risses		
il riait	il avait	ri	qu' il rît		
ns riions	ns avions	ri	que ns rissions		
vs riiez	vs aviez	ri	que vs rissiez		
ils riaient	ils avaient	ri	qu' ils rissent		
Passé simple	**Passé antérieur**		**Passé**		
je ris	j' eus	ri	que j' aie	ri	
tu ris	tu eus	ri	que tu aies	ri	
il rit	il eut	ri	qu' il ait	ri	
ns rîmes	ns eûmes	ri	que ns ayons	ri	
vs rîtes	vs eûtes	ri	que vs ayez	ri	
ils rirent	ils eurent	ri	qu' ils aient	ri	
Futur simple	**Futur antérieur**		**Plus-que-parfait**		
je rirai	j' aurai	ri	que j' eusse	ri	
tu riras	tu auras	ri	que tu eusses	ri	
il rira	il aura	ri	qu' il eût	ri	
ns rirons	ns aurons	ri	que ns eussions	ri	
vs rirez	vs aurez	ri	que vs eussiez	ri	
ils riront	ils auront	ri	qu' ils eussent	ri	

CONDITIONNEL					
Présent	**Passé 1ʳᵉ forme**		**Passé 2ᵉ forme**		
je rirais	j' aurais	ri	j' eusse	ri	
tu rirais	tu aurais	ri	tu eusses	ri	
il rirait	il aurait	ri	il eût	ri	
ns ririons	ns aurions	ri	ns eussions	ri	
vs ririez	vs auriez	ri	vs eussiez	ri	
ils riraient	ils auraient	ri	ils eussent	ri	

IMPÉRATIF					
Présent			**Passé**		
ris	rions	riez	aie ri	ayons ri	ayez ri

INFINITIF		PARTICIPE			
Présent	**Passé**	**Présent**	**Passé**	**Passé composé**	
rire	avoir ri	riant	ri	ayant ri	

Ainsi se conjuguent tous les verbes en *-uire*, sauf *bruire* (voir remarque modèle 20).
Luire, reluire, nuire ont un participe passé invariable en *-ui (lui, relui, nui).*

INDICATIF

Présent	Passé composé	
je conduis	j' ai	conduit
tu conduis	tu as	conduit
il conduit	il a	conduit
ns conduisons	ns avons	conduit
vs conduisez	vs avez	conduit
ils conduisent	ils ont	conduit

Imparfait	Plus-que-parfait	
je conduisais	j' avais	conduit
tu conduisais	tu avais	conduit
il conduisait	il avait	conduit
ns conduisions	ns avions	conduit
vs conduisiez	vs aviez	conduit
ils conduisaient	ils avaient	conduit

Passé simple	Passé antérieur	
je conduisis	j' eus	conduit
tu conduisis	tu eus	conduit
il conduisit	il eut	conduit
ns conduisîmes	ns eûmes	conduit
vs conduisîtes	vs eûtes	conduit
ils conduisirent	ils eurent	conduit

Futur simple	Futur antérieur	
je conduirai	j' aurai	conduit
tu conduiras	tu auras	conduit
il conduira	il aura	conduit
ns conduirons	ns aurons	conduit
vs conduirez	vs aurez	conduit
ils conduiront	ils auront	conduit

SUBJONCTIF

Présent	
que je conduise	
que tu conduises	
qu' il conduise	
que ns conduisions	
que vs conduisiez	
qu' ils conduisent	

Imparfait	
que je conduisisse	
que tu conduisisses	
qu' il conduisît	
que ns conduisissions	
que vs conduisissiez	
qu' ils conduisissent	

Passé		
que j' aie	conduit
que tu aies	conduit
qu' il ait	conduit
que ns ayons	conduit
que vs ayez	conduit
qu' ils aient	conduit

Plus-que-parfait		
que j' eusse	conduit
que tu eusses	conduit
qu' il eût	conduit
que ns eussions	conduit
que vs eussiez	conduit
qu' ils eussent	conduit

CONDITIONNEL

Présent	Passé 1ʳᵉ forme		Passé 2ᵉ forme	
je conduirais	j' aurais	conduit	j' eusse	conduit
tu conduirais	tu aurais	conduit	tu eusses	conduit
il conduirait	il aurait	conduit	il eût	conduit
ns conduirions	ns aurions	conduit	ns eussions	conduit
vs conduiriez	vs auriez	conduit	vs eussiez	conduit
ils conduiraient	ils auraient	conduit	ils eussent	conduit

IMPÉRATIF

Présent			Passé		
conduis	conduisons	conduisez	aie conduit	ayons conduit	ayez conduit

INFINITIF

Présent	Passé
conduire	avoir conduit

PARTICIPE

Présent	Passé	Passé composé
conduisant	conduit, te	ayant conduit

tableaux de conjugaison types

Boire est le seul verbe à se conjuguer sur ce modèle.

INDICATIF			SUBJONCTIF		
Présent	**Passé composé**		**Présent**		
je bois	j' ai bu		que je boive		
tu bois	tu as bu		que tu boives		
il boit	il a bu		qu' il boive		
ns buvons	ns avons bu		que ns buvions		
vs buvez	vs avez bu		que vs buviez		
ils boivent	ils ont bu		qu' ils boivent		
Imparfait	**Plus-que-parfait**		**Imparfait**		
je buvais	j' avais bu		que je busse		
tu buvais	tu avais bu		que tu busses		
il buvait	il avait bu		qu' il bût		
ns buvions	ns avions bu		que ns bussions		
vs buviez	vs aviez bu		que vs bussiez		
ils buvaient	ils avaient bu		qu' ils bussent		
Passé simple	**Passé antérieur**		**Passé**		
je bus	j' eus bu		que j' aie	bu
tu bus	tu eus bu		que tu aies	bu
il but	il eut bu		qu' il ait	bu
ns bûmes	ns eûmes bu		que ns ayons	bu
vs bûtes	vs eûtes bu		que vs ayez	bu
ils burent	ils eurent bu		qu' ils aient	bu
Futur simple	**Futur antérieur**		**Plus-que-parfait**		
je boirai	j' aurai bu		que j' eusse	bu
tu boiras	tu auras bu		que tu eusses	bu
il boira	il aura bu		qu' il eût	bu
ns boirons	ns aurons bu		que ns eussions	bu
vs boirez	vs aurez bu		que vs eussiez	bu
ils boiront	ils auront bu		qu' ils eussent	bu

CONDITIONNEL					
Présent	**Passé 1ʳᵉ forme**		**Passé 2ᵉ forme**		
je boirais	j' aurais bu		j' eusse	bu	
tu boirais	tu aurais bu		tu eusses	bu	
il boirait	il aurait bu		il eût	bu	
ns boirions	ns aurions bu		ns eussions	bu	
vs boiriez	vs auriez bu		vs eussiez	bu	
ils boiraient	ils auraient bu		ils eussent	bu	

IMPÉRATIF					
Présent			**Passé**		
bois	buvons	buvez	aie bu	ayons bu	ayez bu

INFINITIF		PARTICIPE		
Présent	**Passé**	**Présent**	**Passé**	**Passé composé**
boire	avoir bu	buvant	bu, e	ayant bu

Ainsi se conjuguent *exclure* et *inclure,* mais ce dernier a un participe passé en *-us* : *inclus, incluse.*

Remarque : au futur simple, veiller à ne pas conjuguer ces verbes comme des verbes en *-uer* du 1ᵉʳ groupe *(diluer → vous diluerez / conclure → vous conclurez).*

INDICATIF

Présent	Passé composé		SUBJONCTIF Présent
je conclus	j' ai	conclu	que je conclue
tu conclus	tu as	conclu	que tu conclues
il conclut	il a	conclu	qu' il conclue
ns concluons	ns avons	conclu	que ns concluions
vs concluez	vs avez	conclu	que vs concluiez
ils concluent	ils ont	conclu	qu' ils concluent

Imparfait	Plus-que-parfait		Imparfait
je concluais	j' avais	conclu	que je conclusse
tu concluais	tu avais	conclu	que tu conclusses
il concluait	il avait	conclu	qu' il conclût
ns concluions	ns avions	conclu	que ns conclussions
vs concluiez	vs aviez	conclu	que vs conclussiez
ils concluaient	ils avaient	conclu	qu' ils conclussent

Passé simple	Passé antérieur		Passé
je conclus	j' eus	conclu	que j' aie conclu
tu conclus	tu eus	conclu	que tu aies conclu
il conclut	il eut	conclu	qu' il ait conclu
ns conclûmes	ns eûmes	conclu	que ns ayons conclu
vs conclûtes	vs eûtes	conclu	que vs ayez conclu
ils conclurent	ils eurent	conclu	qu' ils aient conclu

Futur simple	Futur antérieur		Plus-que-parfait
je conclurai	j' aurai	conclu	que j' eusse conclu
tu concluras	tu auras	conclu	que tu eusses conclu
il conclura	il aura	conclu	qu' il eût conclu
ns conclurons	ns aurons	conclu	que ns eussions conclu
vs conclurez	vs aurez	conclu	que vs eussiez conclu
ils concluront	ils auront	conclu	qu' ils eussent conclu

CONDITIONNEL

Présent	Passé 1ʳᵉ forme		Passé 2ᵉ forme	
je conclurais	j' aurais	conclu	j' eusse	conclu
tu conclurais	tu aurais	conclu	tu eusses	conclu
il conclurait	il aurait	conclu	il eût	conclu
ns conclurions	ns aurions	conclu	ns eussions	conclu
vs concluriez	vs auriez	conclu	vs eussiez	conclu
ils concluraient	ils auraient	conclu	ils eussent	conclu

IMPÉRATIF

Présent			Passé		
conclus	concluons	concluez	aie conclu	ayons conclu	ayez conclu

INFINITIF / PARTICIPE

Présent	Passé	Présent	Passé	Passé composé
conclure	avoir conclu	concluant	conclu, e	ayant conclu

tableaux de conjugaison types

Clore prend un accent circonflexe sur le *o* qui précède *t*. Pour les verbes *éclore* et *enclore* qui se conjuguent sur ce modèle, certains dictionnaires donnent les formes avec un accent circonflexe, d'autres sans. Pour mettre fin à ces hésitations, les rectifications de l'orthographe de 1990 proposent d'écrire toutes les formes sans accent circonflexe.

Remarque : *éclore* ne s'emploie qu'à la 3ᵉ personne alors que *enclore* se rencontre aux deux premières personnes du pluriel *(nous enclosons, vous enclosez).*

INDICATIF

Présent		Passé composé		
je clos		j' ai	clos	
tu clos		tu as	clos	
il clôt		il a	clos	
inusité		ns avons	clos	
inusité		vs avez	clos	
ils closent		ils ont	clos	

Imparfait		Plus-que-parfait		
inusité		j' avais	clos	
		tu avais	clos	
		il avait	clos	
		ns avions	clos	
		vs aviez	clos	
		ils avaient	clos	

Passé simple		Passé antérieur		
inusité		j' eus	clos	
		tu eus	clos	
		il eut	clos	
		ns eûmes	clos	
		vs eûtes	clos	
		ils eurent	clos	

Futur simple		Futur antérieur		
je clorai		j' aurai	clos	
tu cloras		tu auras	clos	
il clora		il aura	clos	
ns clorons		ns aurons	clos	
vs clorez		vs aurez	clos	
ils cloront		ils auront	clos	

SUBJONCTIF

Présent		
que je close		
que tu closes		
qu' il close		
que ns closions		
que vs closiez		
qu' ils closent		

Imparfait
inusité

Passé		
que j' aie	clos	
que tu aies	clos	
qu' il ait	clos	
que ns ayons	clos	
que vs ayez	clos	
qu' ils aient	clos	

Plus-que-parfait		
que j' eusse	clos	
que tu eusses	clos	
qu' il eût	clos	
que ns eussions	clos	
que vs eussiez	clos	
qu' ils eussent	clos	

CONDITIONNEL

Présent		Passé 1ʳᵉ forme		Passé 2ᵉ forme	
je clorais		j' aurais	clos	j' eusse	clos
tu clorais		tu aurais	clos	tu eusses	clos
il clorait		il aurait	clos	il eût	clos
ns clorions		ns aurions	clos	ns eussions	clos
vs cloriez		vs auriez	clos	vs eussiez	clos
ils cloraient		ils auraient	clos	ils eussent	clos

IMPÉRATIF

Présent		Passé		
clos	*inusité*	aie clos	ayons clos	ayez clos

INFINITIF

Présent	Passé
clore	avoir clos

PARTICIPE

Présent	Passé	Passé composé
closant	clos, se	ayant clos

Faire et les verbes de sa famille ont la particularité d'avoir leur 2ᵉ personne du pluriel du présent de l'indicatif et de l'impératif en *-tes*, et non en *-ez*.
Remarque : noter la prononciation [fə] pour la 1ʳᵉ personne du pluriel du présent de l'indicatif, pour toutes les formes de l'imparfait de l'indicatif, pour la 1ʳᵉ personne du pluriel de l'impératif et pour le participe présent.

INDICATIF			SUBJONCTIF		
Présent	**Passé composé**		**Présent**		
je fais	j' ai	fait	que je fasse	
tu fais	tu as	fait	que tu fasses	
il fait	il a	fait	qu' il fasse	
ns faisons	ns avons	fait	que ns fassions	
vs faites	vs avez	fait	que vs fassiez	
ils font	ils ont	fait	qu' ils fassent	
Imparfait	**Plus-que-parfait**		**Imparfait**		
je faisais	j' avais	fait	que je fisse	
tu faisais	tu avais	fait	que tu fisses	
il faisait	il avait	fait	qu' il fît	
ns faisions	ns avions	fait	que ns fissions	
vs faisiez	vs aviez	fait	que vs fissiez	
ils faisaient	ils avaient	fait	qu' ils fissent	
Passé simple	**Passé antérieur**		**Passé**		
je fis	j' eus	fait	que j' aie	fait
tu fis	tu eus	fait	que tu aies	fait
il fit	il eut	fait	qu' il ait	fait
ns fîmes	ns eûmes	fait	que ns ayons	fait
vs fîtes	vs eûtes	fait	que vs ayez	fait
ils firent	ils eurent	fait	qu' ils aient	fait
Futur simple	**Futur antérieur**		**Plus-que-parfait**		
je ferai	j' aurai	fait	que j' eusse	fait
tu feras	tu auras	fait	que tu eusses	fait
il fera	il aura	fait	qu' il eût	fait
ns ferons	ns aurons	fait	que ns eussions	fait
vs ferez	vs aurez	fait	que vs eussiez	fait
ils feront	ils auront	fait	qu' ils eussent	fait

CONDITIONNEL					
Présent	**Passé 1ʳᵉ forme**		**Passé 2ᵉ forme**		
je ferais	j' aurais	fait	j' eusse	fait
tu ferais	tu aurais	fait	tu eusses	fait
il ferait	il aurait	fait	il eût	fait
ns ferions	ns aurions	fait	ns eussions	fait
vs feriez	vs auriez	fait	vs eussiez	fait
ils feraient	ils auraient	fait	ils eussent	fait

IMPÉRATIF				
Présent			**Passé**	
fais faisons faites			aie fait ayons fait ayez fait	

INFINITIF		PARTICIPE		
Présent	**Passé**	**Présent**	**Passé**	**Passé composé**
faire	avoir fait	faisant	fait, te	ayant fait

tableaux de conjugaison types

L'impératif singulier s'écrit sans *s* (*va*) sauf si le verbe est suivi du pronom complément *y* (*vas-y*).

S'en aller se conjugue comme *aller*. Noter la 2ᵉ personne du singulier de l'impératif présent avec élision du pronom réfléchi : *va-t'en*.

INDICATIF | SUBJONCTIF

Présent	Passé composé	Présent
je vais	je suis allé	que j' aille
tu vas	tu es allé	que tu ailles
il va	il est allé	qu' il aille
ns allons	ns sommes allés	que ns allions
vs allez	vs êtes allés	que vs alliez
ils vont	ils sont allés	qu' ils aillent

Imparfait	Plus-que-parfait	Imparfait
j' allais	j' étais allé	que j' allasse
tu allais	tu étais allé	que tu allasses
il allait	il était allé	qu' il allât
ns allions	ns étions allés	que ns allassions
vs alliez	vs étiez allés	que vs allassiez
ils allaient	ils étaient allés	qu' ils allassent

Passé simple	Passé antérieur	Passé
j' allai	je fus allé	que je sois allé
tu allas	tu fus allé	que tu sois allé
il alla	il fut allé	qu' il soit allé
ns allâmes	ns fûmes allés	que ns soyons allés
vs allâtes	vs fûtes allés	que vs soyez allés
ils allèrent	ils furent allés	qu' ils soient allés

Futur simple	Futur antérieur	Plus-que-parfait
j' irai	je serai allé	que je fusse allé
tu iras	tu seras allé	que tu fusses allé
il ira	il sera allé	qu' il fût allé
ns irons	ns serons allés	que ns fussions allés
vs irez	vs serez allés	que vs fussiez allés
ils iront	ils seront allés	qu' ils fussent allés

CONDITIONNEL

Présent	Passé 1ʳᵉ forme	Passé 2ᵉ forme
j' irais	je serais allé	je fusse allé
tu irais	tu serais allé	tu fusses allé
il irait	il serait allé	il fût allé
ns irions	ns serions allés	ns fussions allés
vs iriez	vs seriez allés	vs fussiez allés
ils iraient	ils seraient allés	ils fussent allés

IMPÉRATIF

Présent			Passé		
va	allons	allez	sois allé	soyons allés	soyez allés

INFINITIF | PARTICIPE

Présent	Passé	Présent	Passé	Passé composé
aller	être allé	allant	allé, e	étant allé

INDEX
DES VERBES

Les nombres indiqués ici en couleur correspondent aux numéros des tableaux de conjugaison types.
Les verbes en gras sont les verbes modèles.

A

abaisser	3	accabler	3	achalander	3	aduler	3
abandonner	3	accaparer	3	acharner (s')	3	adultérer	9
abasourdir	20	accastiller	3	acheminer	3	advenir	27
abâtardir	20	accéder	9	**acheter**	15	aérer	9
abattre	62	accélérer	9	achever	11	affabuler	3
abcéder (s')	9	accentuer	3	achopper	3	affadir	20
abdiquer	3	accepter	3	achromatiser	3	affaiblir	20
abêtir	20	accessoiriser	3	acidifier	4	affairer (s')	3
abhorrer	3	accidenter	3	aciduler	3	affaisser	3
abîmer	3	acclamer	3	aciérer	9	affaler	3
abjurer	3	acclimater	3	acoquiner (s')	3	affamer	3
abolir	20	accointer (s')	3	**acquérir**	28	affecter	3
abominer	3	accoler	3	acquiescer	6	affectionner	3
abonder	3	accommoder	3	acquitter	3	affermer	3
abonner	3	accompagner	3	acter	3	affermir	20
abonnir	20	accomplir	20	actionner	3	afficher	3
aborder	3	accorder	3	activer	3	affiler	3
aboucher	3	accoster	3	actualiser	3	affilier	4
abouler	3	accoter	3	adapter	3	affiner	3
abouter	3	accoucher	3	additionner	3	affirmer	3
aboutir	20	accouder (s')	3	adhérer	9	affleurer	3
aboyer	18	accoupler	3	adjectiver	3	affliger	7
abraser	3	accourir	25	adjoindre	56	afflouer	3
abréger	10	accoutrer	3	adjuger	7	affluer	3
abreuver	3	accoutumer	3	adjurer	3	affoler	3
abriter	3	accréditer	3	admettre	63	affouiller	3
abroger	7	accrocher	3	administrer	3	affour(r)ager	7
abrutir	20	accroire	67	admirer	3	affourcher	3
absenter (s')	3	accroître	66	admonester	3	affranchir	20
absorber	3	accroupir (s')	20	adonner (s')	3	affréter	9
absoudre	57	accueillir	30	adopter	3	affriander	3
abstenir (s')	27	acculer	3	adorer	3	affrioler	3
abstraire	69	acculturer	3	adosser	3	affronter	3
abuser	3	accumuler	3	adouber	3	affubler	3
acagnarder (s')	3	accuser	3	adoucir	20	affurer	3
		acérer	9	adresser	3	affûter	3
		acétifier	4	adsorber	3	africaniser	3

Index des verbes

Index des verbes

index des verbes

Index des verbes

Index des verbes

Index des verbes

283

Index des verbes

Index des verbes

Index des verbes

Index des verbes

Index des verbes

Index des verbes

Index des verbes

Index des verbes

Index des verbes

Q

R

S

Index des verbes

Index des verbes

T

index des verbes

Index des verbes

312

INDEX DES NOTIONS CLÉS

A

B

C

Index des notions clés

Index des notions clés

Alphabet phonétique

12 voyelles

[a]	*ami ; mat*	[ɔ]	*sort ; donner*
[ɑ]	*mât ; bas*	[ø]	*bleu ; nœud*
[e]	*café ; parler*	[œ]	*beurre ; œuf*
[ɛ]	*mère ; belle ; fête*	[ə]	*chemin ; revoir*
[i]	*ici ; pli*	[u]	*fou ; goût*
[o]	*sot ; eau ; rôle*	[y]	*user ; mûr*

4 voyelles nasales

[ɑ̃]	*blanc ; vendre*	[œ̃]	*brun ; parfum*
[ɛ̃]	*fin ; plein ; pain*	[ɔ̃]	*monde ; sombre*

3 semi-consonnes (ou semi-voyelles)

[j]	*yaourt ; rail ; rien*	[ɥ]	*nuit ; lui*
[w]	*oui ; rouage*		

17 consonnes

[b]	*barbe ; table*	[R]	*rare ; pour*
[k]	*cave ; marquer ; ski*	[s]	*sur ; trace ; leçon*
[d]	*dur ; sud*	[t]	*tous ; retard*
[f]	*feu ; photo*	[v]	*vivre ; wagon*
[g]	*gant ; vague*	[z]	*rose ; zéro*
[l]	*lune ; rouler ; ville*	[ʃ]	*chat ; riche*
[m]	*main ; permis*	[ʒ]	*jeton ; manger*
[n]	*navire ; farine*	[ɲ]	*vigne ; agneau*
[p]	*poule ; taper*		

Remarque : les deux phonèmes [ɛ̃] et [œ̃] tendent à être confondus dans beaucoup de régions.

Achevé d'imprimer en France par Maury Imprimeur S.A.
Dépôt légal : Novembre 07 - Edition : 03 16/9449/6